BESCHERELLE

L'ART DE CONJUGUER

DICTIONNAIRE DE 12 000 VERBES

Édition révisée par Chantal Contant, linguiste

Hurtubise

Les Éditions Hurtubise bénéficient du soutien financier des institutions suivantes pour leurs activités d'édition :

- Gouvernement du Canada par l'entremise du Programme d'aide au développement de l'industrie de l'édition (PADIÉ) ;
- Société de développement des entreprises culturelles du Québec (SODEC) ;
- Gouvernement du Québec par l'entremise du programme de crédit d'impôt pour l'édition de livres.

Conception graphique et réalisation de la couverture : Anne Tremblay [www.annetremblay.com]
Conception graphique et réalisation de l'intérieur : Folio infographie
Révision scientifique : Chantal Contant, Noëlle Guilloton
Révision linguistique : Millie Pouliot et Solange Champagne-Cowle
Édition : Loïc Hervouet

ISBN 978-2-89647-587-2

Dépôt légal – 1er trimestre 2012
Bibliothèque et Archives nationales du Québec
Bibliothèque et Archives Canada

Diffusion-distribution au Canada
Distribution HMH
1815, av. De Lorimier
Montréal (Québec) H2K 3W6
Téléphone : 514 523-1523
Télécopieur : 514 523-9969
www.distributionhmh.com

Réimprimé en France en avril 2017
www.editionshurtubise.com

AVANT-PROPOS

Qu'est-ce que la conjugaison ?

La conjugaison est la liste des différentes formes qui, pour chaque verbe, donnent les indications de personne, de nombre, de temps et d'aspect, de mode, et de voix. Conjuguer un verbe, c'est énumérer ces formes.

La mauvaise réputation de la conjugaison du français est largement imméritée. Il est vrai que le nombre des formes du verbe est important : 96 formes, simplement pour l'actif. Mais il en va de même dans bien des langues. En outre, la plupart de ces formes sont immédiatement prévisibles. Ainsi, pour l'ensemble des formes composées, il suffit, pour les construire correctement, de disposer des trois informations suivantes : la forme de participe passé du verbe, l'auxiliaire utilisé et la conjugaison des deux auxiliaires.

Comme on le verra dans la suite de cet ouvrage, les formes simples (c'est-à-dire sans auxiliaire) présentent, paradoxalement, un peu plus de difficultés. Mais ces difficultés n'ont rien d'insurmontable.

Quelle est la structure du *Bescherelle* ?

L'Art de conjuguer donne les indications nécessaires pour trouver rapidement les formes de tous les verbes utilisés en français.

- **La grammaire du verbe (paragraphes 1 à 83)**
  Conforme aux normes linguistiques présentées dans le Programme de formation de l'école québécoise, elle donne toutes les indications nécessaires sur la morphologie du verbe (c'est-à-dire la description des formes), sur sa syntaxe (c'est-à-dire ses relations avec les autres mots de la phrase, notamment les phénomènes d'accord), enfin sur les valeurs des formes verbales. Il est en effet indispensable de savoir en quoi les formes verbales se distinguent les unes des autres par le sens : en quoi les indications données par un passé simple sont-elles différentes de celles d'un imparfait ou d'un passé composé ? C'est peut-être là que se situent les véritables « difficultés » de la conjugaison du français.

  Un index permet de se référer commodément aux notions expliquées dans la grammaire.

- **Les 95 tableaux de conjugaison (numérotés de 84 à 178)**
  Ils donnent, pour les verbes retenus comme modèles, l'ensemble des formes simples et composées. L'existence des formes surcomposées est rappelée dans la plupart des tableaux.

  Leur formation est décrite dans la *Grammaire du verbe*.

- **La liste alphabétique des verbes de la langue française**
  Pour chacun des verbes énumérés à l'infinitif et classés par ordre alphabétique figurent des indications sur sa construction et la manière dont il s'accorde. Un renvoi à l'un des 95 tableaux permet de résoudre immédiatement les éventuels problèmes de conjugaison.

Quels verbes trouve-t-on dans le *Bescherelle* ?

L'inventaire des verbes français évolue de jour en jour, sous l'effet d'un double mouvement : la disparition des verbes qui ont cessé d'être utiles et la création de nouveaux verbes.

- **Les verbes néologiques**
  La nouvelle édition du *Bescherelle* inclut tous les verbes néologiques, y compris les formes appartenant à des vocabulaires plus ou moins techniques (*clavarder*) ou à des usages familiers, voire argotiques (*staffer*).

- **Les verbes de la francophonie**
  Figurent également dans ce manuel de conjugaison des verbes propres au Québec et au Canada francophone (attestés notamment dans le correcteur *Antidote* et dans le *Dictionnaire Franqus (français québécois – usage standard)* de l'Université de Sherbrooke), à la Belgique et à l'Afrique francophone.

- **L'orthographe des verbes évolue-t-elle ?**
  Au fil des siècles, l'orthographe a toujours évolué : *v**e**oir* est devenu *voir*, *j'av**o**is* a été remplacé par *j'avais*, *commenc**e**a* par *commença*, *obeïr* par *obéir*… L'évolution se poursuit aujourd'hui.

  Dans l'ensemble des rectifications de l'orthographe proposées par le Conseil supérieur de la langue française et approuvées par l'Académie française, on trouve un certain nombre de modifications modernes qui suppriment des anomalies : *assoir* perd son *e* (comme *voir*), le participe passé *absous* devient *absout* pour s'harmoniser avec son féminin *absoute*, etc. Les tableaux du présent ouvrage rendent compte de cette évolution en proposant des variantes orthographiques clairement identifiées (par la mention **VARIANTE**).

SOMMAIRE

GRAMMAIRE DU VERBE

Les numéros de 84 à 178 renvoient aux tableaux de conjugaison,
les numéros précédents renvoient aux paragraphes.

GRAMMAIRE DU VERBE

QU'EST-CE QU'UN VERBE ?

Chapitre I

DÉFINITION DU VERBE

En français, comme dans les autres langues, les mots se répartissent entre plusieurs classes : à côté du verbe, on trouve le nom, le déterminant, l'adjectif, l'adverbe, la préposition, etc. Le verbe français, qui se distingue de façon particulièrement nette du nom, présente différents caractères.

1 La conjugaison

Le verbe compte un grand nombre de formes différentes, qui sont énumérées par la *conjugaison*. Ces différences de formes servent à donner des indications relatives à la personne, au nombre, au temps et à l'aspect, au mode, et à la voix.

Différentes à l'oral et à l'écrit, les formes *elle travaille*, *nous travaillions*, *ils travaillèrent*, *qu'il travaillât* et *travaillez !* sont également différentes par les informations qu'elles donnent.

2 La fonction verbale

Dans une phrase, il est à peu près indispensable d'employer un verbe. Si on le supprime, les autres mots sont privés de lien entre eux, et il devient difficile d'attribuer un sens à l'ensemble qu'ils constituent.

Le professeur enseigne la grammaire aux élèves.

Cette phrase devient incompréhensible si on supprime le verbe *enseigne*. Cependant, la *fonction verbale* peut, dans certains cas, se trouver réalisée sans la présence d'un verbe. Les phrases sans verbe sont appelées *phrases non verbales*.

Mon ami Alexandre, quel champion !

3 Verbe et temporalité

Les réalités désignées par le verbe ont la propriété de se dérouler dans le temps.

Le sapin pousse plus vite que le chêne.

Les objets désignés par les noms *sapin* et *chêne* sont considérés comme stables dans le temps. Au contraire, le processus désigné par le verbe *pousser* se déroule dans le temps. Il est par exemple possible, en utilisant la conjugaison, de le présenter comme non accompli, comme dans l'exemple ci-dessus, où le verbe est au présent. Mais on peut également le présenter comme accompli dans la phrase ci-dessous, où le verbe est au passé composé :

Le sapin a poussé plus vite que le chêne.

LES DIFFÉRENTS TYPES DE VERBES

Le classement qui est présenté ci-dessous tient compte du sens et de la fonction du verbe. Pour un autre classement → paragraphes 21 à 23.

4 Les verbes *être* et *avoir*

Les verbes *être* et *avoir* présentent une particularité qui les distingue des autres verbes de la langue : on peut les utiliser de deux façons différentes.

- ***Être* et *avoir* : des verbes comme les autres**
  Les verbes *être* et *avoir* peuvent, d'une part, s'employer comme tous les autres verbes, avec le sens et la construction qui leur sont propres.
  Être s'utilise parfois avec le sens d'« exister » :

Et la lumière fut.

Être sert le plus souvent à introduire un attribut :

La conjugaison est très amusante. (très amusante : GAdj attribut) *Alice est médecin.* (médecin : GN attribut)

Mon meilleur ami est le président de l'association. (le président de l'association : GN attribut)

Avoir s'emploie avec un complément direct et indique que le sujet « possède » ce complément :

J'ai deux livres de grammaire française. (deux livres de grammaire française : GN complément direct)

- ***Être* et *avoir* utilisés comme auxiliaires (→ paragraphe 18)**
  Indépendamment de cet emploi ordinaire, *être* et *avoir* s'utilisent, d'autre part, comme verbes *auxiliaires*. Ils servent à constituer certaines formes de la conjugaison des autres verbes, dans les conditions suivantes :

  — Les formes passives sont constituées, pour les verbes qui peuvent les recevoir (→ paragraphe 12), à l'aide de l'auxiliaire *être* et de leur forme simple de participe passé :

  Le café est cultivé dans plusieurs pays d'Afrique.
  forme passive (est cultivé)

  — Les temps composés de tous les verbes sont constitués à l'aide de l'auxiliaire *être* ou *avoir* et de la forme simple de leur participe passé. Pour le choix de l'auxiliaire → paragraphe 18.

  Paul est parti pour Alma, mais il est arrivé à Chicoutimi.
  passé composé (est parti) — **passé composé** (est arrivé)

  Julie avait mangé, mais n'avait rien bu. Elle s'est évanouie.
  plus-que-parfait (avait mangé) — **plus-que-parfait** (avait … bu) — **passé composé** (s'est évanouie)

  — Les temps composés à la forme passive utilisent les deux auxiliaires : *être* pour le passif, *avoir* pour le temps composé :

  Jocelyn a été reçu à l'hôtel de ville.
  passé composé passif (a été reçu)

  — Les temps surcomposés utilisent l'auxiliaire habituel du verbe, lui-même composé à l'aide d'un autre auxiliaire. Noter que l'auxiliaire *être* est en première position lorsque le verbe a une construction pronominale.

  Dès que Sylvain a eu fini son travail, il est parti.

  Dès qu'elle a été née, on l'a aimée.

  Après qu'elle s'est eu lavée, elle a enfilé des vêtements propres.

  — Les temps surcomposés à la forme passive — à vrai dire d'emploi très rare — utilisent l'auxiliaire *être* pour le passif et l'auxiliaire *avoir*, lui-même composé (avec un autre auxiliaire *avoir*), de sorte qu'il y a trois auxiliaires successifs, dont deux au participe passé :

  Dès que le ministre a eu été opéré, il a repris ses responsabilités.

- **L'emploi de l'auxiliaire *être* pour les temps composés**
  — *Être* est l'auxiliaire de quelques verbes qui ne sont pas transitifs directs (→ paragraphe 6). Ces verbes portent la mention **être** dans la liste alphabétique à la fin de cet ouvrage. On peut en consulter la liste au paragraphe 18. *Aller, arriver, devenir, mourir,* etc., se construisent avec *être*:

  Il est arrivé à Québec et il est devenu célèbre.

  — *Être* est également l'auxiliaire des verbes construits de façon pronominale (→ paragraphes 12 et 50):

  Elle s'est soignée, puis elle s'est lavé les mains.

  Pour l'accord du participe → paragraphes 46 à 56.

- **L'emploi de l'auxiliaire *avoir* pour les temps composés**
  Avoir est l'auxiliaire de tous les verbes qui n'utilisent pas l'auxiliaire *être*, notamment les verbes transitifs directs (→ paragraphe 6).

  Le verbe *être* utilise l'auxiliaire *avoir*:

  L'accident a été très grave.
  passé composé du verbe *être*

  Le verbe *avoir* s'utilise lui-même comme auxiliaire:

  Le livre a eu beaucoup de succès.
  passé composé du verbe *avoir*

  Pour les verbes qui font alterner les deux auxiliaires → paragraphe 18.

- **La fréquence d'emploi des verbes *être* et *avoir***
  Comme auxiliaire, le verbe *avoir* est plus fréquent que le verbe *être*. Cependant, les emplois du verbe *être* comme verbe ordinaire (non auxiliaire) sont nettement plus fréquents que ceux du verbe *avoir*, de sorte que, tout compte fait, c'est le verbe *être* qui est, juste avant *avoir*, le verbe le plus fréquent de la langue française. C'est pourquoi le tableau de sa conjugaison figure en première place dans cet ouvrage.

5 Les semi-auxiliaires

Il est commode de considérer comme semi-auxiliaires les sept verbes suivants:

- *aller* et *venir*;
- *devoir*, *pouvoir*, *savoir* et *vouloir*;
- *faire.*

- **Les emplois de *aller* et *venir***

Aller et *venir* suivis de l'infinitif d'un verbe servent à former les *périphrases verbales temporelles* marquant le futur proche et le passé récent:

Je vais partir. (futur proche) *Je viens d'arriver.* (passé récent)

- **Les emplois de *devoir, pouvoir, savoir* et *vouloir***

Certains verbes servent à « modaliser » le verbe à l'infinitif qui les suit. Il s'agit de *devoir*, qui marque la nécessité et parfois la probabilité; de *pouvoir*, qui marque la possibilité; de *savoir*, marque de la compétence; enfin de *vouloir*, marque de la volonté. On parle dans ces cas de *périphrases verbales modales*.

Il doit travailler, mais il veut se reposer.

Elle sait lire, mais elle ne peut écrire aucun mot.

- **Les emplois de *faire***

Faire sert à constituer, avec l'infinitif qui le suit, la *périphrase verbale factitive*, par laquelle le sujet n'exécute pas lui-même l'action, mais la fait exécuter par quelqu'un d'autre:

Alexandre Dumas faisait parfois écrire ses livres par d'autres auteurs.

Employé avec un pronom personnel réfléchi, *faire* constitue, avec le verbe à l'infinitif qui le suit, une *périphrase verbale passive*:

Mon ami s'est fait déranger par le bruit des camions.

6 Les verbes intransitifs, transitifs et attributifs

Un très grand nombre de verbes désignent une action effectuée par un sujet: *travailler, manger, marcher, aller, monter*...

D'autres verbes, beaucoup moins nombreux, indiquent l'état dans lequel se trouve le sujet. Ces verbes servent à introduire un attribut: ce sont des verbes *attributifs*.

- **Les verbes intransitifs**

  Certains verbes d'action désignent des processus qui ne s'exercent pas sur un objet: *aller, dormir, marcher, mugir*… Ces verbes sont dits *intransitifs*. Ils peuvent être accompagnés de compléments de phrase:

  Ils s'endormiront vers minuit.
  complément de phrase

- **Les verbes transitifs**

  D'autres verbes d'action sont généralement pourvus d'un complément qui désigne l'objet sur lequel s'exerce l'action verbale, quelle que soit la nature de cette action. Ces verbes sont dits *transitifs*.

  Simon construit sa maison.
  complément direct

  Ce tableau plaira à Véronique.
  complément indirect

- **Les verbes transitifs directs**

  Pour certains de ces verbes, le complément est construit «directement», c'est-à-dire sans préposition. On l'appelle *complément direct* (CD).

  Les abeilles produisent le miel, les sauterelles détruisent les récoltes.
  CD du verbe *produire* — CD du verbe *détruire*

  Si on met le verbe à la forme passive, le complément direct en devient le sujet:

  Le miel est produit par les abeilles.
  sujet

REM On prendra spécialement garde à ne pas confondre le complément direct avec les autres compléments construits directement:

Il boit la nuit; *il mange le jour.*
complément de temps — complément de temps

Toutefois, les compléments illustrés ici se distinguent par la propriété qu'ils ont de pouvoir se placer devant le groupe constitué par le verbe et son sujet:

La nuit, il boit; le jour, il mange.

En outre, ils n'ont pas la possibilité de devenir sujets du verbe passif: ⊗ *La nuit est bue par lui* est une phrase impossible.

- **Les verbes transitifs indirects**

  Pour d'autres verbes, appelés *transitifs indirects*, le complément est introduit par une préposition, généralement *à* ou *de*. Ce complément est appelé *complément indirect* (CI).

  Elle ressemble à sa mère : elle parle de linguistique.
  (*à sa mère* : CI du verbe *ressembler* ; *de linguistique* : CI du verbe *parler*)

- **Les verbes attributifs**

  Certains verbes introduisent un groupe du nom (GN) ou un groupe de l'adjectif (GAdj) qui indiquent une caractéristique du sujet :

  Pierre est content : il deviendra pilote de ligne.
  (*content* : GAdj ; *pilote de ligne* : GN)

  Ces verbes sont dits *attributifs*, car ils introduisent un attribut du sujet. Les verbes attributifs sont le verbe *être* et ses différentes variantes modalisées : *sembler, paraître, devenir, rester...*

7 Les verbes perfectifs et imperfectifs

Les verbes perfectifs désignent une action qui ne peut pas continuer à se dérouler au-delà d'une limite impliquée par le sens même du verbe : on ne peut pas continuer à *arriver* ou à *trouver* quand on *est arrivé* à son but ou qu'on *a trouvé* ce qu'on cherchait.

Inversement, l'action des verbes imperfectifs peut se dérouler sans limitation : quelqu'un qui *a* déjà longtemps *marché* ou *cherché* peut toujours continuer à *marcher* ou *chercher.*

REM — Comme le montrent les exemples cités, les verbes perfectifs et imperfectifs peuvent être, selon le cas, transitifs ou intransitifs. Les perfectifs intransitifs utilisent normalement l'auxiliaire *être* (→ paragraphe 18).

Certains verbes peuvent passer de la classe des imperfectifs à celle des perfectifs quand ils sont employés de façon transitive : *écrire* ou *construire* sont imperfectifs quand ils n'ont pas de complément direct, mais deviennent perfectifs quand ils en ont un. On peut *écrire* ou *construire* indéfiniment, mais *écrire une lettre* ou *construire une maison* sont des actions perfectives, qui trouvent nécessairement leur achèvement.

— Les verbes attributifs sont le plus souvent imperfectifs. Toutefois, *devenir* est perfectif.

— On se gardera de confondre l'opposition *perfectif/imperfectif* avec l'opposition *accompli/non accompli* (→ paragraphe 10).

LES SIX CATÉGORIES VERBALES

La conjugaison permet de donner des indications sur différentes notions : la personne, le nombre, le temps et l'aspect, le mode, la voix. Ces notions reçoivent le nom de *catégories verbales*. Elles se combinent entre elles pour chaque forme verbale :

Ils chantèrent.

Cet exemple relève simultanément de la personne (la 3e), du nombre (le pluriel), du temps et de l'aspect (le passé simple), du mode (l'indicatif) et de la voix (la forme active).

8 La personne

Les variations selon la personne sont spécifiques au verbe et au pronom personnel. C'est l'accord avec le sujet qui confère au verbe les marques de l'accord (→ paragraphes 30 et 31). Elles servent à indiquer la personne (ou, d'une façon plus générale, l'être) qui effectue l'action désignée par le verbe.

Je travaille. Nous travaillons.

La première personne *je* est toujours celle qui parle : c'est elle qui est le sujet du verbe. Le mot *je* a donc la propriété d'indiquer à la fois la personne qui parle et le sujet du verbe.

La deuxième personne *tu* est celle à laquelle on s'adresse. Le mot *tu* désigne donc à la fois la personne à qui l'on parle et le sujet du verbe.

Tu connais beaucoup de gens.
pronom personnel (*Tu*)

La troisième personne *il* ou *elle* indique que le sujet du verbe ne participe pas à la communication qui s'établit entre les deux premières personnes : elle est en quelque sorte absente, et on lui donne parfois le nom de *non-personne*.

À la différence des deux premières personnes, qui sont des êtres humains (ou humanisés, par exemple quand on fait parler un animal ou qu'on s'adresse à un objet), la troisième personne peut ausi bien désigner un être animé qu'un objet non animé. Le sujet du verbe à la 3e personne est, selon le cas, un pronom personnel de la 3e personne, un nom, ou un pronom d'une autre classe que celle des personnels :

Elle sourit.	*Marc-André est agité.*	*Tout est fini.*
pronom personnel (*Elle*)	**nom propre** (*Marc-André*)	**pronom indéfini** (*Tout*)

- **Les verbes impersonnels**

  C'est aussi à la troisième personne (du singulier) qu'on emploie les verbes impersonnels conjugués. La conjugaison française exige la présence d'un pronom devant tout verbe conjugué (sauf à l'impératif et, naturellement, aux modes non personnels, → paragraphes 11 et 80 à 82).

  Dans une construction impersonnelle, on utilise toujours un pronom *il* dépourvu de signification. Dans certains cas, l'élément qui suit le verbe impersonnel peut être interprété comme son « sujet réel » (complément du verbe impersonnel).

  Il (pronom personnel) *arrive* *des aventures étranges* (complément du verbe impersonnel) *à ces personnages.*

9 Le nombre

La catégorie du nombre est commune aux verbes, aux noms, aux déterminants, aux adjectifs et à la plupart des pronoms. Dans le cas du verbe, le nombre est associé à la personne. C'est donc également le sujet qui détermine le nombre, par le phénomène de l'accord (→ paragraphes 31 et 43).

Les variations en nombre renseignent sur la quantité des personnes ou des êtres exerçant la fonction de sujet : en français, une seule personne pour le singulier, au moins deux pour le pluriel.

Je chante. Nous chantons.

- **La spécificité de *nous***

  Il faut remarquer la spécificité du pluriel de la première personne : *nous* ne désigne pas plusieurs *je* — puisque *je* est, par définition, unique — mais ajoute à *je* un (ou plusieurs) *tu* ainsi que, éventuellement, un ou plusieurs *il* ou *elle*.

- **Le *vous* de politesse et le *nous* de modestie ou d'emphase**

  En français, c'est la 2e personne du pluriel qu'on utilise comme « forme de politesse » :

  Que désirez-vous, madame ? Monsieur, étiez-vous malade ?

  La première personne du pluriel est parfois utilisée par une personne unique dans un souci de modestie, par exemple dans certains ouvrages :

  Dans ce livre, nous ne parlerons pas de ces problèmes.

  On utilise aussi parfois le *nous* d'emphase :

  Nous, maire de Belleville, prenons l'arrêté suivant.

Le *vous* de politesse et le *nous* de modestie ou d'emphase entraînent la conjugaison du verbe au pluriel, mais l'accord du participe passé se fait au singulier.

Vous êtes élue à l'unanimité.

10 Le temps et l'aspect

Le verbe donne des indications temporelles sur les réalités qu'il désigne. Ces indications sont de deux types : le temps et l'aspect.

- **Le temps**
  L'action est située dans le temps par rapport au moment où l'on parle. Ce moment, qui correspond au présent, sépare avec rigueur ce qui lui est antérieur (le passé) de ce qui lui est ultérieur (le futur).

  L'ensemble des distinctions entre les différents moments où l'action peut se réaliser reçoit en grammaire française le nom de *temps*, nom qui est également utilisé pour désigner chacune des séries de formes telles que le présent, l'imparfait et le futur.

- **L'aspect**
  Le déroulement de l'action est envisagé en lui-même, indépendamment de sa place par rapport au présent. Ces indications sur la façon dont l'action se déroule constituent la catégorie de l'*aspect*.

On indique, par exemple, si les limites temporelles de l'action sont prises en compte ou ne le sont pas.

Frédérique travailla. Frédérique travaillait.
passé simple **imparfait**

Dans ces deux phrases, l'action est située dans le passé. Cependant, les deux phrases ont un sens différent. Dans la première, l'action de *travailler* est envisagée comme limitée : on pourrait préciser le moment où elle a commencé et celui où elle a fini. La seconde phrase, au contraire, ne s'intéresse pas aux limites temporelles de l'action. On parle de valeur aspectuelle *limitative* pour le passé simple, et *non limitative* pour l'imparfait.

On peut aussi indiquer si l'action est en cours d'accomplissement, c'est-à-dire *non accomplie*, ou si elle est totalement *accomplie*. Dans les phrases suivantes, le verbe au présent indique que l'action est en cours d'accomplissement.

Quand on est seul, on déjeune vite.

En ce moment, les élèves terminent leur travail.

Au contraire, dans les phrases qui suivent, le passé composé ne situe pas l'action dans le passé, mais indique qu'au moment où l'on parle, l'action est accomplie :

Quand on est seul, on a vite déjeuné.

En ce moment, les élèves ont terminé leur travail.

REM L'une des particularités — et, incontestablement, des difficultés — de la conjugaison française est que, contrairement à ce qui s'observe dans d'autres langues, les indications de temps et d'aspect y sont fréquemment données par les mêmes formes, dans des conditions particulièrement complexes. Ainsi, le passé composé a tantôt une valeur aspectuelle d'accompli de présent, tantôt une valeur temporelle de passé. C'est cette particularité qui explique que la catégorie de l'aspect a pu longtemps passer à peu près ou complètement inaperçue, par exemple dans les grammaires scolaires.

11 Le mode

La catégorie du *mode* regroupe les *modes personnels*, qui comportent la catégorie de la *personne* (→ paragraphe 8) et les *modes impersonnels*, qui ne la comportent pas.

- **Les modes personnels : indicatif, subjonctif, impératif**

  En français, les modes personnels sont au nombre de trois : l'indicatif, le subjonctif et l'impératif. Ils comportent une flexion en personnes, complète pour les deux premiers, incomplète pour l'impératif, qui n'a pas de 3e personne et qui ne connaît la première personne qu'au pluriel.

  Le conditionnel, longtemps considéré comme un mode spécifique, est aujourd'hui rattaché à l'indicatif, pour des raisons de forme et de sens (→ paragraphes 63 et 65).

  Pour les valeurs des trois modes personnels, → paragraphes 73 à 79.

- **Les modes impersonnels : infinitif, participe, gérondif**

  Les modes impersonnels sont au nombre de trois : l'infinitif, le participe et le gérondif. Ils permettent notamment de conférer au verbe des emplois généralement réservés à d'autres classes.

  Pour l'analyse détaillée de ces trois modes, → paragraphes 80 à 82.

12 La voix : forme active, forme passive et construction pronominale

- **Définition**

La catégorie de la *voix* — on dit parfois, avec le même sens, *diathèse* — permet d'indiquer de quelle façon le sujet prend part à l'action désignée par le verbe.

- **La forme active**

Quand le verbe est à la *forme active*, le sujet est l'*agent* de l'action, c'est-à-dire qu'il l'effectue :

Le gros chat dévore les petites souris.

- **La forme passive**

La *forme passive* indique que le sujet est le *patient* de l'action, c'est-à-dire qu'il la subit :

Les petites souris sont dévorées par le gros chat.

La forme passive s'obtient par la transformation suivante : le complément direct d'un verbe à la forme active (*les petites souris)* devient le sujet quand on fait passer le verbe à la forme passive. De son côté, le sujet du verbe actif (*le gros chat)* devient le complément du verbe passif *(par le gros chat)*, appelé parfois *complément d'agent*. L'auxiliaire *être* est ajouté au verbe.

- **Quels sont les verbes qui peuvent s'utiliser à la forme passive ?**

La transformation à la forme passive ne concerne que les verbes transitifs directs. Les autres verbes (transitifs indirects, intransitifs, attributifs : → paragraphe 6) n'ont pas de forme passive.

Toutefois, quelques rares verbes transitifs indirects (notamment *obéir*, *désobéir* et *pardonner*) peuvent s'employer au passif : *vous serez pardonnés*.

De plus, certains verbes transitifs indirects ou intransitifs peuvent être mis au passif quand ils sont employés de façon impersonnelle sans agent : *Il sera procédé à l'inauguration, quoi qu'il advienne.*

REM Le passage de la forme active à la forme passive (on dit parfois la *transformation passive* ou la *passivation*) a des effets différents sur la valeur aspectuelle (accompli, non accompli) des verbes. La phrase suivante :

Les vieillards sont respectés.
forme passive

conserve la valeur de non accompli de :

On respecte les vieillards.
forme active

Au contraire,

La maison de la culture est construite.
forme passive

prend la valeur d'accompli, en contraste avec la forme active correspondante :

On construit la maison de la culture.
forme active

qui relève du non accompli.

Toutefois, l'adjonction d'un complément du verbe passif permet à la phrase passive de retrouver la valeur de non accompli. La phrase :

La maison de la culture est construite par des ouvriers compétents.
forme passive **complément du verbe passif**

a la même valeur de non accompli que la phrase active correspondante :

Des ouvriers compétents construisent la maison de la culture.
forme active

Cette différence de traitement est en relation avec la répartition des verbes entre verbes perfectifs et imperfectifs (→ paragraphe 7).

- **La valeur passive de la construction pronominale**
  La construction pronominale (→ paragraphe 17) permet, dans certains cas, d'obtenir une valeur très voisine de celle de la forme passive.

  Ce livre se vend bien. La pizza se mange avec les mains.
  construction pronominale **construction pronominale**

  Les verbes pronominaux ci-dessus prennent une valeur passive, sans toutefois pouvoir recevoir un complément de verbe passif (complément d'agent).

  Certaines langues, comme le français, ne connaissent que la voix active et la voix passive. C'est l'existence de ce sens passif dans certaines constructions pronominales qui a incité quelques grammairiens à parler de *voix pronominale* ou *moyenne*.

- **Une autre valeur de la construction pronominale : la valeur réfléchie**
  Le sujet exerce l'action sur lui-même.

  L'étudiant se prépare à l'examen. **(= il prépare lui-même)**

  Elle se prépare un avenir radieux. **(= elle prépare un avenir radieux pour elle)**

- **Autre valeur de la construction pronominale : valeur réciproque**
  Les agents (sujet au pluriel) exercent l'action les uns sur les autres.

  Deux pigeons s'aimaient d'amour tendre. LA FONTAINE

  Les étudiantes s'échangent leur documentation.

- **Verbes essentiellement pronominaux**
  Certains verbes s'emploient exclusivement en construction pronominale. Ce sont les verbes *essentiellement pronominaux*, tels que *s'abstenir, s'arroger, se désister, s'évanouir, se repentir…* Les autres verbes, comme *préparer, aimer* et *échanger* dans les exemples ci-dessus, sont appelés *occasionnellement pronominaux* ou *accidentellement pronominaux*.

REM Pour les règles d'accord du participe passé des verbes pronominaux, → paragraphe 50.

LA MORPHOLOGIE DU VERBE

Chapitre II

COMMENT SEGMENTER LES FORMES VERBALES ?

Explorer la morphologie du verbe, c'est décrire la façon dont sont constituées les formes verbales.

13 Radical et affixes : analyse d'un exemple

Nous procéderons à l'identification des différents éléments d'une forme verbale à partir de l'exemple : *nous aimerons*.

- **Le pronom personnel *nous***
  Nous est le pronom personnel de première personne du pluriel. Il est d'emblée identifiable, car il alterne avec d'autres pronoms — *vous*, *ils*, *elles* — qu'on peut lui substituer, à condition de modifier la forme du verbe. Il fournit déjà deux indications capitales : la personne et le nombre.

- **La forme verbale *aimerons***
  Comment segmenter (c'est le mot des linguistes pour *découper*) cette forme ?
  Il suffit de comparer *aimerons* à *amuserons* ou à *déciderons*. L'élément *-erons* est commun à ces trois formes : c'est donc qu'une frontière passe dans chacune d'elles immédiatement avant *-erons*. D'ailleurs, *-erons* peut se voir substituer — au prix, naturellement, d'une différence de valeur — d'autres éléments : *-ions (nous amus-ions)*, *-èrent (ils décid-èrent)*, etc. Cette substitution confirme l'existence de la frontière avant *-erons*.

- **Le radical *aim-***
  On a identifié les éléments *aim-*, *amus-* et *décid-*, qui précèdent les éléments tels que -*erons*, -*ions* ou -*èrent*. Les éléments *aim-*, *amus-* et *décid-* sont porteurs de « sens » différents, propres à chacun des trois verbes, comme on peut le vérifier en consultant un dictionnaire. Cet élément porteur du « sens » du verbe reçoit le nom de *radical* (du latin « racine »).

- **L'élément -*erons***
  On lui donnait autrefois les noms traditionnels de *désinence* ou de *terminaison*, mais ces mots indiquent seulement que l'élément est à la fin de la forme verbale, ce qui est à la fois évident et peu utile. Il faut donc parvenir à une analyse et à une dénomination plus précises. Est-il possible de *segmenter* (découper) -*erons* ?

- **L'élément -*ons***
  Pour segmenter l'élément -*erons*, il faut comparer *nous aimerons* à *nous aimions*. L'élément -*ons* est commun aux deux formes. Associé au pronom personnel *nous*, il marque comme lui la personne (la première) et le nombre (le pluriel). En effet, -*ons* peut être remplacé par -*ez* (*vous aim-er-ez*), qui change la personne, ou par -*ai* (*j'aim-er-ai*) qui change le nombre. Il est donc possible, dans l'élément -*erons*, de faire passer une frontière entre -*er*- et -*ons*.

- **L'élément -*er*-**
  Entre le radical et les éléments variables tels que -*ons*, -*ez* ou -*ai*, il reste pour *aimerons* (comme pour *aimerez*) l'élément -*er*-, et pour *aimions* (comme pour *aimiez*) l'élément -*i*-. Pour comprendre la fonction de ces éléments, il suffit de comparer la valeur des deux formes : *aimerons* situe l'action dans le futur, *aimions* la situe dans le passé. Les deux formes étant pour le reste parfaitement identiques, c'est donc l'élément -*er*- qui marque le futur, et l'élément -*i*- qui marque l'imparfait.

- **Conclusion de l'analyse**
  On voit finalement que les exemples *nous aimerons* et *nous aimions* se segmentent (découpent) de la façon suivante :

  — Le pronom personnel *nous*, chargé d'indiquer la personne (ici la première, en opposition à la seconde et à la troisième) et le nombre (ici le pluriel, en opposition au singulier) ;

  — Le radical *aim-*, porteur du sens spécifique du verbe (les linguistes parlent de sens lexical) ;

  — L'élément -*er*- pour *aimerons*, -*i*- pour *aimions*. Le premier est la marque du futur, le second, celle de l'imparfait ;

— L'élément *-ons*, qui marque à la fois la première personne et le pluriel, répétant ainsi ce qui a déjà été indiqué par le pronom *nous.*

14 Affixes : définition

Il ne reste plus qu'à donner un nom aux éléments *-er-*, *-i-* et *-ons*. On utilisera ici le terme *affixe.*

C'est l'affixe qui marque, dans la conjugaison de chaque verbe, les catégories de temps, de personne, de nombre… (→ paragraphes 8 à 12).

Souvent, l'affixe est réalisé à l'oral : on entend le *-er-*, le *-i-* et le *-ons* de *aimerons, aimions* et *aimerions.* Mais il arrive très fréquemment que l'affixe n'apparaisse qu'à l'écrit, sans se faire entendre à l'oral ; c'est le cas du *-es* de *tu aim-es*, et du *-ent* de *ils* ou *elles aim-ent*. Cette importance des affixes écrits est un caractère spécifique de la grammaire et de l'orthographe du français. Enfin, l'affixe peut être marqué par l'absence de toute marque écrite ou orale. On parle alors d'*affixe zéro.* Mais il faut, pour qu'on puisse utiliser cette notion, que l'affixe zéro s'oppose à des affixes réalisés. Ainsi, la forme *il défend* comporte, pour la 3e personne du singulier, l'affixe zéro, qui la distingue de la première et de la deuxième personne du singulier ainsi que de la première personne du pluriel :

je ou *tu défend-s* : affixe écrit *-s*

nous défend-ons : affixe oral et écrit *-ons*

il ou *elle défend* : affixe *zéro*

- **Un, deux ou trois affixes pour une forme verbale**

Une forme verbale conjuguée se compose donc d'un radical et d'un ou de plusieurs affixes porteurs des marques des différentes catégories verbales (→ paragraphes 8 à 12). Le présent de l'indicatif se caractérise par rapport à la plupart des autres formes par le fait qu'il enchaîne directement le radical et l'affixe de personne et de nombre : *nous aim-ons*, sans rien entre *aim-* et *-ons*, à la différence de *nous aim-er-ons* et de *nous aim-i-ons*, qui enchaînent deux affixes. La forme au conditionnel *nous aim-er-i-ons* en enchaîne trois, ce qui est un maximum pour le français (mais non pour d'autres langues).

15 Formes simples et formes composées

Les verbes français présentent deux séries de formes.

- **Les formes simples**
  Dans les formes simples, du type *nous aimerons*, c'est le radical du verbe qui reçoit les différents affixes.

nous aim-er-ons
radical affixes

- **Les formes composées**
  Dans les formes composées, le verbe se présente sous la forme du participe passé. Ce participe passé ne se conjugue pas. La forme qui reçoit les affixes est celle du verbe auxiliaire (*être* ou *avoir* → paragraphes 4 et 18).

  Dans la forme *nous aurons aimé*, qui est la forme composée correspondant à *nous aimerons*, le verbe *aimer*, sous la forme de son participe passé *aimé*, ne se conjugue pas. C'est l'auxiliaire *avoir* qui reçoit les affixes de temps, de personne et de nombre (ici le *-r-* du futur et le *-ons* de la première personne du pluriel).

nous au-r-ons aimé
affixes

REM Pour les problèmes d'accord en genre et en nombre du participe passé → paragraphes 46 à 56.

- **La correspondance entre formes simples et formes composées**
  Une propriété évidente du verbe français est de mettre en relation deux séries de temps, les uns *simples*, les autres *composés*. Chaque temps simple a en face de lui un temps composé, sur le modèle suivant (pour le mode indicatif) :

INDICATIF

TEMPS SIMPLES		TEMPS COMPOSÉS	
présent	*il écrit*	passé composé	*il a écrit*
imparfait	*elle écrivait*	plus-que-parfait	*elle avait écrit*
passé simple	*il écrivit*	passé antérieur	*il eut écrit*
futur simple	*elle écrira*	futur antérieur	*elle aura écrit*
conditionnel présent	*il écrirait*	conditionnel passé	*il aurait écrit*

On voit que l'auxiliaire des formes *il a écrit, elle avait écrit, il eut écrit, elle aura écrit* et *il aurait écrit* est au même temps que le verbe de la forme simple correspondante. C'est ainsi qu'au présent correspond le passé composé, à l'imparfait le plus-que-parfait, au passé simple le passé antérieur, au futur simple le futur antérieur et au conditionnel présent le conditionnel passé.
Le parallélisme des temps simples et composés caractérise tous les modes : en face du présent et de l'imparfait du subjonctif, on trouve le passé et le plus-que-parfait du subjonctif, sur le modèle suivant :

SUBJONCTIF

TEMPS SIMPLES		TEMPS COMPOSÉS	
présent	*(qu')il écrive*	**passé**	*(qu')il ait écrit*
imparfait	*(qu')elle écrivît*	**plus-que-parfait**	*(qu')elle eût écrit*

Il en va de même à l'impératif :

écris *aie écrit*

On retrouve enfin la même correspondance aux modes impersonnels :

écrire *avoir écrit*
écrivant *ayant écrit*
en écrivant *en ayant écrit*

Il existe également des formes surcomposées (→ paragraphe 70).

16 Formes actives et formes passives

Le verbe français comporte, pour les verbes transitifs directs, deux voix : active et passive.

ils aimeront — **forme active** | *ils seront aimés* — **forme passive**

elles aimeront — **forme active** | *elles seront aimées* — **forme passive**

Comme les temps composés, les formes passives présentent le verbe sous la forme du participe passé. Au passif, le participe passé varie en genre et en nombre selon son sujet, puisqu'il est conjugué avec *être* (→ paragraphe 48). Comme les exemples ci-dessus le montrent, les participes passés *aimés* et *aimées* portent la marque du pluriel de *ils* et de *elles*. De plus, *aimées* porte la marque du féminin de *elles*.

La forme conjuguée est celle de l'auxiliaire *être*. Celui-ci se conjugue au temps de la forme active correspondante. Il existe donc, pour les verbes transitifs, autant de formes passives que de formes actives, même si elles sont beaucoup moins utilisées. Parmi ces formes, on trouve naturellement les formes passives à un temps composé, par exemple le passé composé passif *ils ont été aimés*, et même les formes passives à un temps surcomposé, par exemple *ils ont eu été aimés* (→ paragraphe 4).

REM Les formes composées et surcomposées et les formes passives sont, paradoxalement, d'une grande simplicité morphologique : les seuls éléments conjugués (excepté l'accord du participe) sont les verbes auxiliaires, qui sont connus de tous. Ces formes ne présentent donc aucune difficulté de conjugaison. C'est pourquoi il n'en sera plus question dans ce chapitre de morphologie. Pour d'autres exemples → paragraphe 4.

17 Construction pronominale

On parle de construction pronominale quand le verbe est accompagné d'un complément sous forme d'un pronom personnel réfléchi (*je me…*, *tu te…*, *il/elle se…*, *nous nous…*, *vous vous…*, *ils/elles se…*).

Elle se promène dans le parc.
construction pronominale

Les verbes transitifs et intransitifs (→ paragraphe 6) sont parfois construits de façon pronominale. Le pronom réfléchi peut être lui-même le complément direct ou indirect, sinon il est sans fonction logique.

Ils se sont vus. (*se* = CD) *Ils se sont donné la main.* (*se* = CI, *la main* = CD)

Ils se sont parlé. (*se* = CI) *Ils se sont évanouis.* (*se* = sans fonction logique)

Pour l'accord du participe passé, → paragraphe 50.
Pour les valeurs de la construction pronominale, → paragraphe 12.

18 Choix de l'auxiliaire

Avoir et *être* servent d'auxiliaires (→ paragraphe 4).

- **Les temps composés**
  Pour former leurs temps composés, la plupart des verbes utilisent un seul auxiliaire : *avoir* ou *être*. Le problème du choix de l'auxiliaire se pose donc rarement dans la conjugaison.

A Construction pronominale : toujours *être*

Tous les verbes pronominaux utilisent, aux temps composés, l'auxiliaire *être*, sans exception (→ tableau 87).

Tu te serais nui. Elle s'était mariée. Nous nous sommes promenés.

B Verbes non pronominaux : habituellement *avoir*

Lorsqu'ils ne sont pas pronominaux, la plupart des verbes se conjuguent avec l'auxiliaire *avoir*. Entre autres, tous les verbes transitifs directs utilisent *avoir*.

Luc a déplacé le sofa. Tu lui aurais nui. Elle avait survécu.

C Quelques verbes non pronominaux : *être*

Un nombre très limité de verbes non pronominaux s'utilisent avec *être* à un temps composé, à condition qu'ils ne soient pas accompagnés d'un complément direct. Ces verbes portent spécialement la mention *être* dans la liste alphabétique à la fin de cet ouvrage.

- Liste des verbes qui utilisent toujours *être* :
  advenir, aller, arriver, décéder, demeurer (au sens de « continuer à être »), *devenir, intervenir, mourir, naître* ou *naitre, obvenir, partir, parvenir, provenir, redevenir, repartir, rester, retomber, revenir, souvenir, survenir, venir.*

  Noter que ces verbes n'ont jamais de complément direct.

  Je suis arrivé. Tu es intervenu. Elle est décédée.

- Liste des verbes qui utilisent *être* lorsqu'ils ne sont pas transitifs directs (lorsqu'ils sont sans complément direct) :
  descendre, entrer, monter, redescendre, remonter, rentrer, ressortir (au sens de « sortir à nouveau »), *retourner, sortir, tomber.*

  Elle est sortie avec Paul. *Elle a sorti les valises.* **(complément direct)**

REM On trouve parfois *descendre, monter, redescendre* et *remonter* avec *avoir* dans des phrases où ils n'ont pas de complément direct : *les prix ont monté hier.*

- Liste des verbes qui acceptent *avoir* et *être*:
  Les verbes suivants peuvent tous s'employer avec *avoir*, mais, lorsqu'ils n'ont pas de complément direct, ils s'utilisent:
  — habituellement avec *être*, mais parfois avec *avoir*: *accourir*, *(ré)apparaître* ou *(ré)apparaitre*, *échoir* (*avoir*: vieilli ou populaire), *passer*, *ressusciter*;
  — habituellement avec *avoir*, mais parfois avec *être*: *choir* (*être*: vieilli), *convenir de* (*être*: littéraire), *déménager*, *disparaître* ou *disparaitre*, *échapper* (au sens de «dit ou fait par mégarde»), *éclore*, *paraître* ou *paraitre*, *reparaître* ou *reparaitre*, *résulter*, *surgir* (*être*: style soutenu);
  — au choix avec *avoir* ou *être*: *disconvenir*, *repasser*, *trépasser*.

- **La forme passive: *être***
  Pour construire la forme passive, on ajoute l'auxiliaire *être* à la forme active du verbe (→ paragraphe 12 et tableau 86).

  Luc déplace le sofa. Le sofa est déplacé par Luc.

- **L'emploi adjectival avec *être***
  Certains verbes qui s'utilisent avec *avoir* à un temps composé sont susceptibles d'être employés parfois comme des adjectifs avec *être*.

  Elle a bien changé en deux ans. (temps composé = passé composé du verbe *changer*)

  Elle est bien changée aujourd'hui. (emploi adjectival = indicatif présent)

  Le premier exemple montre l'action à un temps composé; le second la présente comme accomplie. Il ne s'agit plus alors d'un temps composé, mais d'un emploi adjectival au présent avec *être*, de la même manière qu'on utiliserait les adjectifs *belle* ou *gentille* dans la seconde phrase.

  J'ai divorcé hier. (action à un temps composé = passé composé du verbe *divorcer*)

  Je suis divorcé aujourd'hui. (emploi adjectival avec *être* = indicatif présent; on peut remplacer *divorcé* par un adjectif comme *veuf* ou *célibataire*)

  Les verbes susceptibles de tels emplois sont notamment: *aborder*, *accoucher*, *accroître* ou *accroitre*, *augmenter*, *avorter*, *baisser*, *changer*, *croître* ou *croitre* (*être*: vieilli), *croupir*, *déborder*, *déchoir*, *décroître* ou *décroitre* (*être*: vieilli), *dégénérer*, *diminuer*, *divorcer*, *embellir*, *empirer*, *enlaidir*, *expirer*, *faillir*, *grandir*, *sonner*, *vieillir*…

19 Inversion, euphonie, élision

L'inversion d'un pronom a parfois un impact sur la forme verbale. Elle se modifie par euphonie (pour une harmonie des sons).

— Lorsque les pronoms singuliers *il*, *elle* ou *on* sont inversés, on doit ajouter *-t-* entre le verbe et le pronom si le verbe se termine par une autre lettre que *-t* ou *-d*.

Mange-t-on ? Y a-t-il quelqu'un ? Reviendra-t-elle ? Vainc-t-il ?
Revient-on ? Luc dort-il ? Descend-elle ?

— Lorsque le pronom *je* est inversé et que le verbe se termine par *-e* (formulation rare ou désuète), sa terminaison est remplacée par *-é* en orthographe traditionnelle, ou par *-è* en orthographe rectifiée.

Dussé-je ? (ou *Dussè-je ?*) *Aimé-je ?* (ou *Aimè-je ?*) *Osé-je ?* (ou *Osè-je ?*)
Suis-je ? Puis-je ? Vais-je ? Serai-je ? Ai-je ?

— Lorsque les pronoms compléments *y* ou *en* sont inversés immédiatement après le verbe à l'impératif et que le verbe se termine par *-e* ou *-a*, on lui ajoute un *-s*.

Vas-y. Apportes-en. Chantes-en. Penses-y. Aies-en toujours sur toi.
Va-t'en. Apporte-lui-en. Chante en français. Pense. Ose en écrire.

— Les pronoms *je*, *le*, *la*, *me*, *te* et *se* s'élident devant une voyelle ou un **h** muet, c'est-à-dire que le **e** et le **a** se changent en apostrophe. Si le verbe commence par une consonne ou un **h** aspiré, l'élision ne se fait pas. Dans la liste alphabétique du présent ouvrage, le **h** aspiré est indiqué par un astérisque (* **h**).

J'hésite. Je hurle. Tu l'honores. Tu le heurtes.

LES RADICAUX

La méthode qui a été exposée sur l'exemple de *nous aimerons* (→ paragraphe 13) est d'une grande facilité d'emploi. Elle permet de décrire immédiatement la morphologie d'un très grand nombre de formes verbales *simples*, au sens qui vient d'être expliqué de « non composées ». Cependant, elle rencontre parfois quelques difficultés apparentes. Ces difficultés sont relatives tantôt au radical, tantôt aux affixes.

20 Radical fixe, radical variable

Dans le cas du verbe *aimer*, le radical *aim-* reste identique pour toutes les formes de la conjugaison. Cette invariabilité du radical est un cas extrêmement fréquent. En effet, en dehors des verbes irréguliers, la plupart des verbes ont un radical fixe.

21 Verbes en *-er*

Les verbes dont l'infinitif est marqué par l'affixe *-er* se terminent, à la première personne du singulier du présent de l'indicatif, par l'affixe *-e*, sauf le verbe *aller* (*je vais*). C'est le seul verbe en *-er* qui connaît cette irrégularité.
Tous les autres verbes en *-er* (par exemple *aimer* et *travailler*) ont un radical fixe, à quelques rares exceptions près, dans lesquelles le radical reste généralement très facile à reconnaître. Ainsi, *achever* présente son radical tantôt sous la forme *achèv-* (dans *j'achèv-e*), tantôt sous la forme *achev-* (dans *nous achev-ons*). En effet, la présence de l'affixe *-e* fait en sorte que le **e muet** de *ach**e**ver* devienne un **è ouvert**. De même, le **é fermé** de *c**é**der* devient un **è ouvert** dans *je c**è**d-e*. On appelle **e muet** le son « e » (ou l'absence de son) traduit par la lettre *e* sans accent dans certains mots : *semer, lever, peser…* On appelle **é fermé** le son « é » et on appelle **è ouvert** le son « è », parce que, pour prononcer l'un ou l'autre, il faut fermer ou ouvrir davantage la bouche.

Envoyer et *renvoyer* sont un peu plus complexes : ils font alterner les trois radicaux *envoi-* [ãvwa] de *j'envoi-e*, *envoy-* [ãvwaj] de *nous envoy-ons* et *enver-* [ãveʀ] de *il enver-r-a* (→ tableau 105).

Il se trouve que les verbes en *-er* sont, de très loin, les plus nombreux. C'est sur ce modèle régulier que sont formés la quasi-totalité des verbes nouveaux (ou verbes néologiques).

22 Verbes construits sur le modèle de *finir*

Leur infinitif est marqué par l'affixe *-r* suivant immédiatement un radical terminé par *-i-*. Le radical de ces verbes reste intact à toutes les formes de la conjugaison, mais reçoit, à certaines formes, un « élargissement » de forme *-ss-* : *je fini-s, il fini-t, il fini-r-a, ils fini-rent*, mais *nous fini-ss-ons, ils fini-ss-aient, fini-ss-ant*. Dès qu'on a enregistré les formes caractérisées par l'élargissement *-ss-* (au présent de l'indicatif à partir de la 1re personne du pluriel, à l'imparfait, au participe présent, etc.), l'identification du radical ne pose aucun problème (→ tableau 106).

Plus de 300 verbes se construisent sur le modèle de *finir*. Certaines formations néologiques se sont faites sur ce modèle, il y a déjà longtemps : l'onomatopée *vrombir*, la brève série *atterrir, amerrir, alunir*.

23 Verbes irréguliers

Ce sont tous les autres verbes (environ 375) :

— Le verbe *aller*, avec son infinitif en *-er* → tableau 108 ;
— Les verbes à infinitif en *-ir* sans élargissement : *courir, nous cour-ons, ils cour-aient, ils cour-r-ont* (où le deuxième *-r-* ne fait pas partie du radical, mais est l'affixe du futur), *cour-ant*, etc. → tableaux 109 à 124 ;
— Les verbes à infinitif en *-oir* : *devoir, pouvoir*, l'auxiliaire *avoir*, etc. → tableaux 85 et 125 à 142 ;
— Les verbes à infinitif en *-re* : *coudre, exclure, plaire, vaincre*, l'auxiliaire *être*, etc. → tableaux 84 et 143 à 178.

- **Les verbes à radical unique**
  Certains de ces verbes, par exemple *courir* et *exclure*, ont un radical qui reste intact dans toutes les formes de la conjugaison.

- **Les verbes comptant deux formes différentes de radical**
  Ouvrir présente, en alternance, les formes *ouvr-* (*il ouvr-e, il ouvr-ait*) et *ouvri-* (*il ouvri-r-a*). *Écrire, lire, croire, vivre…* présentent également leur radical sous deux formes.

- **Les verbes comptant trois formes différentes de radical**
  Devoir présente, en alternance, les formes de radical *doi-* (*il doi-t*), *doiv-* (*ils doiv-ent*) et *dev-* (*il dev-ait, dev-oir*). Sont dans le même cas, par exemple, *voir* (*voi-* dans *il voi-t*, *voy-* dans *nous voy-ons*, *ver-* dans *il ver-r-a*), *dormir, boire…*

- **Les verbes comptant quatre formes différentes de radical**
  Tenir présente, en alternance, les formes *tien-* (*il tien-t*), *ten-* (*nous ten-ons*), *tienn-* (*qu'il tienn-e*) et *tiend-* (*je tiend-r-ai*). Sont dans le même cas, par exemple, *prendre* et *savoir*. Le verbe *aller* appartient en principe à cette classe : on observe l'alternance des radicaux *v-* (*je v-ais, tu v-as*), *all-* (*nous all-ons*), *i-* (*nous i-r-ons*) et *aill-* (*que j'aill-e*). Toutefois, à la différence des autres verbes, les radicaux qui alternent dans sa conjugaison sont totalement différents les uns des autres. On parle, dans ce cas, de *radicaux supplétifs*. Cette différence complète des radicaux ainsi que la spécificité des affixes du présent incitent à classer *aller* parmi les verbes « très irréguliers » (→ page suivante).

- **Les verbes comptant cinq formes différentes de radical**
  Il s'agit de *vouloir* (*veu-* dans *il veu-t*, *voul-* dans *nous voul-ons*, *veul-* dans *ils veul-ent*, *voud-* dans *je voud-r-ai*, *veuill-* dans *veuill-ez*) et de *pouvoir* (*peu-* dans *il peu-t*, *pouv-* dans *nous pouv-ons*, *peuv-* dans *ils peuv-ent*, *pour-* dans *je pour-r-ai*, *puiss-* dans *qu'il puiss-e*).

- **Les verbes «très irréguliers»**
  On considère généralement comme «très irréguliers» les verbes *aller*, *faire*, *dire*, *être* et *avoir*. Le classement de ces verbes comme «très irréguliers» s'explique par les traits suivants:

  — Le nombre des formes du radical est élevé (jusqu'à huit, selon certaines analyses, pour le verbe *être*), et ces formes sont parfois très différentes les unes des autres. Pour *être*, on distingue notamment les radicaux *som-* (*nous som-mes*), *s-* (*ils s-ont*), *ê-* (*vous ê-tes*), *ét-* (*il ét-ait*), *f-* (*il f-ut*), *se-* (*il se-r-a*), *soy-* (*soy-ez*)…

  — Il est parfois impossible de distinguer le radical de l'affixe: où passe la frontière qui les sépare dans *il a* ou dans *ils ont*? La forme *a* est identique au *-a* de *v-a*, qui est visiblement un affixe; *ont* est identique au *-ont* de *f-ont*, *s-ont* et *v-ont*, qui est lui aussi un affixe. Comme on se refuse à poser que, dans *il a* et *ils ont*, la forme verbale se réduit à un affixe, on considère que le verbe *avoir* «amalgame», dans ces deux formes, radical et affixe.

  — Les affixes ont eux-mêmes des formes parfois insolites, voire uniques: le *-mes* de *som-mes* est unique, le *-tes* de *vous ê-tes*, *vous fai-tes* et *vous di-tes* est spécifique à ces trois verbes et leurs composés.

REM Pour le dénombrement des formes du radical de chaque verbe, on n'a pas tenu compte des formes du passé simple ni du participe passé, qui, pour plusieurs verbes irréguliers, auraient encore augmenté le nombre des radicaux: ainsi, pour *vivre*, il aurait fallu ajouter le radical *véc-* de *il véc-ut* et de *véc-u*; pour *devoir*, il aurait fallu tenir compte du radical *d-* de *il d-ut* et de *d-û*; pour *naître* ou *naitre*, des radicaux *naqu-* de *naqu-is* et *n-* de *n-é*; etc.

24 Qu'est-ce qu'un affixe ?

Toute forme verbale peut se décomposer en différents éléments variables : les radicaux (en noir) et les affixes (en vert).

À partir de verbes modèles, le tableau ci-dessous présente l'ensemble des affixes qui figurent dans la conjugaison.

Certains affixes ne figurent jamais en position finale et indiquent le temps auquel est conjugué le verbe (-*ai*, pour l'imparfait, -*r*- pour le futur…).

D'autres affixes figurent en position finale : ils indiquent la personne et le nombre du verbe (-*ons* pour la première personne du pluriel…), et parfois même le temps (→ paragraphes 13 à 26).

Tableau récapitulatif

INDICATIF

présent

aim-e	fini-s	ouvr-e	dor-s	met-s	veu-x	vai-s
aim-es	fini-s	ouvr-es	dor-s	met-s	veu-x	va-s
aim-e	fini-t	ouvr-e	dor-t	met	veu-t	v-a
aim-ons	fini-ss-ons	ouvr-ons	dorm-ons	mett-ons	voul-ons	all-ons
aim-ez	fini-ss-ez	ouvr-ez	dorm-ez	mett-ez	voul-ez	all-ez
aim-ent	fini-ss-ent	ouvr-ent	dorm-ent	mett-ent	veul-ent	v-ont

imparfait

aim-ai-s	fini-ss-ai-s	ouvr-ai-s
aim-ai-s	fini-ss-ai-s	ouvr-ai-s
aim-ai-t	fini-ss-ai-t	ouvr-ai-t
aim-i-ons	fini-ss-i-ons	ouvr-i-ons
aim-i-ez	fini-ss-i-ez	ouvr-i-ez
aim-ai-ent	fini-ss-ai-ent	ouvr-ai-ent

passé simple

aim-ai	fin-is	ouvr-is	voul-us	t-ins
aim-as	fin-is	ouvr-is	voul-us	t-ins
aim-a	fin-it	ouvr-it	voul-ut	t-int
aim-âmes	fin-îmes	ouvr-îmes	voul-ûmes	t-înmes
aim-âtes	fin-îtes	ouvr-îtes	voul-ûtes	t-întes
aim-èrent	fin-irent	ouvr-irent	voul-urent	t-inrent

futur simple

aim-er-ai	fini-r-ai	ouvri-r-ai
aim-er-as	fini-r-as	ouvri-r-as
aim-er-a	fini-r-a	ouvri-r-a
aim-er-ons	fini-r-ons	ouvri-r-ons
aim-er-ez	fini-r-ez	ouvri-r-ez
aim-er-ont	fini-r-ont	ouvri-r-ont

conditionnel présent

aim-er-ai-s	fini-r-ai-s	ouvri-r-ai-s
aim-er-ai-s	fini-r-ai-s	ouvri-r-ai-s
aim-er-ai-t	fini-r-ai-t	ouvri-r-ai-t
aim-er-i-ons	fini-r-i-ons	ouvri-r-i-ons
aim-er-i-ez	fini-r-i-ez	ouvri-r-i-ez
aim-er-ai-ent	fini-r-ai-ent	ouvri-r-ai-ent

SUBJONCTIF

présent

aim-e	fini-ss-e	ouvr-e	soi-s	ai-e
aim-es	fini-ss-es	ouvr-es	soi-s	ai-es
aim-e	fini-ss-e	ouvr-e	soi-t	ai-t
aim-i-ons	fini-ss-i-ons	ouvr-i-ons	soy-ons	ay-ons
aim-i-ez	fini-ss-i-ez	ouvr-i-ez	soy-ez	ay-ez
aim-ent	fini-ss-ent	ouvr-ent	soi-ent	ai-ent

imparfait

aim-a-ss-e	fin-i-ss-e	ouvr-i-ss-e	t-in-ss-e	voul-u-ss-e
aim-a-ss-es	fin-i-ss-es	ouvr-i-ss-es	t-in-ss-es	voul-u-ss-es
aim-â-t	fin-î-t	ouvr-î-t	t-în-t	voul-û-t
aim-a-ss-i-ons	fin-i-ss-i-ons	ouvr-i-ss-i-ons	t-in-ss-i-ons	voul-u-ss-i-ons
aim-a-ss-i-ez	fin-i-ss-i-ez	ouvr-i-ss-i-ez	t-in-ss-i-ez	voul-u-ss-i-ez
aim-a-ss-ent	fin-i-ss-ent	ouvr-i-ss-ent	t-in-ss-ent	voul-u-ss-ent

IMPÉRATIF

présent

aim-e	fini-s	ouvr-e	dor-s	vau-x	v-a
aim-ons	fini-ss-ons	ouvr-ons	dorm-ons	val-ons	all-ons
aim-ez	fini-ss-ez	ouvr-ez	dorm-ez	val-ez	all-ez

PARTICIPE

présent

aim-ant	fini-ss-ant	ouvr-ant

passé

aim-é	fin-i	dorm-i	ten-u	pri-s	écri-t
				clo-s	ouver-t
				inclu-s	mor-t

INFINITIF

présent

aim-e-r	fin-i-r	ouvr-i-r	voul-oi-r	croi-r-e

Les affixes se placent à la suite du radical. On les répartit en deux classes selon leur ordre d'apparition après le radical.

25 Affixes n'apparaissant jamais en position finale

Les affixes -(*e*)*r*- (pour le futur et le conditionnel) et -*ai*-/-*i*- (pour l'imparfait et le conditionnel) ont une valeur temporelle et n'apparaissent jamais en position finale. Noter toutefois que le -*i*- intervient aussi dans la formation du subjonctif.

- **L'affixe du futur et du conditionnel -(*e*)*r*-**
  Il figure toujours immédiatement après le radical. Ses deux variantes, -*er*- et -*r*-, alternent selon les sons (ou les lettres) qui les précèdent: *il travaill-er-a, il fini-r-a, il coud-r-a.*

  Il est directement suivi, pour le futur, d'un des affixes de la deuxième classe: *nous travaill-er-ons.*

  Pour le conditionnel, l'affixe -*ai*-/-*i*- s'intercale entre lui et l'affixe terminal: *nous travaill-er-i-ons.*

- **L'affixe de l'imparfait et du conditionnel -*ai*- [ε] / -*i*- [j]**
  Pour l'imparfait, cet affixe figure immédiatement après le radical. Pour le conditionnel, il est précédé de l'affixe -(*e*)*r*-. La forme -*ai*- caractérise les trois personnes du singulier et la troisième du pluriel: *je travaill-ai-s, ils décid-er-ai-ent.* La forme -*i*- [j] caractérise les première et deuxième personnes du pluriel de l'imparfait et du conditionnel (*nous travaill-i-ons, vous amus-er-i-ez*), ainsi que, aux mêmes personnes, les formes du subjonctif présent ([*que*] *nous travaill-i-ons*) et du subjonctif imparfait ([*que*] *vous travaill-ass-i-ez*).

26 Affixes apparaissant toujours en position finale

Les affixes apparaissant toujours en position finale concernent toutes les formes verbales. Ils sont, selon le cas, placés immédiatement après le radical ou séparés de lui par l'un ou l'autre des affixes -(*e*)*r*- et -*ai*-/-*i*-, ou encore par les deux.

- **Les affixes du présent de l'indicatif**
  Sauf pour les verbes irréguliers *être, avoir, faire* et *dire* (→ tableaux 84, 85, 153 et 173), les affixes du présent de l'indicatif sont décrits dans le paragraphe 24.

- **Les affixes personnels de l'imparfait de l'indicatif et du conditionnel**
  Ces affixes sont identiques à ceux du présent pour les trois personnes du pluriel: *nous travaill-i-ons, vous fini-r-i-ez, ils* ou *elles se-r-ai-ent.*

Au singulier, on trouve les affixes -*s* (pour les première et deuxième personnes) et -*t* (pour la troisième) : *je cous-ai-s*, *tu i-r-ai-s*, *il* ou *elle fe-r-ai-t*.

Pour l'imparfait, ils apparaissent après l'affixe -*ai*-/-*i*-, lui-même précédé, pour le conditionnel, de l'affixe -(*e*)*r*-.

- **Les affixes personnels du futur**
  Ces affixes sont identiques pour tous les verbes (→ paragraphe 24).

- **Les affixes du passé simple**
  Ils sont donnés dans le tableau des affixes (→ paragraphe 24).

- **Les affixes du subjonctif présent**
  Ils ont les formes -*e*, -*es*, -*e*, -*ons*, -*ez*, -*ent*.

  Aux trois personnes du singulier et à la troisième du pluriel, les affixes suivent directement le radical. On notera que ce radical est le même qu'à la 3e personne du pluriel de l'indicatif présent : *ils voient* → *que je voie* ; *ils boivent* → *que je boive* ; *ils courent* → *que je coure* ; *ils craignent* → *que je craigne* ; etc. Seuls quelques verbes n'obéissent pas à cette généralité (*aie, sois, sache, fasse, puisse, aille, vaille, veuille*).

  Aux deux premières personnes du pluriel, les affixes suivent l'affixe -*i*-.
  On remarquera que le verbe a presque toujours la même forme qu'à l'imparfait de l'indicatif : *nous buvions* → *que nous buvions* ; *nous finissions* → *que nous finissions* ; *vous vainquiez* → *que vous vainquiez* ; etc. Les seuls cas divergents sont *ayons, soyons, sachions, fassions* et *puissions*.

REM Pour les verbes *être* et *avoir* → tableaux 84 et 85.

- **Les affixes du subjonctif imparfait**
  Le subjonctif imparfait utilise le radical du passé simple suivi de l'élément temporel de son affixe, soit, selon le cas, -*a*- et -*â*-, -*i*- et -*î*-, -*u*- et -*û*-, -*in*- et -*în*- (avec l'accent circonflexe à la troisième personne du singulier). La base ainsi formée est traitée de la façon suivante :

  — À la troisième personne du singulier, elle est suivie de l'affixe -*t*, qui ne se prononce pas : *(qu')il travaill-â-t*, *(qu')il pr-î-t*, *(qu')il mour-û-t*, *(qu')il v-în-t*.

  — Aux deux premières personnes du singulier et à la troisième du pluriel, elle est suivie de l'élargissement -*ss*-, lui-même suivi des affixes -*e*, -*es* et -*ent* :
  (que) je travaill-a-ss-e, *(que) tu pr-i-ss-es*, *(qu')ils v-in-ss-ent*.

  — Les deux premières personnes du pluriel insèrent, entre l'élargissement -*ss*- et les affixes personnels -*ons* et -*ez*, l'affixe -*i*- : *(que) nous travaill-a-ss-i-ons*, *(que) vous fin-i-ss-i-ez*, *(que) vous v-in-ss-i-ez*.

- **Les affixes de l'impératif**

  — Les trois formes de l'impératif présent (seconde personne au singulier et au pluriel, première personne au pluriel seulement) se confondent presque toutes avec les formes de l'indicatif présent, utilisées sans pronom personnel sujet. Toutefois, pour les verbes à l'infinitif en *-er*, l'*-s* final disparaît à la deuxième personne du singulier: *tu travailles, tu vas*, mais *travaille, va.*
  L'*-s* réapparaît, dans l'écriture et dans la prononciation, sous la forme de [z], devant *-en* et *-y*: *manges-en, vas-y.*

  — *Être, avoir, savoir* et *vouloir* empruntent leurs formes d'impératif présent au subjonctif correspondant, en effaçant l'*-s* final de la deuxième personne du singulier quand il suit *-e-*: *aie, sache, veuille* (mais *sois*). De plus, *sachons* et *sachez* effacent l'*-i-* du subjonctif.

- **Les affixes de l'infinitif**

  L'infinitif est caractérisé par l'élément *-r*, souvent suivi, dans l'orthographe, d'un *-e*. Toujours présent dans l'écriture, le *-r* n'est prononcé qu'après une consonne ou une voyelle autre que *-e*: *atterrir, courir, suffire, pleuvoir* [pløvwaʀ], *croire, taire, faire, clore, plaindre, peindre*, mais *aimer, aller*, etc.

- **Les affixes du participe présent et du gérondif**

  Pour ces deux modes impersonnels, on utilise l'affixe *-ant*. En cas de radical variable, la forme de la 1re personne du pluriel du présent de l'indicatif est utilisée: nous buv-*ons* → buv-*ant*; nous cous-*ons* → cous-*ant*; nous vainqu-*ons* → vainqu-*ant*; etc. Font exception *ét-ant*, formé sur le radical de l'imparfait, et *ay-ant* et *sach-ant*, formés sur le radical du subjonctif.

  Le participe présent reste toujours invariable, sauf quand il passe dans la classe de l'adjectif (→ paragraphe 81). Le gérondif utilise la forme du participe présent précédée par la préposition *en*: *(Tout) en travaillant, il poursuit ses études.*

- **Les affixes du participe passé**

  Le participe passé présente des phénomènes complexes, tant pour les radicaux que pour les affixes.

  — Les participes passés de beaucoup de verbes ont pour affixe une voyelle: la voyelle *-é* pour les verbes en *-er* et *naître* (ou *naitre*), la voyelle *-i* pour les verbes comme *finir* et certains autres (*servi, fui*, etc.), et la voyelle *-u* pour d'autres verbes (*chu, couru, tenu, venu*, etc.).

  — Quelques participes passés se terminent au masculin, à l'écrit, par *-t* et, à l'oral, par une consonne prononcée, comme la consonne [R] qu'on entend dans *mort*. Leur féminin se marque, à l'oral, par la consonne [t] suivie, dans l'orthographe, d'un *-e* muet (*mort* [mɔʀ], *morte* [mɔʀt]; *offert* [ɔfɛʀ], *offerte* [ɔfɛʀt]; etc.).

— Pour certains verbes, le participe passé se termine, à l'écrit, par une consonne (-*s* ou -*t*) qui ne s'entend qu'au féminin : *assis, assise* ; *clos, close* ; *dit, dite* ; etc.

REM *Absoudre* et *dissoudre* avaient un participe passé se terminant, au masculin, par -*s* et, au féminin, par -*te* : *absous, absoute*. Les rectifications orthographiques harmonisent le masculin et le féminin en recommandant d'écrire le participe masculin avec un -*t* : *absout* et *dissout*.

LES VERBES DÉFECTIFS

27 Définition des verbes défectifs

Un certain nombre de verbes comportent des lacunes dans leur conjugaison, qui est, à des degrés divers, incomplète. On les appelle *défectifs*, c'est-à-dire « comportant un manque ».

28 Classement des verbes défectifs

- **Les verbes exclusivement impersonnels**

  Ces verbes ne sont, pour l'essentiel, défectifs que pour la personne, dont ils ne possèdent que la troisième, au singulier. Mais cette lacune en entraîne d'autres. Ils ne possèdent nécessairement pas d'impératif, puisque celui-ci n'a pas de 3e personne. Leur participe présent et leur gérondif sont d'emploi rarissime, puisqu'ils exigent, en principe, l'identité du sujet avec celui d'un verbe à un mode personnel. Parmi les verbes impersonnels, on distingue les verbes météorologiques tels que *neiger* et *venter*, et une brève série de verbes généralement suivis d'un complément, tels *falloir (il faut), s'agir (il s'agit de)* et l'expression impersonnelle *il y a*.

- **Les autres verbes défectifs**

  D'autres verbes ignorent certaines formes dans leur tableau de conjugaison ou ont des formes devenues désuètes (→ tableaux 116, 123, 124, 130, 137, 138, 140, 141, 142, 152, 157, 163 et 166).

LA SYNTAXE DU VERBE

Chapitre III

DÉFINITION DE LA SYNTAXE

29 Qu'est-ce que la syntaxe ?

Étudier la *syntaxe* du verbe, c'est décrire les relations que le verbe entretient, dans le discours et spécifiquement dans la phrase, avec les différents éléments de son entourage. La morphologie, comme on l'a vu dans le chapitre précédent, étudie les formes verbales *isolément*. La syntaxe, au contraire, s'intéresse non seulement au verbe lui-même, mais aussi à tous les éléments qui entrent en relation avec lui.

Dans ces conditions, le champ de la syntaxe du verbe est très étendu : il comprend, par exemple, l'étude des différents *compléments* du verbe, quelle que soit la classe de ces compléments : GN, GPrép, phrases subordonnées, etc.

Compte tenu des visées spécifiques et des limites de cet ouvrage, on n'a retenu de la syntaxe du verbe que les problèmes qui entraînent, pour les formes verbales, des variations, notamment orthographiques. Il s'agit des phénomènes d'*accord*.

30 Qu'est-ce que l'accord ? Analyse d'un exemple

Le petit garçon promène son chien.

Dans cette phrase, le nom *garçon* comporte plusieurs catégories morphologiques. Il possède par lui-même le *genre masculin*. Il est utilisé au *singulier*, *nombre* qu'on emploie quand la personne ou l'objet dont on parle est unique. Il relève enfin de la *3ᵉ personne* : on pourrait le remplacer par le pronom personnel de 3ᵉ personne *il*.

Ces trois catégories morphologiques possédées par le nom *garçon* se communiquent aux éléments de la phrase qui entrent en relation avec lui. L'article *le* et l'adjectif *petit* prennent les marques des catégories du *genre masculin* et du *nombre singulier*, mais non celle de la *3e personne*, parce qu'ils ne peuvent pas marquer cette catégorie. De son côté, le verbe prend les marques de la *3e personne* et du *nombre singulier*, mais non celle du *genre masculin*, parce qu'il ne peut pas marquer cette catégorie.

L'ACCORD DU VERBE

31 Accord du verbe avec son sujet

Les formes personnelles du verbe s'accordent en personne et en nombre avec leur sujet :

Les élèves travaillent. (3e pers. pl. / 3e pers. pl.) *Nous ne faisons rien.* (1re pers. pl. / 1re pers. pl.)

- **L'accord en personne**

  Le verbe se met à la première et à la deuxième personnes lorsque le sujet est un pronom personnel de l'une de ces deux personnes (*je* et *tu* pour le singulier, *nous* et *vous* pour le pluriel ou un équivalent comme *Luc et toi*) :

Je (1re pers. sing.)	*suis* (1re pers. sing.)	*grammairienne.*
Tu (2e pers. sing.)	*as* (2e pers. sing.)	*de bonnes notions de conjugaison.*
Nous (1re pers. pl.)	*adorons* (1re pers. pl.)	*la syntaxe.*
Vous (2e pers. pl.)	*avez* (2e pers. pl.)	*compris la morphologie du verbe.*
Luc (3e pers. sing.) *et*	*toi* (2e pers. sing.)	*mangez* (2e pers. pl.) *tard ce soir.*

Tous les autres types de sujet entraînent l'accord à la 3e personne :

Chantal (nom propre)	*frémit* (3e pers.)	*en pensant à son examen.*
Personne (pronom indéfini)	*ne peut* (3e pers.)	*négliger l'orthographe.*
Fumer (infinitif)	*est* (3e pers.)	*dangereux pour la santé.*

- **L'accord en nombre**

  Pour le nombre, le sujet au singulier détermine l'accord au singulier ; le sujet au pluriel, l'accord au pluriel :

  La grammaire est vraiment passionnante.
  sujet singulier verbe singulier

  Les élèves travaillent.
  sujet pluriel verbe pluriel

  Ils se moquent du temps qui passe.
  sujet pluriel verbe pluriel

  Certains préfèrent le homard au caviar.
  sujet pluriel verbe pluriel

REM Le *vous* de politesse comme le *nous* de modestie ou d'emphase entraînent l'accord du verbe au pluriel (→ paragraphe 9), mais l'accord du participe passé se fait au singulier.

32 Accord du verbe avec le pronom relatif

Le pronom relatif *qui* peut avoir pour antécédent un pronom personnel de la première ou de la deuxième personne. Dans ce cas, l'accord en personne se fait avec le pronom personnel :

C'est moi qui ai raison ; *c'est toi qui as tort.*
antécédent 1re pers. 1re pers. antécédent 2e pers. 2e pers.

Pour *un* (*une*) *des… qui*, il faut, pour faire correctement l'accord, déterminer si l'antécédent de *qui* est le pronom singulier *un* (*une*) ou le nom au pluriel qui en est le complément :

C'est un des élèves qui a remporté le prix.
(= un seul élève a remporté le prix)

C'est un des meilleurs livres qui aient été publiés.
(= beaucoup de livres ont été publiés)

33 Accord du verbe avec les titres d'œuvres

Les titres d'œuvres (littéraires, picturales, musicales, cinématographiques, etc.) constitués d'un nom au pluriel déterminent l'accord au singulier ou au pluriel, selon des variables très complexes :

Les Pensées *de Pascal sont admirables, les* Harmonies poétiques et religieuses *se laissent encore lire.*

Mais :

Les enfants du paradis est (plutôt que *sont*) *l'un des meilleurs films de tous les temps.*

Les oranges sont vertes est (à l'exclusion de *sont*) *la meilleure pièce de Claude Gauvreau.*

34 Accord avec les noms collectifs (*foule, masse, centaine…*)

Les noms tels que *foule, multitude, infinité, troupe, masse, majorité…* ainsi que les approximatifs *dizaine, douzaine, vingtaine, centaine…* sont morphologiquement au singulier. Quand ils sont utilisés seuls, l'accord se fait au singulier :

La foule se déplace.

Ces noms collectifs désignent une pluralité d'êtres ou d'objets. Quand ils sont suivis d'un nom au pluriel, ils peuvent provoquer l'accord du verbe au pluriel :

Une foule de manifestants se déplace **ou** *se déplacent.*
collectif — nom pluriel — singulier — pluriel

L'accord dépend de l'interprétation qu'on en fait : si le nom *foule* est perçu comme le noyau du groupe du nom (GN) sujet, il détermine l'accord au singulier ; si *une foule de* est perçu comme un déterminant complexe (remplaçable par *des*), le nom *manifestants* devient le noyau du GN sujet et il détermine l'accord au pluriel. L'interprétation dépend du sens exprimé par le verbe. Souvent, les deux interprétations sont possibles, comme dans la phrase ci-dessus.

35 Accord avec les noms de fractions (*une moitié, un tiers…*)

Les fractions marquées par un nom tel que *la moitié, le tiers* ou *le quart* sont au singulier, mais visent évidemment, quand elles s'appliquent à des êtres ou des objets distincts, plusieurs de ces êtres ou de ces objets : *la moitié des députés, le tiers des candidats.*
Les expressions de ce genre déterminent généralement l'accord au pluriel :

La moitié des députés sortants ont été battus.
pluriel — pluriel

On trouve même parfois, après la suppression du complément au pluriel lorsqu'il est connu par le contexte, des accords du type :

La moitié ont été battus.
pluriel

REM Toutefois, le singulier reste à la rigueur possible, même avec le complément au pluriel :

Le tiers des députés sortants a été battu.

Quand le complément de ces fractions désigne une matière où l'on ne peut pas reconnaître d'unités distinctes, l'emploi du pluriel est absolument exclu :

La moitié de la récolte a pourri sur place.

36 Accord avec les indications de pourcentage

La phrase ⊗ *hier, 29 % des députés sortants a été battu* n'est pas admise. On écrira plutôt :

Hier, 29 % des députés sortants ont été battus.

L'accord au pluriel est possible même quand le complément désigne une matière indistincte :

Cette année, 29 % de la récolte ont été perdus.

37 Accord avec les adverbes de quantité (*beaucoup, trop, peu…*)

Il s'agit de *beaucoup, peu, pas mal, trop, assez, plus, moins, tant, autant*, de l'interrogatif (et exclamatif) *combien*, de l'exclamatif *que* et de quelques autres. Ces adverbes accompagnés du mot *de* sont souvent suivis d'un nom :

beaucoup d'élèves (élèves : nom pluriel)	*beaucoup de lait* (lait : nom singulier)
pas mal d'élèves (élèves : nom pluriel)	*pas mal de neige* (neige : nom singulier)

Ils ont alors le même rôle qu'un déterminant au pluriel (*beaucoup d'élèves = des élèves*) ou au singulier (*beaucoup de lait = du lait*), et imposent au verbe l'accord avec le nom noyau du GN en position sujet, comme le veut la règle générale.

Peu de	*candidates*	*ont fui.*	*Beaucoup de*	*lait*	*écrémé*	*a été bu.*
déterminant complexe	nom pluriel noyau du GN	pluriel	déterminant complexe	nom singulier noyau du GN		singulier

Certains de ces adverbes s'utilisent seuls en position sujet. Dans ce cas, l'accord se fait habituellement au pluriel:

Peu ont échoué. Beaucoup sont satisfaites de leur résultat.

REM — L'expression *la plupart* se soumet à cette même règle: *la plupart des élèves travaillent*; *la plupart travaillent.*

— L'expression *plus d'un* exige l'accord au singulier, et *moins de deux* exige le pluriel, simplement parce que le noyau est *un* dans le premier exemple, et *deux* dans le second: *plus d'un est venu*; *moins de deux millions sont repartis.* C'est l'application de la règle générale.

38 Accord des verbes impersonnels

Le problème, dans l'accord des verbes impersonnels, tient à l'absence de véritable sujet, au sens d'agent de l'action: où est, en ce sens, le sujet de *il pleut* ou de *il fallait*? Le français a réglé le problème en imposant aux verbes impersonnels le pronom de la 3e personne du singulier (→ paragraphe 8) et, nécessairement, l'accord au singulier. Cet accord au singulier se maintient même quand le verbe est pourvu d'un complément du verbe impersonnel (ou «sujet réel») au pluriel:

Il pleut des cordes.
complément du verbe impersonnel

39 Accord du verbe avec plusieurs sujets de même personne

Il est fréquent qu'un verbe ait pour sujets plusieurs groupes du nom (GN), ou plusieurs pronoms coordonnés ou juxtaposés. Le principe général est que le verbe muni de plusieurs sujets (c'est-à-dire, en français, au moins deux) s'accorde au pluriel:

Le général et le colonel ne s'entendent pas bien.
singulier **singulier** **pluriel**

Sonia et René ont fait de la linguistique.
singulier **singulier** **pluriel**

Celui-ci et celui-là travailleront correctement.
singulier **singulier** **pluriel**

Elle et lui ne font rien.
singulier **singulier** **pluriel**

40 Accord avec des sujets coordonnés par *ou* et *ni... ni*

Ces deux cas ne semblent pas poser de problème : il y a au moins deux sujets, et l'accord au pluriel paraît s'imposer. Cependant, certains grammairiens présentent les raisonnements suivants :

- **Les sujets coordonnés par *ou***
  Coordonnés par *ou*, les deux sujets entraînent l'accord au singulier quand *ou* est exclusif. On fera donc l'accord au singulier pour :

  Une valise ou un gros sac m'est indispensable.
  (= un seul des deux objets, à l'exclusion de l'autre, m'est indispensable)

  On fera l'accord au pluriel pour :

  Une valise ou un sac facile à porter ne se trouvent pas partout.
  (= les deux objets sont également difficiles à trouver)

  Malgré sa subtilité et la difficulté de son application pratique, ce raisonnement est acceptable. Il laisse d'ailleurs une trace dans l'accord avec *l'un ou l'autre* et *tel ou tel*, qui se fait le plus souvent au singulier, le *ou* y étant exclusif.

- **Les sujets coordonnés par *ni... ni***
  Dans la pratique, on peut, à sa guise, faire l'accord au singulier ou au pluriel.

  Ni Henri V ni Charles XI n'a été roi **ou** *n'ont été rois.*
  sujet (Henri V) **sujet** (Charles XI) **singulier** (a) **pluriel** (ont)

REM L'expression *ni l'un ni l'autre* permet l'accord au singulier et au pluriel : *ni l'un ni l'autre ne travaille* (ou *ne travaillent*).

41 Accord avec des sujets unis par *comme, ainsi que, de même que, autant que, au même titre que...*

L'accord se fait au pluriel quand l'expression qui unit les sujets a la fonction d'un coordonnant (remarquer l'absence de virgules) :

Le latin comme le grec ancien sont des langues mortes. **(= le latin et le grec)**
pluriel (sont)

L'accord au singulier indique que l'expression qui unit les termes conserve sa valeur comparative. Dans ce cas, la comparaison est isolée par des virgules :

Mexico, au même titre que Tokyo et São Paulo, est une mégapole.
singulier (est)

42 Accord avec des sujets désignant le même objet ou la même personne

Si les sujets sont de sens absolument distinct, mais désignent le même objet ou la même personne, l'accord se fait au singulier :

C'est l'année où mourut mon oncle et (mon) tuteur.
singulier — sujet — sujet

REM Dans ce genre de construction, on ne répète généralement pas le déterminant devant le second sujet : *mon oncle et tuteur.*

Si les sujets sont de sens apparenté et s'appliquent à la même réalité, l'accord au singulier est le plus fréquent (contextes rares).

La joie et l'allégresse s'empara de lui. (= synonymie)

L'irritation, la colère, la rage avait envahi son cœur. (= gradation)

43 Accord avec plusieurs infinitifs sujets

Une suite de plusieurs infinitifs sujets détermine normalement l'accord au singulier, mais on trouve parfois le pluriel :

Manger, boire et dormir est agréable.

Manger, boire et dormir sont nécessaires.

REM Pour la plupart des cas difficiles d'accord qui viennent d'être décrits (→ paragraphes 33 à 42), l'arrêté de 1976 (→ paragraphe 57) autorise les deux possibilités.

44 Accord avec des sujets qui ne sont pas à la même personne

- **L'accord en nombre**
  Quand les différents sujets relèvent de personnes différentes, l'accord en nombre se fait au pluriel puisqu'il y a plusieurs sujets.

- **L'accord en personne**
  La première personne prévaut sur les deux autres.

Toi et moi (= nous) *adorons la grammaire.*

Toi, Marielle et moi (= nous) *passons notre temps à faire de la musique.*

La deuxième personne prévaut sur la troisième :

Émilie et toi (= vous) *avez dévoré un énorme plat de choucroute.*

REM Si on souhaite la présence (facultative) d'un pronom personnel récapitulatif qui indique la personne déterminant l'accord, il sera précédé d'une virgule : *Toi et moi, nous adorons la grammaire.*

45 Accord du verbe *être* avec l'attribut (*c'était…*, *c'étaient…*)

Quand le verbe *être* a pour sujet le pronom démonstratif *ce* (ou, parfois, les démonstratifs *ceci* ou *cela*, souvent précédés de *tout*) et qu'il introduit un attribut au pluriel (ou une suite d'attributs juxtaposés ou coordonnés), il peut, par exception à la règle générale d'accord du verbe, prendre la marque du pluriel, c'est-à-dire s'accorder avec l'attribut :

Ce sont eux.

Tout ceci sont des vérités.

C'étaient un garçon et deux filles.

Mais ⊗ *ce sont nous* et ⊗ *ce sont vous* sont impossibles.
Ce phénomène insolite d'accord avec l'attribut est légèrement archaïsant. Il était beaucoup plus fréquent aux périodes anciennes de l'histoire de la langue.

L'ACCORD DU PARTICIPE PASSÉ

46 Remarques sur l'accord du participe passé

La question de l'accord du participe passé donne lieu à des développements considérables, qui peuvent laisser penser qu'il s'agit d'un des points les plus importants de la langue. Pour prendre la mesure de l'intérêt du problème, il est utile de tenir compte des remarques suivantes.

- **Un problème d'orthographe**
  L'accord du participe passé est un phénomène à peu près exclusivement orthographique. L'accord en genre ne se fait entendre à l'oral que pour un petit nombre de participes : par exemple *offert*, *offerte*. La plupart des participes passés se terminent au masculin par *-é*, *-i* ou *-u* et ne marquent le féminin que dans l'orthographe : *-ée*, *-ie*, *-ue*. Quant à l'accord en nombre, il n'a jamais de manifestation orale, sauf dans les cas de liaison, eux-mêmes assez rares.

- **Des règles peu respectées**

  Même dans les cas où l'accord en genre s'entend, on observe fréquemment, dans la langue contemporaine, que les règles n'en sont pas observées, notamment pour l'accord du participe passé avec un complément direct antéposé.

  On entend très souvent:

  ⊗ *les règles que nous avons enfreint* ou ⊗ *les fautes que nous avons commis*, au lieu des formes régulières *enfreintes* et *commises*.

- **Une règle artificielle**

  La règle de l'accord du participe passé avec le complément direct antéposé est l'une des plus artificielles de la langue française. On peut en dater avec précision l'introduction: c'est le poète français Clément Marot qui l'a formulée en 1538. Marot prenait pour exemple la langue italienne, qui a, depuis, partiellement renoncé à cette règle.

- **Un problème politique?**

  Il s'en est fallu de peu que la règle instituée par Marot ne fût abolie par le pouvoir politique. En 1900, un ministre de l'Instruction publique courageux, Georges Leygues, publia un arrêté qui «tolérait» l'absence d'accord.

  Mais la pression de l'Académie française fut telle que le ministre fut obligé, en 1901, de remplacer son arrêté par un autre texte (→ paragraphe 57) qui supprime la tolérance de l'absence d'accord, sauf dans le cas où le participe est suivi d'un infinitif ou d'un participe présent ou passé: *les cochons sauvages que l'on a trouvé* ou *trouvés errant dans les bois* (→ paragraphe 54).

47 Accord du participe passé employé sans auxiliaire

La règle générale découle du statut du participe passé: verbe transformé en adjectif, il adopte les règles d'accord de l'adjectif. Il prend donc les marques de genre et de nombre du groupe du nom ou du pronom dont il dépend. La règle s'applique quelle que soit la fonction que l'on donne au participe.

Les petites filles assises sur un banc regardaient les voitures.
féminin pluriel

Assises sur un banc, elles regardaient les voitures.
féminin pluriel

Elles se trouvaient assises sur un banc, regardant les voitures.
féminin pluriel

Ce phénomène d'accord adjectival n'exclut naturellement pas la possibilité, pour le participe, d'avoir des compléments à la manière d'un verbe :

Expulsés par leur propriétaire, les locataires ont porté plainte.

Ces jeunes vedettes semblent satisfaites de leur condition.

La règle de l'accord du participe passé employé sans auxiliaire ne comporte que des exceptions apparentes.

- ***Attendu, y compris, non compris, excepté, supposé, vu***

  Placés devant un groupe du nom (c'est-à-dire avant le déterminant du nom), ces participes passés prennent en réalité la fonction d'une préposition : ils deviennent invariables.

  Vu les conditions atmosphériques, la cérémonie est reportée.
  participe invariable — groupe du nom

- ***Étant donné, passé, mis à part, fini***

  Il arrive que ces participes passés s'accordent en début de phrase :

  Étant donné ou *étant données les circonstances…*
  féminin pluriel

  Fini ou *finies les folies !*
  féminin pluriel

- ***Ci-joint, ci-annexé, ci-inclus***

  Caractéristiques de la correspondance administrative, ils obéissent en principe aux règles suivantes :

  — Ils restent invariables en début de phrase non verbale ou devant un nom sans déterminant.

  Ci-joint la photocopie de mon chèque.

  Vous trouverez ci-joint copie de mon chèque.

  — Ils s'accordent quand ils sont placés après le nom (ils sont alors compléments du nom ou attributs).

Voir la photocopie ci-jointe. La copie est ci-jointe.

— Ils s'accordent aussi quand, même antéposés, ils sont considérés comme des attributs d'un nom accompagné d'un déterminant (attribut du complément direct).

Vous trouverez ci-jointe une photocopie de mon chèque.

48 Accord du participe passé employé avec *être* : règle générale

Employé avec l'auxiliaire *être*, le participe passé s'accorde en genre et en nombre avec le sujet du verbe. Cette règle vaut pour les verbes à la forme passive et pour les temps composés des verbes recourant à l'auxiliaire *être*. Pour les verbes pronominaux, → paragraphe 50.

Les voyageurs sont bloqués sur l'autoroute par la neige.
forme passive au présent

Quelques jeunes filles sont descendues sur la chaussée.
passé composé du verbe *descendre*

Il est arrivé deux trains hier.
forme impersonnelle du verbe *arriver*

REM Le pronom *on* détermine normalement l'accord du participe au masculin singulier : *On est arrivé.* Cependant, l'accord peut se faire au pluriel, masculin le plus souvent, féminin quand les personnes désignées par *on* sont toutes des femmes : *On est reparties.* Plus rare, l'accord au féminin singulier indique que *on* vise une femme unique : *Alors, on est devenue hôtelière ?*

49 Accord du participe passé employé avec *avoir* : règle générale

Le participe passé conjugué avec l'auxiliaire *avoir* ne s'accorde jamais avec le sujet du verbe.

Claudine n'aurait jamais mangé cela.
sujet féminin **participe passé invariable**

Lorsqu'il est précédé d'un complément direct (→ paragraphe 6), le participe passé s'accorde avec ce complément :

Ces histoires, il les a souvent racontées. (*les* = *ces histoires* = féminin pluriel)
complément direct **participe passé féminin pluriel**

Le participe *racontées* s'accorde en genre et en nombre avec le complément direct qui le précède, le pronom personnel *les*, lui-même représentant le groupe du nom féminin pluriel *ces histoires*.

REM La règle d'accord du participe passé avec le complément direct antéposé s'applique dans un très petit nombre de contextes. Elle exige, en effet, deux conditions très particulières, mais qui ne sont pas rares pour autant:
1- Le verbe doit avoir un complément direct, ce qui exclut les verbes intransitifs, attributifs et même les transitifs construits sans complément direct.
2- Le complément direct doit être placé avant le participe, ce qui ne s'observe normalement que:
— dans les interrogatives ou exclamatives (avec *quel, quelle, quels, quelles, lequel, laquelle, lesquels, lesquelles, que de…, combien de…*) où le complément direct est placé en tête de phrase:

Quelles grammaires avez-vous consultées? Laquelle avez-vous lue?

Que de pommes j'ai mangées! Combien de livres as-tu achetés?

— dans les phrases où le complément direct est un pronom personnel (*le, la, l', les, me, m', te, t', nous, vous*):

Il nous a vus. Je range les grammaires dès que je les ai consultées.

— et dans les relatives où le pronom relatif est le complément direct *que* (ou *qu'*):

Les grammaires que j'ai achetées sont bien intéressantes.

50 Accord du participe passé des verbes pronominaux

- **La règle**

Même si les verbes pronominaux sont toujours conjugués avec *être*, leur participe passé ne s'accorde pas toujours avec le sujet. On sait que la construction pronominale peut avoir plusieurs valeurs (→ paragraphe 12).

Ces valeurs n'interviennent pas dans la règle d'accord. L'accord est plutôt déterminé par des critères syntaxiques (verbe transitif direct ou indirect, présence d'un complément direct ou non → paragraphe 17).

ÉTAPE 1 : Y a-t-il un complément direct?

Si le verbe est transitif direct (s'il a un complément direct), c'est ce complément direct qui décide de l'accord:

— Si le complément direct est placé avant le verbe, le participe passé s'accorde avec ce complément.

— Si le complément direct est placé après, le participe passé reste invariable.

Cette première étape requiert donc la même analyse que lors de l'application de la règle d'accord avec l'auxiliaire *avoir*: on cherche en priorité la présence d'un complément direct. Noter que les verbes transitifs directs sont très fréquents en français.

Si le complément direct est placé avant le verbe, ce complément aura les mêmes formes que celles mentionnées dans la remarque du paragraphe 49 (*quel, quelle, quels, quelles, lequel, laquelle, lesquels, lesquelles, que de…, combien de…, le, la, l', les, me, m', te, t', nous, vous, que, qu'*). Pour les verbes pronominaux, on doit ajouter à cette liste *se* et *s'*.

Prenons le verbe *laver*. Habituellement, on lave *quelqu'un* ou *quelque chose* (transitif direct). Le verbe devrait avoir un complément direct facile à trouver:

Elles se sont lavé les cheveux. (CD = *les cheveux*, il est placé après le verbe → invariable)

Elles se les sont lavés. (CD = *les*, il est placé avant le verbe → accord avec *les*, signifiant *cheveux*)

Elles se sont lavées. (CD = *se*, il est placé avant le verbe → accord avec *se*, qui représente *elles*)

Quand on trouve un complément direct (comme dans les exemples ci-dessus), on agit en conséquence et l'analyse prend fin, comme lorsque le verbe est utilisé avec *avoir*. Par contre, s'il n'y a pas de complément direct, c'est assurément que le verbe n'est pas transitif direct: il faut alors pousser plus loin l'analyse.

ÉTAPE 2: Le pronom réfléchi est-il un complément indirect?

Il reste à vérifier si le pronom réfléchi (*me, te, se, nous, vous*) est un complément indirect. Heureusement, très peu de verbes transitifs indirects dont le complément est introduit par la préposition *à* se retrouvent dans une construction pronominale. Les exemples bien connus se limitent à peu près à: *plaire à, déplaire à, mentir à, nuire à, ressembler à, sourire à, succéder à, suffire à, en vouloir à…* On trouve aussi souvent *téléphoner à, parler à, écrire à, répondre à…*

— Si le pronom réfléchi est un complément indirect, le participe passé reste invariable. Il s'agira, la plupart du temps, des verbes transitifs indirects énumérés ci-dessus.

— Si le pronom réfléchi n'est pas un complément indirect, il est alors sans fonction logique (puisqu'il n'est ni le CD ni le CI du verbe). Le participe passé s'accorde alors avec le sujet. Ce contexte est très fréquent.

Elles se sont nui. (*se* = CI: *nuire à quelqu'un* → invariable)

Ils s'en sont voulu. (*se* = CI: *en vouloir à quelqu'un* → invariable)

Les rois et les reines se sont succédé. (*se* = CI: *succéder à quelqu'un* → invariable)

Ils se sont parlé. (*se* = CI: *parler à quelqu'un* → invariable)

Ils se sont évanouis. (*se* = sans fonction logique : *évanouir à eux ?* impossible → accord avec le sujet)

Ils se sont enfuis. (*se* = sans fonction logique : *enfuir à eux ?* impossible → accord avec le sujet)

Ils se sont méfiés d'elle. (*se* = sans fonction logique : *méfier à eux ?* impossible → accord avec le sujet)

On ne peut pas non plus évanouir (ni enfuir, ni méfier) quelqu'un.

- **Les six exceptions**
  Le participe passé des verbes *se plaire*, *se complaire*, *se déplaire* et *se rire* est toujours invariable, peu importe l'analyse. *Elles se sont plu à faire cela.* Celui de *s'écrier* et celui de *s'exclamer* s'accordent toujours avec le sujet, peu importe l'analyse. Ce sont les seules exceptions.

- **Quelques observations**
  La règle en elle-même n'est pas compliquée ; c'est plutôt l'analyse du verbe et de ses compléments qui pose souvent problème aux usagers, et qu'il faut faire avec soin. En présence d'un complément direct, l'accord est le même pour un verbe pronominal que pour un verbe non pronominal :

Elles se sont lavé les cheveux. (les cheveux : CD placé après)	*Elles leur ont lavé les cheveux.* (les cheveux : CD placé après)
Elles se les sont lavés. (les : CD avant ; lavés : accord avec ce CD)	*Elles les leur ont lavés.* (les : CD avant ; lavés : accord avec ce CD)
Elles se sont lavées. (se : CD avant ; lavées : accord avec ce CD)	*Elles les ont lavé(e)s.* (les : CD avant ; lavé(e)s : accord avec ce CD)

Lorsqu'il n'y a pas de complément direct, l'invariabilité est la même pour un verbe transitif indirect pronominal que pour un verbe transitif indirect non pronominal :

Elles se sont souri. (se : CI)	*Elles leur ont souri.* (leur : CI)

Les verbes dont le pronom réfléchi est sans fonction logique peuvent être essentiellement pronominaux (*s'évanouir*, *s'envoler*…) ou occasionnellement pronominaux (*se lever*, *s'apercevoir*, *se jouer de*…). On ne doit pas apprendre ces verbes par cœur, la liste serait trop longue. Il faut savoir les analyser. Rappelez-vous que la présence du CD a priorité, même avec un verbe essentiellement pronominal : le participe dans *elles se sont arrogé ces droits* est invariable, car le CD (*ces droits*) est placé après.

51 Accord du participe passé des verbes impersonnels

Le participe passé des verbes impersonnels est presque toujours invariable puisqu'il est accompagné habituellement d'un complément du verbe impersonnel (« sujet réel ») et non d'un CD. Attention de ne pas confondre ces deux notions.

les soins qu' il leur avait fallu
compl. du verbe impersonnel participe passé invariable

REM Dans de très rares cas, on trouvera un CD en plus du complément du verbe impersonnel : *Il nous a amusés de dormir ici* (*nous* = CD ; *de dormir ici* = complément du verbe impersonnel).

52 Accord du participe passé après *en*, *l'* (pour *le* neutre), *combien*

Ces éléments à valeur pronominale ne comportent ni la catégorie du genre, ni celle du nombre. Ils sont donc en principe inaptes à déterminer l'accord du participe :

Des grammaires, j'en ai lu à foison !
participe passé invariable

La crise dure plus longtemps qu'on ne l'avait prévu.
participe passé invariable

Combien en as-tu lu ?
participe passé invariable

53 Accord avec les compléments de verbes tels que *coucher*, *courir*, *vivre*, *valoir*, *mesurer*, *souffrir*, *durer*, *peser*, *coûter* (ou *couter*)

Ces compléments ne présentent que certains traits des compléments directs. Ainsi, ils ne peuvent pas donner lieu à la transformation passive. Placés avant un participe, ils ne déterminent pas, en principe, l'accord :

les heures que le voyage a duré (≠ ⊗ *ces heures ont été durées*)

les sommes que cela lui a coûté (≠ ⊗ *ces sommes ont été coûtées*)

Toutefois, ces verbes ont parfois un emploi authentiquement transitif, qui déclenche l'accord :

les trois bébés que l'infirmière a pesés (= *les trois bébés ont été pesés*)

On observe souvent des confusions entre ces deux types d'emplois.

54 Accord du participe passé suivi d'un infinitif

- **Le participe passé des verbes de mouvement (*emmener, envoyer*) ou de sensation (*écouter, entendre, sentir, voir*)**

les cantatrices que j'ai entendues chanter

Ici, on fait l'accord, parce que le pronom *que*, représentant *les cantatrices*, est le complément direct de *j'ai entendu(es)*.

Ci-dessous, au contraire, on ne fait pas l'accord, car le pronom *que*, représentant *les opérettes*, est le complément direct de *chanter*, et non d'*entendre*:

les opérettes que j'ai entendu chanter

Règle:
On fait donc l'accord quand le complément antéposé est le complément de la forme composée avec le participe (cas de *cantatrices*). On ne fait pas l'accord quand le complément antéposé est le complément de l'infinitif (cas des *opérettes*).

Un bon moyen de distinguer les deux cas consiste à remplacer le pronom relatif *que* par son antécédent. On oppose ainsi *j'ai entendu les cantatrices chanter* (où *cantatrices* est bien le complément direct de *j'ai entendu*) à *j'ai entendu chanter les opérettes* (où *opérettes* est bien le complément direct de *chanter* et non de *j'ai entendu*: on ne peut pas dire ⊗ *j'ai entendu les opérettes chanter*).

Toutefois, les confusions restent possibles, et l'arrêté de 1976 (→ paragraphe 57) tolère les deux possibilités dans tous les cas.

- **Le participe passé de *faire* ou de *laisser***

Le participe passé du verbe *faire* suivi d'un infinitif reste invariable:

Les députés que le premier ministre a fait démissionner ont l'air sérieux.
masculin pluriel (*députés*) — **complément direct** (*que*) — **participe passé invariable** (*fait*)

Cela s'explique sans doute par le fait que l'accord de *faire* au féminin se manifesterait oralement: ⊗ *la petite fille que j'ai faite jouer* (on trouve parfois des exemples littéraires de cette bizarrerie).

On pouvait accorder ou non le participe passé de *laisser* (dont l'accord est strictement graphique) suivi d'un infinitif. Le Conseil supérieur de la langue française, en 1990, en a recommandé l'invariabilité dans tous les cas, sur le modèle de *faire*.
On écrira donc maintenant:

Les musiciennes que j'ai laissé jouer s'améliorent.
féminin pluriel (*musiciennes*) — **CD** (*que*) — **participe passé invariable** (*laissé*)

55 Accord du participe passé suivi d'un adjectif ou d'un autre participe

C'est en principe la règle générale qui s'applique. Le participe s'accorde avec son complément direct s'il est antéposé :

Julie et Claire, je vous aurais crues plus scrupuleuses !

Une lettre que j'aurais préférée écrite à la main.

Cette règle n'est toutefois pas toujours observée. On a vu plus haut (→ paragraphe 46) que l'arrêté de 1901 (→ paragraphe 57) conservait, dans ce cas, la tolérance du non-accord.

56 Accord des participes passés des formes surcomposées

Seul le dernier participe passé s'accorde. Les autres restent invariables puisqu'ils ne sont que des auxiliaires de conjugaison.

Dès qu'elle les a eu tués, elle a plumé ses canards.

Dès qu'elle a eu été nettoyée, la route a été asphaltée.

57 Arrêtés de 1901 et de 1976, Rectifications de 1990

Les arrêtés dont il est question aux paragraphes 43, 46, 54 et 55 sont appelés communément « Arrêté Leygues de 1901 » et « Arrêté Haby de 1976 ». Il s'agit de documents ministériels de France stipulant que, dans les examens, il ne serait pas compté de fautes aux candidats pour certains cas d'accord s'éloignant de la règle habituelle. Ces arrêtés ne constituent pas de nouvelles règles de grammaire, mais sont de simples « tolérances » à observer lors de la correction. Ils ont été peu suivis.

Au contraire, les Rectifications de l'orthographe de 1990 sont des recommandations officielles attestées par de plus en plus de dictionnaires, ouvrages de référence et logiciels de correction. Elles visent à régulariser l'orthographe en éliminant des incohérences et des anomalies. En 1990, le Conseil supérieur de la langue française (Paris) a publié, au *Journal officiel de la République française*, un rapport élaboré par des comités d'experts et approuvé par l'Académie française et d'autres instances francophones compétentes des principaux pays de la francophonie.

Ces recommandations de 1990 commencent maintenant à entrer dans l'usage : au fil des ans, des graphies rectifiées remplacent certaines graphies traditionnelles jugées irrégulières ou désuètes. Par exemple, *célébrera* peut s'écrire *célèbrera* (comme *célèbre*) ; *asseoir*, qui se conjugue *assois*, *assoira*, peut s'écrire *assoir* (comme autrefois *veoir* est devenu *voir*).

LES VALEURS DES FORMES VERBALES

Chapitre IV

58 Organisation des valeurs verbales

Les valeurs verbales sont fondées sur les différences : un présent se distingue d'un imparfait et d'un passé simple, qui eux-mêmes se distinguent entre eux. Un subjonctif se distingue d'un indicatif et d'un impératif. Il convient donc d'étudier les valeurs des formes non pas en elles-mêmes, mais dans le système de différences qu'elles constituent.

REM Ce chapitre ne décrit que les valeurs relatives à l'aspect et au temps (on parle, pour faire bref, de valeurs temporelles) ainsi qu'au mode. Les valeurs des autres catégories verbales (la personne, le nombre et la voix), moins complexes, ont été décrites aux paragraphes 8 à 12.

LES VALEURS DES FORMES TEMPORELLES

59 Le présent : le moment où l'on parle

Le présent — qui est la forme verbale la plus fréquemment employée — occupe une place centrale en opérant la distinction fondamentale entre le passé et le futur. C'est donc par le présent qu'il faut commencer l'étude des valeurs des formes temporelles.

La valeur fondamentale du présent est de marquer — comme d'ailleurs son nom le suggère — la coïncidence temporelle entre le moment où l'on parle et l'action dont on parle. Quand on dit *Claude travaille*, l'action se déroule au moment même où l'on est en train d'en parler au présent. C'est par là que *Claude travaille* se distingue de *Claude travaillait* (l'action est antérieure au moment où l'on parle) comme de *Claude travaillera* (l'action est postérieure au moment où l'on parle).

Cependant, quand on dit *Claude travaille*, il est inévitable que l'action — le travail de Claude — ait commencé au moins depuis quelques instants, et se prolonge un peu après que la phrase sera terminée : la durée de l'action dont on parle déborde de part et d'autre de la durée nécessaire à l'énonciation de la phrase. C'est ce phénomène de débordement qui explique les différentes valeurs que peut prendre le présent.

- **Le présent d'actualité**

  Les actions se déroulent au moment où l'on parle, mais leur durée est plus longue que celle du discours :

  Il pleut : je travaille.

REM Dans certains cas, on observe la coïncidence absolue entre les limites temporelles de l'action et celles de la phrase. Quand on dit : *je déclare la séance ouverte*, on effectue par là même l'action d'ouvrir la séance. Cette action a donc nécessairement la même durée que la phrase qui permet de l'effectuer. Il en va de même pour des phrases telles que *je te promets de venir demain, je jure de travailler, je parie cent dollars sur la victoire de Dominique* ou, dans un autre registre, *je te baptise Vincent*. Les phrases de ce type — qui sont toujours à la première personne — reçoivent le nom d'*énoncés performatifs*.

- **Le présent de validité permanente ou de vérité générale**

  Les limites temporelles des actions dont on parle sont très éloignées. L'action d'énoncer la phrase se situe nécessairement entre ces limites, souvent si éloignées ou si difficiles à envisager que la phrase prend une valeur intemporelle (ou omnitemporelle) :

  La Terre tourne autour du Soleil.

  L'argent ne fait pas le bonheur.

  Tous les humains sont mortels.

- **Le présent de répétition et d'habitude**

  L'action se répète au cours d'une période, plus ou moins longue, qui englobe le moment où l'on parle.

  On parle de *présent de répétition* quand le sujet est non animé :

  Le téléphone sonne.

  Le geyser jaillit toutes les deux heures.

Quand le sujet est un être animé, on parle généralement de *présent d'habitude*:

Je vais à la piscine deux fois par semaine.

- **Le présent comme valeur de passé récent ou de futur proche**
  Dans ces deux cas, l'action est présentée par la personne qui parle comme proche dans le passé ou dans l'avenir. C'est cette proximité qui permet l'emploi du temps présent, sous l'effet du phénomène de débordement signalé plus haut:

  J'arrive à l'instant de Senneterre.

  Nous partons mercredi prochain pour Percé.

  Le futur proche est considéré comme totalement programmé au moment de l'énonciation, même si, objectivement, l'action peut être assez éloignée dans l'avenir:

  Je prends ma retraite dans dix ans.

  Le présent s'utilise aussi pour une action future dans la subordonnée conditionnelle d'une phrase dont le verbe principal est au futur:

  Si tu viens demain, j'en serai ravi.
  (viens : **présent** ; serai : **futur**)

- **Le présent de narration ou présent historique**
  Dans ce cas, l'action décrite n'est évidemment pas contemporaine de la phrase par laquelle on la décrit, mais la personne qui parle fait comme si elle assistait actuellement aux actions qu'elle évoque:

  Champlain meurt le 25 décembre 1635.
  (meurt : **présent**)

  Le présent historique permet donc de rendre présentes les actions passées. Cette valeur est toujours plus ou moins ressentie par l'auditeur ou le lecteur, même quand le présent de narration est utilisé systématiquement par la personne qui raconte les actions.

- **Le présent injonctif**
  Il arrive parfois que le présent prenne la valeur modale d'un impératif: la phrase *On se calme!* adressée à un groupe d'enfants agités n'est pas une constatation, mais un ordre.

60 Les formes simples du passé : l'imparfait et le passé simple

- **Les valeurs comparées de l'imparfait et du passé simple**
Contrairement à d'autres langues (par exemple l'anglais et l'allemand), le français dispose de deux formes simples de passé. En effet, le passé simple, dans tous ses emplois, et l'imparfait, le plus souvent, ont une valeur de passé, qui les oppose l'un et l'autre au présent. Le problème est alors de savoir comment ces deux temps du passé se distinguent l'un de l'autre.

La comparaison de deux exemples le montrera :

— Quand on dit *il travaillait*, à l'imparfait, on ne s'intéresse pas aux moments qui ont marqué le début et la fin de l'action. C'est pourquoi on peut dire *il travaillait déjà en 1907*, alors qu'on ne peut pas dire, au passé simple, ⊗ *il travailla déjà en 1907.*

— Quand on dit *il travailla*, on indique que l'action — qui peut avoir duré longtemps — a eu un début et une fin. C'est pourquoi on peut dire *il travailla de 1902 à 1937*, alors qu'on ne peut pas normalement dire, à l'imparfait, ⊗ *il travaillait de 1902 à 1937.*

C'est ce phénomène qui explique les valeurs différentes prises par des séries de verbes à l'imparfait et au passé simple.

L'imparfait indique normalement des actions simultanées ou alternatives :

Elle dansait, sautait et chantait. (comprendre : elle faisait tout cela en même temps)

Le passé simple marque généralement des actions successives :

Elle dansa, sauta et chanta. (comprendre : elle fit successivement les trois actions)

Quand les deux temps interviennent dans la même phrase, le passé simple marque une action limitée qui s'insère au sein de l'action illimitée marquée par l'imparfait :

L'avion <u>volait</u> à haute altitude quand l'incident <u>survint</u>.

- **Les registres d'emploi de l'imparfait et du passé simple**
L'imparfait s'emploie, à l'oral et à l'écrit, à toutes les personnes. Au contraire, le passé simple est, dans la langue contemporaine, à peu près exclusivement réservé à la 3ᵉ personne. C'est ce qui explique l'aspect démodé que prennent les formes de 1ʳᵉ et de 2ᵉ personnes, notamment au pluriel : *nous arrivâmes, vous dormîtes*. On leur préfère le passé composé : *nous sommes arrivés, vous avez dormi* (→ paragraphe 67). Sans être absolument absent à l'oral, le passé simple caractérise surtout l'usage écrit, notamment littéraire.

REM La situation du passé simple était différente au XIXe siècle : il s'utilisait alors à toutes les personnes, vraisemblablement à l'oral comme à l'écrit. De très longs récits autobiographiques pouvaient être rédigés au passé simple à la première personne, ce qui est devenu exceptionnel aujourd'hui et révèle des intentions particulières : l'imitation archaïsante des textes du passé ou l'intention de marquer la séparation complète entre le *je* qui écrit et le *je* dont l'histoire est racontée.

- **Les valeurs particulières de l'imparfait**

L'imparfait peut signifier qu'une action ne s'est pas réalisée. C'est ce qu'on appelle l'*imparfait d'imminence contrecarrée* :

Un peu plus, la bombe explosait. (comprendre : finalement, elle n'a pas explosé)

REM Cette valeur de l'imparfait explique certains phénomènes d'ambiguïté. Ainsi, la phrase *cinq minutes après, la bombe explosait* peut renvoyer à deux situations différentes : 1. la bombe a finalement explosé cinq minutes après ; 2. la bombe a été désamorcée avant le délai des cinq minutes, et n'a pas explosé.

C'est cette aptitude de l'imparfait à s'appliquer à des actions non réalisées qui explique deux de ses valeurs :

— L'emploi de l'imparfait pour présenter de façon atténuée — comme si on ne la présentait pas vraiment — une demande ou une supplique :

Je venais vous demander une hausse de salaire.

— La valeur *modale* d'irréel ou de potentiel qu'il prend dans les subordonnées des systèmes hypothétiques :

Si j'avais de l'argent, je t'en donnerais.

Dans ces phrases, l'imparfait prend, selon le cas, une valeur de présent (*si j'avais de l'argent aujourd'hui…*) ou de futur (*si demain j'avais de l'argent…*).

61 Le futur et le conditionnel

Contrairement à d'autres langues (notamment l'anglais et l'allemand), le futur et le conditionnel français sont des formes simples. Toutefois, ce n'est pas un hasard si dans les désinences en *-ai* et *-ais*, *-as* et *-ais*, *-a* et *-ait*, *-ons* et *-ions*, *-ez* et *-iez*, *-ont* et *-aient* on reconnaît, partiellement ou totalement selon les cas, les formes de la conjugaison du verbe *avoir*. C'est que le futur et le conditionnel ont été, étymologiquement, formés par l'adjonction des formes de présent et d'imparfait du verbe *avoir* à l'infinitif du verbe.

REM La forme de l'infinitif du verbe ne permet cependant pas de prévoir à coup sûr les formes de futur et de conditionnel : à côté de *travaillerai(s)*, *finirai(s)*, *coudrai(s)*, on trouve *enverrai(s)*, *courrai(s)* et *irai(s)*, où l'infinitif n'est pas reconnaissable.

62 Le futur

- **La valeur temporelle du futur**

Le futur marque que le procès signifié par le verbe est situé dans l'avenir par rapport au moment où l'on parle :

Il neigera demain.

Selon le cas, le futur envisage ou non les limites temporelles de l'action :

Il neigera jusqu'à demain.

Il neigera sans discontinuer.

C'est ce qui explique qu'une série de verbes au futur peut, selon le cas, viser des actions successives, simultanées ou alternatives. Les actions se succèdent dans :

*Ils se marieront **(d'abord)** et auront **(ensuite)** beaucoup d'enfants.*

Elles sont simultanées ou alternatives dans :

Au cours de leur soirée d'adieu, ils mangeront, boiront et danseront.

(comprendre : ils feront ces trois actions en même temps ou tour à tour)

- **Le futur historique**

Le futur historique permet de raconter des faits passés comme s'ils étaient ultérieurs au moment de l'énonciation. Un historien peut, en 2006, écrire :

La Première Guerre mondiale finira par éclater en 1914.

- **Les valeurs modales du futur**

Il existe toujours une dose d'incertitude dans les emplois du futur : on ne peut jamais être certain de la réalisation d'une action située dans l'avenir. Selon que l'action est considérée comme plus ou moins certaine, le futur peut donner lieu à des emplois divers, parfois aussi proches du mode que du temps.

— Le futur est souvent utilisé comme équivalent de l'impératif. L'enseignante qui dit à ses élèves : *Vous me remettrez vos devoirs mardi prochain* donne, en réalité, un ordre… qui ne sera peut-être pas exécuté par tout le monde.

— Le futur sert souvent à exprimer une idée de façon atténuée :

Je ne vous cacherai pas que je suis très étonné de votre attitude.

— Le futur marque parfois la probabilité, surtout avec le verbe *être :*

Le téléphone sonne : ce sera sans doute l'un de mes enfants.

- **Les concurrents du futur : le présent**
Le présent (→ paragraphe 59) se distingue du futur moins par la proximité temporelle de l'action que par son caractère totalement programmé. Dans une voiture de métro bondée, la question *Vous descendez à la prochaine station ?* interroge, au présent, sur les intentions de la personne pour son futur proche : a-t-elle prévu de descendre à la prochaine station ? La réponse au futur *non, mais je descendrai* (ou *non, mais je vais descendre*) indique que l'action n'était pas programmée : la personne ne prévoyait pas de descendre, mais elle le fera pour rendre service.
Pour les phrases du type *si tu viens demain, j'en serai ravi* → paragraphe 59.
Le futur est en principe impossible dans la subordonnée. Le semi-auxiliaire *devoir* suivi de l'infinitif peut servir à souligner la valeur de futur :

Si tu dois	*venir demain, j'en*	*serai ravi.*
devoir semi-auxiliaire	infinitif du verbe *venir*	futur

- **Les concurrents du futur : les périphrases verbales**
Les deux périphrases verbales *aller + infinitif* et *être sur le point de + infinitif* insistent sur l'imminence (objective ou présentée comme telle) de l'action. C'est ce que l'on appelle le *futur proche* (→ paragraphe 5).

Je vais partir.

Je suis sur le point de craquer.

63 Le conditionnel : à la fois futur et passé

La morphologie du conditionnel comporte à la fois une marque de futur (l'affixe *-(e)r-*) et une marque de passé (les affixes *-ais*, *-ait*, *-aient*, et *-i-* de *-ions* et *-iez*, communs au conditionnel et à l'imparfait). C'est cette particularité qui explique à la fois ses valeurs temporelles et ses valeurs modales :

— Du point de vue temporel, le conditionnel marque un futur vu du passé.

— Du point de vue modal, il cumule les éléments modaux du futur et de l'imparfait (→ paragraphes 62 et 60), ce qui l'oriente vers une valeur hypothétique.

64 Valeurs temporelles du conditionnel

- **L'emploi en subordonnée**
Le conditionnel est le substitut du futur quand l'action est envisagée à partir du passé. Il n'y a, dans les emplois de ce type, aucune nuance de condition.

Olivier espérait que Martine viendrait.
action passée — conditionnel

Dans cette phrase, le conditionnel est l'équivalent du futur de la phrase suivante, qui est au présent:

Olivier espère que Martine viendra.
action au présent — futur

- **L'emploi en phrase autonome**
La même valeur temporelle du conditionnel s'observe dans des phrases autonomes pour marquer des actions futures par rapport à un récit au passé:

Jacques pensait à Marie: viendrait-elle le voir bientôt?
(comparer à: *Jacques pense à Marie: viendra-t-elle le voir bientôt?*)

65 Valeurs modales du conditionnel

- **L'irréel du présent et le potentiel**
Le conditionnel apparaît dans les phrases hypothétiques dont la subordonnée est à l'imparfait:

Si j'avais de l'argent, je t'en donnerais.
imparfait — conditionnel

Sans précision temporelle, l'action peut être interprétée comme située dans le présent:

Si j'avais maintenant de l'argent, je t'en donnerais.

La personne qui prononce cette phrase n'a pas d'argent pour l'instant et, de ce fait, n'en donne pas. C'est pourquoi on parle pour ce cas d'*irréel du présent.*

Mais la même phrase peut aussi être interprétée comme visant le futur:

Si demain j'avais de l'argent, je t'en donnerais.

La personne qui prononce cette phrase envisage comme possible d'avoir de l'argent le lendemain, et, de ce fait, d'en donner. C'est pourquoi on parle, dans ce cas, de *potentiel.*

Pour l'expression de l'*irréel du passé* → conditionnel passé, paragraphe 69.

REM Au même titre que le futur, le conditionnel ne s'emploie normalement pas dans la subordonnée circonstancielle d'hypothèse introduite par *si*. Des exemples d'usage familier (⊗ *si je voudrais, je pourrais*), jugés incorrects, doivent être évités. Cependant, le conditionnel est correct dans un complément direct avec *si* (interrogative indirecte): *je me demande si je pourrais le faire.*

- **L'expression d'un conseil, d'une demande, d'une opinion rapportée**
  Le conditionnel est également utilisé avec les valeurs suivantes :
  — Expression atténuée d'un conseil ou d'une demande :

  Il faudrait tout changer. (conseil)

  Je voudrais avoir un entretien avec vous. (demande)

  — Formulation d'une opinion émanant d'une autre personne :

  L'épidémie serait en voie de généralisation.

  Cet emploi du conditionnel, fréquent dans la presse, permet à l'auteur d'émettre des réserves sur la validité de l'information. Il est parfois commenté par des formules du type *selon l'intéressé, selon les milieux bien informés*, etc.

  — Mise en place d'un monde imaginaire. Cette valeur s'observe fréquemment dans l'usage des enfants :

  On serait dans une île déserte. On ferait la chasse aux papillons.

66 Les deux valeurs fondamentales des formes composées

Par rapport aux formes simples qui leur correspondent (→ paragraphe 15), les formes composées sont pourvues alternativement de deux valeurs.

- **La valeur d'accompli**
  Les formes composées peuvent marquer une valeur aspectuelle d'accompli. Quand on dit, au présent :

  J'écris ma lettre de réclamation.

  on montre l'action en train de se faire : on est dans l'inaccompli (ou le non-accompli).

  Mais si, toujours dans le présent, on veut montrer l'action accomplie, on emploie la forme composée correspondant au présent :

  J'ai écrit ma lettre de réclamation.

  La forme passive correspondant à cette valeur d'accompli est le présent passif : *ma lettre de réclamation est écrite*, phrase qui ne peut en aucune façon être comprise comme montrant la lettre en train de s'écrire.

- **L'antériorité temporelle**
  Mise en perspective, dans la même phrase, avec la forme simple qui lui correspond, la forme composée marque l'antériorité par rapport à la forme simple :

  Dès que j'ai écrit ma lettre de réclamation, je l'envoie.

Dans ce cas, l'antériorité par rapport au présent relève nécessairement du passé : c'est ce qui explique la faculté qu'a le passé composé de s'orienter vers la valeur temporelle de passé.

L'opposition des formes simples et composées vaut pour tous les modes : ainsi, le subjonctif passé est, selon le cas, un accompli ou un antérieur.

67 Le passé composé

Le passé composé est la forme la plus litigieuse du système temporel français. Il cumule en effet deux valeurs nettement différentes, qui sont toutefois l'une et l'autre désignées par la même appellation traditionnelle de *passé composé*.

- **L'expression d'une action accomplie dans le présent**
  Dans certains de ses emplois, le passé composé est l'accompli du présent. Il est absolument impossible de lui substituer une forme quelconque de passé. En effet, il est impossible de substituer aux formes de passé composé une forme d'imparfait ou de passé simple dans la phrase suivante :

  Quand on est seul, on a vite déjeuné.

  Les indications temporelles fournies par la subordonnée au présent indiquent que l'action décrite se situe dans le présent. On a donc affaire à la valeur aspectuelle d'accompli de présent. C'est cette valeur qui permet au passé composé de prendre une valeur de futur proche identique, dans l'accompli, à celle du présent dans le non-accompli.

  J'ai terminé dans cinq minutes.
  (*ai terminé* : passé composé)

  Cette phrase signifie que, dans cinq minutes, j'aurai accompli l'action de terminer.

- **L'expression du passé**
  La même forme de passé composé est apte à marquer une action passée. Le passé composé peut alors, sans différence de sens appréciable, être remplacé par le passé simple :

  La journaliste a mangé à cinq heures.
  (*a mangé* : passé composé)

  La journaliste mangea à cinq heures.
  (*mangea* : passé simple)

  Ces deux phrases rapportent exactement le même fait. Dans cet emploi de passé, le passé composé s'oppose à l'imparfait de la même façon que le passé simple s'y oppose :

  Les élèves travaillaient quand Marie a fait **ou** *fit irruption.*
  (*travaillaient* : imparfait ; *a fait* : passé composé ; *fit* : passé simple)

Cependant, le passé composé donne, par opposition au passé simple, l'impression de la présence de la personne qui parle.

68 Le plus-que-parfait et le passé antérieur

Le plus-que-parfait est la forme composée qui correspond à l'imparfait, le passé antérieur celle qui correspond au passé simple. Ces deux temps ont donc, par rapport aux formes simples correspondantes, les deux valeurs attendues : valeur d'accompli et valeur d'antériorité.

- **La valeur aspectuelle d'accompli**

  Les actions désignées par le verbe sont présentées comme accomplies à un moment du passé.

  Le 20 janvier, j'avais terminé mon travail.
  plus-que-parfait

  Il eut fini en un instant.
  passé antérieur

- **La valeur temporelle d'antériorité**

  Les actions rapportées au plus-que-parfait ou au passé antérieur marquent une antériorité par rapport à celles qui sont rapportées à l'imparfait ou au passé simple.

  Dès qu'il avait terminé son travail, il partait se promener.
  plus-que-parfait

  L'action de *terminer le travail* est antérieure, dans le passé, à celle de *se promener.*

  Quand elle eut écrit ses lettres, elle les envoya.
  passé antérieur

  L'action d'*écrire ses lettres* est antérieure, dans le passé, à celle de *les envoyer.*

- **Le plus-que-parfait : valeurs spécifiques**

  Le plus-que-parfait comporte certaines valeurs analogues à celles de l'imparfait, par exemple l'emploi dans des demandes présentées de façon atténuée :

  J'étais venu vous demander un service.

  Le plus-que-parfait a la valeur modale d'irréel du passé dans la subordonnée introduite par *si* d'une phrase hypothétique :

  Si j'avais eu (hier) de l'argent, je t'en aurais donné.
  plus-que-parfait — conditionnel passé

- **Le passé antérieur : spécificités d'emploi**
  Le passé antérieur comporte les mêmes limitations d'emploi que le passé simple : son emploi aux deux premières personnes est devenu très rare, et la troisième personne s'observe surtout dans l'usage écrit.

REM On se gardera de confondre le passé antérieur avec le plus-que-parfait du subjonctif, qui, à la 3e personne du singulier, se prononce de façon identique, mais, à l'écrit, se distingue de lui par la présence de l'accent circonflexe :

il eut écrit – qu'il eût écrit

elle fut revenue – qu'elle fût revenue

69 Le futur antérieur et le conditionnel passé

Le futur antérieur et le conditionnel passé sont les formes composées qui correspondent respectivement au futur simple et au conditionnel présent. Leurs valeurs sont conformes à ce que laisse attendre l'opposition générale des formes composées aux formes simples : valeur aspectuelle d'accompli et valeur temporelle d'antériorité.

- **Les valeurs du futur antérieur**
  Le futur antérieur marque l'accompli dans le futur :

J'aurai terminé mon roman à la fin du mois.

Il marque aussi l'antériorité par rapport au futur simple :

Dès que Jacques aura fini son travail, il viendra nous voir.
futur antérieur (aura fini) — futur simple (viendra)

Comme le futur simple, il est apte à marquer la probabilité :

Julie n'est pas arrivée : son train aura encore pris du retard.

- **Les valeurs temporelles du conditionnel passé**
  Dans une subordonnée dépendant d'un verbe au passé, le conditionnel passé se substitue au futur antérieur. À la phrase :

Il prétend qu'il aura fini aujourd'hui.
verbe au présent (prétend) — futur antérieur (aura fini)

correspond :

Il prétendait qu'il aurait fini aujourd'hui.
verbe au passé (prétendait) — conditionnel passé (aurait fini)

- **Les valeurs modales du conditionnel passé**

  Dans un système hypothétique, le conditionnel passé marque, dans la phrase, l'irréel du passé :

  Si j'avais eu de l'argent hier, je t'en aurais donné.
  plus-que-parfait **conditionnel passé**

  La personne qui prononce cette phrase n'avait pas d'argent et, de ce fait, n'en a pas donné : c'est pourquoi on parle d'*irréel du passé*.

REM — Dans ce type d'emploi, le conditionnel passé ainsi que le plus-que-parfait de l'indicatif dans la subordonnée sont parfois, dans l'usage littéraire, l'un et l'autre remplacés par le plus-que-parfait du subjonctif :

Si j'eusse eu de l'argent, je t'en eusse donné.

C'est cet usage vieilli qui explique l'appellation de conditionnel passé deuxième forme qu'on donnait autrefois à cet emploi du plus-que-parfait du subjonctif.

— Le conditionnel passé ne s'emploie en principe jamais dans la subordonnée circonstancielle d'hypothèse introduite par *si*. L'usage familier l'utilise parfois :

⊗ *Si j'aurais su, j'aurais pas venu.* Louis Pergaud

L'emploi ci-dessus est fautif et doit être évité, à l'oral comme à l'écrit. Le conditionnel passé est cependant correct dans une subordonnée complément direct introduite par *si* (interrogative indirecte) :

Je me suis toujours demandé si j'aurais su quoi répondre à cette question.

Enfin, le conditionnel passé a les valeurs modales du conditionnel présent, mais leur confère en outre la valeur aspectuelle d'accompli (→ paragraphes 10 et 66) :

J'aurais bien voulu vous parler.
(demande présentée de façon atténuée)

L'épidémie aurait enfin été jugulée.
(information attribuée à une source extérieure)

On serait revenus de l'Eldorado.
(construction d'un monde imaginaire)

70 Les formes surcomposées

La plus fréquente de ces formes — tout de même très rares —, constituées à l'aide d'un auxiliaire lui-même composé (→ paragraphe 4), est le passé surcomposé, qui sert surtout, dans l'usage contemporain, à marquer l'antériorité par rapport à un passé composé :

Quand elle a eu terminé son devoir, elle est sortie de la salle.

On rencontre parfois le plus-que-parfait surcomposé :

Dès qu'elle avait eu fini son devoir, elle était sortie.

Le futur antérieur surcomposé est encore plus rare :

Elle sera sortie dès qu'elle aura eu fini.

LES VALEURS DES FORMES MODALES

71 Temps et modes : une frontière poreuse

Il n'existe pas de frontière absolument étanche entre la catégorie du temps et celle du mode. Certaines formes temporelles (l'imparfait, le futur, et même le présent) ont des valeurs modales. Le conditionnel, aujourd'hui considéré comme un temps de l'indicatif, a longtemps été présenté comme un mode spécifique. De plus, la catégorie traditionnelle du mode regroupe deux séries de formes de statut bien différent : les modes personnels (indicatif, subjonctif, impératif) et impersonnels (infinitif, participe, gérondif). Enfin, les deux catégories du temps et du mode se combinent entre elles : un subjonctif peut être présent ou imparfait, un « passé » peut relever de l'impératif ou du participe, etc.

72 Approche de la notion de mode

Dans ces conditions, il est difficile de donner une définition précise de la notion de mode.

- **Les modes personnels**
  On dit souvent que les trois modes personnels correspondent à trois façons différentes d'envisager l'action signifiée par le verbe : l'indicatif la présenterait comme réelle, le subjonctif comme virtuelle, l'impératif lui donnerait la forme d'un ordre. Mais ces répartitions sont fréquemment contredites par les emplois. Il n'y a rien de réel dans l'indicatif *viendra* :

Paul s'est mis en tête l'idée fausse que Jeanne viendra le voir.

Il n'y a rien de virtuel dans le subjonctif *travaille* :

Bien qu'il travaille, Jean ne réussit pas.

Et l'impératif *travaillez* peut être interprété comme une condition (*si vous travaillez, vous réussirez*) plutôt que comme une injonction:

Travaillez: vous réussirez.

- **Les modes impersonnels**

Les trois modes impersonnels sont, entre eux, plus homogènes. Ils permettent en effet de conférer à un verbe (muni éventuellement de tous ses compléments et, parfois, de son sujet) les fonctions généralement exercées par un mot d'une autre classe: nom pour l'infinitif, adjectif pour le participe, adverbe pour le gérondif.

- **Les modes et les temps**

L'indicatif se distingue par la richesse de son système temporel.

Le subjonctif ne dispose que de quatre temps.

L'impératif et l'infinitif n'ont que deux temps.

Le participe a trois formes. La forme simple de participe présent (*travaillant*) et la forme composée correspondante (*ayant travaillé*), qu'on appelle *participe passé composé*, ne posent pas de problème particulier. La troisième forme, simple (*travaillé*), est appelée *participe passé*. C'est cette forme qui sert à constituer les formes composées.

73 Les valeurs de l'indicatif

L'indicatif est fondamentalement le mode qu'on emploie chaque fois qu'il n'y a pas de raison déterminante d'utiliser un autre mode personnel. Par la variété de ses formes temporelles, il est apte à situer l'action dans le temps. De ce fait, il se prête le plus souvent à l'expression d'une action réelle ou présentée comme telle. L'indicatif est donc le mode habituel des phrases déclaratives (positives et négatives) et interrogatives.

- **Les emplois de l'indicatif par rapport au subjonctif**

Deux types d'emplois illustrent clairement la valeur de l'indicatif en faisant apparaître son opposition avec le subjonctif:

— Dans la dépendance de la gamme d'adjectifs *certain*, *probable*, *possible*, la frontière entre l'indicatif et le subjonctif passe généralement entre *probable* et *possible:*

Il est probable qu'il viendra.
indicatif

Il est possible qu'il vienne.
subjonctif

L'adjectif *vraisemblable* accepte les deux modes, mais il suffit de le dénier ou même de le quantifier par *peu* pour rendre l'indicatif impossible :

Il n'est pas vraisemblable (**ou** *il est peu vraisemblable*) *qu'il vienne.*
subjonctif

— Dans une subordonnée temporelle introduite par *après que*, on emploie normalement l'indicatif. L'action est présentée comme réelle.

après qu'il a dormi   *après qu'il sera venu*

après qu'il eut dormi

Inversement, la subordonnée introduite par *avant que* présente l'action comme virtuelle, et comporte le subjonctif :

avant qu'il ait dormi   *avant qu'il vienne*

avant qu'il eût dormi (→ paragraphe 78)

REM Toutefois, l'usage du subjonctif a tendance, dans la langue contemporaine, à gagner les subordonnées introduites par *après que*.

Dans plusieurs autres cas, l'indicatif s'emploie pour des actions absolument irréelles, par exemple pour le contenu d'opinions explicitement données pour fausses.

Mathieu s'est mis en tête l'idée fausse que Jeanne viendra le voir.
indicatif

Dans cette phrase, l'indicatif est seul possible.
Dans d'autres cas, il peut alterner avec le subjonctif :

On doute que la tomate est (**ou** *soit*) *un fruit.*

74 Les valeurs du subjonctif

Le subjonctif présente seulement quatre formes « temporelles ». Deux d'entre elles — l'imparfait et le plus-que-parfait — sont aujourd'hui d'un usage très rare, notamment aux 1re et 2e personnes : *(que) tu limasses, (que) nous sussions, (que) tu eusses travaillé* ne se rencontrent plus guère que dans les tableaux de conjugaison des grammaires. Même à l'époque où elles étaient d'emploi plus fréquent, elles ne servaient le plus souvent qu'à mettre en concordance le temps du verbe au subjonctif de la subordonnée avec le temps du passé de la phrase, sans donner aucune indication temporelle sur l'action :

J'exige qu'elle vienne demain. J'exigeais qu'elle vînt demain.
présent   présent   imparfait   imparfait

J'exige (présent) *que tu aies terminé* (passé). *J'exigeais* (imparfait) *que tu eusses terminé* (plus-que-parfait).

En outre, les deux formes réellement utilisées — le présent et le passé — s'opposent souvent par une différence aspectuelle (→ paragraphes 10 et 66), et non proprement temporelle :

Je veux qu'il achève son travail aujourd'hui.

Je veux qu'il ait achevé son travail aujourd'hui.

En opposition avec l'indicatif, le subjonctif a donc peu d'aptitude à situer les actions dans le temps. Ainsi, c'est le présent du subjonctif qu'on utilise pour une action future (alors qu'il existe un futur du subjonctif dans d'autres langues). Quant aux rares emplois de l'imparfait et même du plus-que-parfait, ils peuvent eux aussi, sous l'effet de la règle de concordance, viser le futur, comme le montrent les exemples qui viennent d'être cités. De cette inaptitude du mode à situer les actions dans le temps, on tire fréquemment l'idée que le subjonctif convient aux actions « irréelles » ou « virtuelles ». Vérifiée dans de nombreux cas, cette hypothèse est cependant infirmée par plusieurs types d'emplois. La présence de Pierre-Luc n'a rien d'« irréel » dans :

Je suis irrité que Pierre-Luc soit (subjonctif) *là.*

Ni dans :

Bien que Pierre-Luc soit (subjonctif) *présent, je reste.*

Non plus que dans :

Le fait que Pierre-Luc soit (subjonctif) *ici est bien fâcheux.*

75 Valeurs du subjonctif en phrase autonome

- **La valeur injonctive**
  Le subjonctif se prête à l'expression d'un ordre :

  Que le chien reste dehors !

  Qu'il soit prêt pour le repas !

  Le subjonctif pallie ici l'absence de la 3e personne de l'impératif.

- **La valeur optative**
  Le subjonctif se prête à l'expression d'un souhait :

  Que les hommes mettent fin à la guerre !

REM Cette valeur d'optatif permet d'observer certains emplois du subjonctif non précédé de *que*, dans des expressions plus ou moins figées : *vive la vie, puisses-tu revenir, plaise au ciel…* (parfois, à l'imparfait, *plût au ciel que…*, expression marquant le regret).
On remarquera que, dans ces emplois, le sujet est placé après le verbe au subjonctif.

- **La valeur exclamative de possibilité refusée**

Moi, que j'écrive un livre de grammaire !

- **La valeur de réfutation polémique d'une opinion**
On rencontre cette valeur avec le verbe *savoir* à la première personne, non précédé de *que* dans une phrase négative :

Je ne sache pas que la grammaire soit ennuyeuse.

76 Emplois de l'indicatif et du subjonctif en subordonnée complétive

- **L'emploi obligatoire de l'indicatif**
Le subjonctif est impossible et laisse donc place à l'indicatif après les verbes d'assertion ou d'opinion tels que *affirmer, assurer, dire* (quand il est utilisé de façon déclarative), *espérer, être certain, penser…* employés dans des phrases positives.

- **L'emploi obligatoire du subjonctif**
Le subjonctif est seul possible après *attendre, décider, décréter, dire* (quand il a une valeur injonctive), *défendre, douter, être nécessaire, être possible, exiger, falloir, interdire, ordonner, préférer, souhaiter…*

- **L'alternance de l'indicatif et du subjonctif**
Le subjonctif apparaît en alternance avec l'indicatif après des verbes tels que *admettre, comprendre, expliquer* et *supposer*, ainsi qu'après les verbes d'assertion ou d'opinion utilisés de façon négative :

Je pense que tu peux travailler.
indicatif

Je ne pense pas que tu puisses (**ou** *peux*) *travailler.*
subjonctif indicatif

La forme interrogative de la phrase peut parfois rendre possible l'emploi du subjonctif en alternance avec l'indicatif :

Penses-tu que je puisse (**ou** *peux*) *travailler ?*
subjonctif indicatif

Inversement, c'est l'indicatif qui devient possible quand *douter* (ou *être douteux*) est utilisé négativement :

Je doute qu'il vienne.
subjonctif

Je ne doute pas qu'il viendra (**ou** *vienne*).
indicatif subjonctif

La subordonnée placée en début de phrase peut passer au subjonctif, même dans la dépendance d'une expression marquant la certitude :

Qu'il ait (**ou** *qu'il a*) *été refusé au certificat, c'est certain.*
subjonctif indicatif

77 Emplois du subjonctif et de l'indicatif en subordonnée relative

Dans certains types de subordonnées relatives, on trouve en alternance le subjonctif et l'indicatif :

Je cherche dans ce village une maison qui ait une tourelle.
subjonctif

La relative au subjonctif (*qui ait une tourelle*) indique le critère de sélection de la maison cherchée, sans indiquer si elle existe réellement dans le village.

Je cherche dans ce village une maison qui a une tourelle.
indicatif

À l'indicatif, la relative présuppose l'existence, dans le village, d'une maison à tourelle.

78 Emplois du subjonctif en subordonnée circonstancielle

- **Le subjonctif dans les temporelles**
  On trouve le subjonctif après *avant que* et *jusqu'à ce que*. Dans ces phrases, le subjonctif passé (et éventuellement plus-que-parfait) marque la postériorité de l'action :

Tu es parti avant qu'il soit arrivé. (Son arrivée a été postérieure à ton départ.)

Tu étais parti avant qu'il fût arrivé. (Son arrivée a été postérieure à ton départ.)

REM L'analogie d'*avant que* fait parfois apparaître le subjonctif avec *après que*. L'homophonie à la 3e personne du singulier entre le passé antérieur de l'indicatif et le plus-que-parfait du subjonctif (toutefois distingués dans l'orthographe par l'accent circonflexe) a pu favoriser cette extension, qui reste critiquée : *Après qu'il eut* / ⊗ *eût terminé son travail, il sortit de la salle.*

- **Le subjonctif dans les causales**
  Le subjonctif apparaît après *non que*, qui sert à marquer une cause rejetée :

  Elle a de l'argent, non qu'elle ait travaillé, mais elle a hérité.
  subjonctif

  On remarque ici la valeur d'antériorité du subjonctif passé.

- **Le subjonctif dans les concessives**
  Le subjonctif est le mode obligatoire des concessives (introduites par *quoique*, *bien que*...) :

  Quoiqu'il soit tard, il fait encore jour.
  subjonctif

  Si paresseux qu'il soit, il a réussi son examen.
  subjonctif

⚠ Seules les concessives introduites par *tout* + *adjectif* + *que* emploient l'indicatif :

  Tout paresseux qu'il est, il a réussi son examen.
  indicatif

REM On trouve parfois l'indicatif après *quoique*. Il vaut mieux ne pas imiter cet usage.

- **Le subjonctif dans les finales (subordonnées circonstantielles de but)**
  Le subjonctif est le mode obligatoire des finales.

  On écrit des livres pour qu'ils soient lus.
  subjonctif

- **Le subjonctif dans les consécutives (subordonnées circonstantielles de conséquence)**
  Le subjonctif n'apparaît (parfois en alternance avec l'indicatif) qu'après *de façon que* et *de manière que* :

  Jacques agit de manière que Vanessa réussisse **ou** *réussit.*
  subjonctif — indicatif

REM Pour l'emploi du subjonctif plus-que-parfait dans les systèmes hypothétiques avec subordonnée introduite par *si* → paragraphe 69.

- **Le choix des temps du subjonctif**
  Dans les subordonnées, le temps du subjonctif est déterminé à la fois par sa valeur propre et par le temps du verbe de la phrase :

  — Le verbe de la phrase au présent ou au futur entraîne, dans la subordonnée, le présent ou le passé du subjonctif. Le verbe de la phrase à un temps quelconque du passé entraîne normalement, dans la subordonnée, l'imparfait ou le plus-que-parfait du subjonctif :

Je souhaite qu'il vienne **ou** *qu'il soit venu.*
subjonctif présent — subjonctif passé

Je souhaitais qu'il vînt **ou** *qu'il fût venu.*
subjonctif imparfait — subjonctif plus-que-parfait

On a vu au paragraphe 74 que cette règle de « concordance des temps » n'est plus guère observée aujourd'hui.

— Le choix entre les formes simples (subjonctif présent et imparfait) et composées (subjonctif passé et plus-que-parfait) se fait sur le modèle expliqué au paragraphe 74 : la forme composée fournit, selon le cas, une valeur aspectuelle d'accompli ou une valeur temporelle d'antériorité.

79 Les valeurs de l'impératif

Contrairement à d'autres langues, le français ne connaît l'impératif qu'à la deuxième personne, au singulier et au pluriel, ainsi qu'à la première personne du pluriel (le *je* s'associe alors avec un ou plusieurs *tu*).

- **L'expression de l'ordre et de la défense**
La valeur fondamentale de l'impératif est d'énoncer un ordre, qui peut se moduler de la prière la plus humble au commandement le plus énergique :

Pardonne-nous nos offenses.

Sortez immédiatement !

Sous la forme négative, l'impératif marque la défense :

Ne suivons pas leur exemple.

- **Les concurrents de l'impératif : le subjonctif (→ paragraphe 75)**
Pour pallier l'absence des formes de 3e personne, on recourt au subjonctif.

- **Les concurrents de l'impératif : l'infinitif**
Un ordre ou une défense adressés à une collectivité anonyme sont souvent formulés à l'infinitif, notamment dans l'usage écrit (recettes de cuisine, consignes administratives…) : *faire cuire à feu doux, ne pas se pencher au-dehors.*

- **Les concurrents de l'impératif : le présent et le futur de l'indicatif**
Le présent et le futur de l'indicatif sont souvent utilisés avec la valeur de l'impératif (→ paragraphes 59 et 62).

- **L'expression indirecte de l'ordre ou de la demande**
  Un ordre ou une demande peuvent être formulés de façon indirecte plutôt que par l'impératif, par exemple par une question:

  Pouvez-vous me passer le sel?

  Voire par une phrase apparemment assertive:

  Il fait bien chaud ici!

  Cette phrase est en effet souvent le déguisement de *Ouvrez la fenêtre.*

- **Des verbes qui ne s'emploient pas à l'impératif**
  Pour des raisons de sens, certains verbes ne s'emploient pas à l'impératif, ou le font dans des conditions spécifiques. Il est difficile de demander à quelqu'un de *pouvoir* et de *devoir*. Le verbe *savoir* utilisé à l'impératif prend le sens spécifique d'« apprendre »:

  Sachez que je vous ai légué tous mes biens.

- **La valeur des temps de l'impératif**
  Un ordre ou une défense ne peuvent par définition se réaliser qu'après avoir été énoncés. L'impératif, présent ou passé, a donc nécessairement une valeur temporelle de futur. La différence entre le présent et sa forme composée (dite *impératif passé*) est le plus souvent d'ordre aspectuel:

  Reviens à minuit.

  Sois revenu à minuit.

  La forme composée marque parfois l'antériorité:

  Ayez terminé avant mon retour.

80 Les valeurs de l'infinitif

- **Un verbe prenant les mêmes fonctions qu'un nom**
  L'infinitif a pour valeur fondamentale de permettre au verbe de fonctionner dans la phrase comme un nom, sans perdre ses propriétés verbales à l'égard des éléments qui dépendent de lui.

  Je veux donner des noix à mon enfant.

  Dans cette phrase, *donner* est bien, comme un nom, le complément direct de *je veux* (comparer avec *je veux des noix*). Mais cela ne l'empêche pas de conserver son propre complément direct et son complément indirect.

  Ainsi employé, l'infinitif peut exercer toutes les fonctions du nom.

REM C'est cette transformation du verbe en nom qui explique que, dans les dictionnaires français, on a choisi la forme de l'infinitif pour servir d'entrée aux formes verbales.

Dans certains cas, le verbe à l'infinitif peut même conserver son sujet :

Je regarde travailler mes élèves.
sujet de *travailler*

Je laisse mes enfants manger du chocolat noir.
sujet de *manger*

L'infinitif sert aussi à former, avec les semi-auxiliaires (→ paragraphe 5), les périphrases verbales.

Il va manger.

Elle vient de se lever.

REM L'infinitif peut passer totalement dans la classe du nom. Il perd alors ses propriétés verbales, et adopte tous les caractères du nom : présence d'un déterminant, possibilité de recevoir un adjectif, etc. Cette possibilité a été exploitée au cours de l'histoire de la langue, et a fourni au lexique de nombreux noms : *le rire, le sourire, le savoir-faire*, etc.

- **L'infinitif comme substitut de modes personnels**

L'infinitif de narration, précédé de la préposition *de*, caractérise surtout la littérature classique. Il a la fonction d'un indicatif :

Et grenouilles de se plaindre, et Jupin de leur dire… La Fontaine

L'infinitif délibératif sert à marquer, dans une phrase interrogative, la perplexité de la personne qui parle :

Que faire ? Où aller ?

L'infinitif est souvent un substitut commode de l'impératif (→ paragraphe 79). Il prend fréquemment une valeur exclamative analogue à celle du subjonctif (→ paragraphe 75) :

Moi, me lever tôt ! Quelle horreur !

L'infinitif se substitue souvent à l'indicatif ou au subjonctif et constitue alors l'équivalent d'une subordonnée complétive ou circonstancielle. La condition de cette substitution est que le sujet de l'infinitif soit le même que celui du verbe dont il dépend. Selon le cas, cette substitution est facultative :

Je pense partir demain. (*Je* = sujet de *penser* et de *partir*)

Je pense que je pars demain. (*Je* = sujet de *penser* et de *partir*)
subordonnée complétive

Ou obligatoire :

Je veux partir demain. (*Je* = sujet de *vouloir* et de *partir*)

Pauline travaille pour réussir. (*Pauline* = sujet de *travailler* et de *réussir*)

REM *Pauline travaille pour qu'elle réussisse* est possible, mais à condition que *elle* désigne une autre personne que *Pauline*.

- **Le choix des temps de l'infinitif**
  Les deux formes, simple et composée, de l'infinitif ont alternativement, comme pour les autres modes, une valeur aspectuelle d'accompli (→ paragraphes 10 et 72) et temporelle d'antériorité. L'infinitif présent marque, selon le cas, une action contemporaine ou postérieure à celle du verbe dont il dépend :

  J'aime faire de la musique. (action contemporaine)

  Je veux apprendre l'arabe. (action postérieure)

  L'infinitif passé peut marquer l'antériorité par rapport au présent, mais aussi au passé et au futur :

  Il se flatte (**ou** *se flattait*, **ou** *se flattera*) *d'avoir eu de nombreux succès.*

81 Les valeurs du participe

- **Un verbe prenant les mêmes fonctions qu'un adjectif**
  Le participe a pour valeur fondamentale de permettre au verbe d'occuper certaines fonctions qui sont généralement occupées par un adjectif, sans perdre ses propriétés verbales à l'égard des éléments qui dépendent de lui.

  On cherche un spécialiste connaissant le portugais et familiarisé avec l'informatique.

  Les deux participes *connaissant* et *familiarisé* occupent la même fonction syntaxique qu'un adjectif (ils sont compléments du nom *spécialiste*) et ils conservent leurs propres compléments (*le portugais*, *avec l'informatique*).

- **La subordonnée participiale**
  Le verbe au participe peut avoir un sujet exprimé.

  Son fils ayant été arrêté, elle s'est mise à pleurer. **(sujet exprimé : son fils a été arrêté)**

  Si le sujet n'est pas exprimé dans la subordonnée en début de phrase, ce sujet sous-entendu doit correspondre au sujet du verbe de la phrase.

  Étant troublé, Louis en a parlé à Marc. **(sujet sous-entendu : Louis est troublé)**

  Dans certains cas, le verbe *être* au participe présent (*étant*) peut être effacé. On parle de réduction de la participiale.

  Benoit parti, Marie-Anne est arrivée. **(effacement = Benoit étant parti)**

  Troublé, Louis en a parlé à Marc. **(effacement et sujet sous-entendu = Louis étant troublé)**

- **Les différents types de participes**
  Le participe passé de forme simple s'emploie le plus souvent dans les formes actives composées de tous les verbes :

  J'ai travaillé. Je serai revenu.
  passé composé **futur antérieur**

  et dans les formes passives des verbes transitifs :

  La maison est construite. Les lois sont respectées.
  verbe *construire* au passif **verbe *respecter* au passif**

  On le retrouve aussi en emploi adjectival (complément du nom, attribut) :

  Les chats abandonnés ont faim. Je les ai trouvés abandonnés.
  complément de *chats* **attribut du CD *les***

  Comme nous l'avons vu, le participe présent et sa forme composée peuvent se retrouver dans des contextes comme les suivants :

  Évitez les situations pouvant créer des difficultés. **(complément de *situations*)**

  Ayant dormi, Paul sera certainement de meilleure humeur.

  Le participe présent ne peut pas prendre la fonction d'attribut, sinon il se transforme en un adjectif qui s'accorde, et son orthographe peut alors changer.

  Raphaëlle est tolérante. **(le participe présent est devenu un adjectif verbal attribut qui s'accorde)**

- **Les adjectifs verbaux**
  Le participe présent et le participe passé de forme simple sont aptes à se transformer totalement en adjectifs, ce qui leur fait perdre la possibilité d'avoir des compléments. On parle alors d'adjectifs verbaux. Pour le participe présent, ce passage entraîne non seulement la variation en genre et en nombre, mais encore, dans de nombreux cas, un changement orthographique. Les participes en *-guant* et *-quant* deviennent des adjectifs verbaux en *-gant* et *-cant*:

  une personne provoquant des catastrophes
  participe présent

  une personne (très) provocante
  adjectif verbal

  D'autres participes présents se transforment en adjectifs en *-ent*:

  une personne influant sur les décisions politiques
  participe présent

  une personne influente
  adjectif verbal

  Pour le participe passé de forme simple, la transformation en adjectif verbal n'a pas de conséquence orthographique, mais entraîne parfois des risques de confusion: l'identité de forme entre le passé composé actif d'un verbe construit avec l'auxiliaire *être* et l'emploi comme attribut de l'adjectif verbal (voire, dans certains cas, la forme de présent passif) pose en effet un problème. *Cet usage est disparu* est-il le passé composé du verbe *disparaître* construit avec l'auxiliaire *être*? ou emploie-t-il le participe *disparu* comme adjectif verbal?

- **Les valeurs temporelles des participes**
  Le participe présent et sa forme composée (appelée *participe passé composé*) peuvent situer l'action indifféremment à toute époque. La forme composée a, selon le cas, la fonction d'antérieur ou d'accompli de la forme simple.

  Quant au participe «passé» de forme simple, il n'a de passé que le nom (→ paragraphe 67).

  Pour le problème de l'accord du participe → paragraphes 46 à 56.

82 Les valeurs du gérondif

Pour la formation du gérondif → paragraphe 26.

- **Un verbe prenant les fonctions d'un adverbe**

Le gérondif a pour valeur fondamentale de préciser les circonstances de l'action exprimée par le verbe principal, c'est-à-dire de fonctionner comme un adverbe. Il n'en conserve pas moins la possibilité de recevoir des compléments comme un verbe :

Certains pensent que c'est en écrivant des livres qu'on devient écrivain.
gérondif (en écrivant) — **complément direct de (*en*) *écrivant*** (des livres)

En devenant professeur, on pratique la pédagogie.
gérondif (En devenant) — **attribut** (professeur)

Dans ces deux exemples, les gérondifs *en écrivant* et *en devenant* fonctionnent comme des adverbes par rapport aux verbes *on devient* ou *on pratique*. Toutefois, ces gérondifs conservent respectivement leur complément (*des livres*) ou l'attribut de leur sujet implicite (*professeur*).

- **L'emploi du gérondif**

Le sujet du gérondif, non exprimé, est le plus souvent celui du verbe dont il dépend : dans les deux exemples précédents, *on* est à la fois le sujet du gérondif et celui du verbe de la phrase.

REM Dans certaines expressions figées, le gérondif a un autre sujet que celui du verbe dont il dépend :

L'appétit vient en mangeant. **(Ce n'est pas l'appétit qui mange.)**

La fortune vient en dormant. **(Ce n'est pas la fortune qui dort.)**

- **Les temps du gérondif**

La seule forme couramment utilisée du gérondif est la forme simple. Très rare, la forme composée marque l'accompli ou l'antériorité.

Dans la phrase suivante, l'élément *tout*, antéposé à *en*, souligne la valeur concessive prise ici par le gérondif à la forme composée.

Tout en ayant beaucoup travaillé, il n'est pas sûr d'être admis.

83 INDEX DES NOTIONS GRAMMATICALES

TABLEAUX DE CONJUGAISON

160 croître/croitre

INDICATIF

Présent		Passé composé		
je	croîs	j'	ai	crû
tu	croîs	tu	as	crû
elle	croît	elle	a	crû
nous	croissons	nous	avons	crû
vous	croissez	vous	avez	crû
ils	croissent	ils	ont	crû

Imparfait		Plus-que-parfait		
je	croissais	j'	avais	crû
tu	croissais	tu	avais	crû
elle	croissait	elle	avait	crû
nous	croissions	nous	avions	crû
vous	croissiez	vous	aviez	crû
ils	croissaient	ils	avaient	crû

Passé simple		Passé antérieur		
je	crûs	j'	eus	crû
tu	crûs	tu	eus	crû
elle	crût	elle	eut	crû
nous	crûmes	nous	eûmes	crû
vous	crûtes	vous	eûtes	crû
ils	crûrent	ils	eurent	crû

Futur simple		/ VARIANTE	Futur antérieur		
je	croîtrai	/ croitrai	j'	aurai	crû
tu	croîtras	/ croitras	tu	auras	crû
elle	croîtra	/ croitra	elle	aura	crû
nous	croîtrons	/ croitrons	nous	aurons	crû
vous	croîtrez	/ croitrez	vous	aurez	crû
ils	croîtront	/ croitront	ils	auront	crû

Conditionnel présent		/ VARIANTE	Conditionnel passé		
je	croîtrais	/ croitrais	j'	aurais	crû
tu	croîtrais	/ croitrais	tu	aurais	crû
elle	croîtrait	/ croitrait	elle	aurait	crû
nous	croîtrions	/ croitrions	nous	aurions	crû
vous	croîtriez	/ croitriez	vous	auriez	crû
ils	croîtraient	/ croitraient	ils	auraient	crû

SUBJONCTIF

Présent		Passé		
que je	croisse	que j'	aie	crû
que tu	croisses	que tu	aies	crû
qu' elle	croisse	qu' elle	ait	crû
que n.	croissions	que n.	ayons	crû
que v.	croissiez	que v.	ayez	crû
qu' ils	croissent	qu' ils	aient	crû

Imparfait		Plus-que-parfait		
que je	crûsse	que j'	eusse	crû
que tu	crûsses	que tu	eusses	crû
qu' elle	crût	qu' elle	eût	crû
que n.	crûssions	que n.	eussions	crû
que v.	crûssiez	que v.	eussiez	crû
qu' ils	crûssent	qu' ils	eussent	crû

IMPÉRATIF

Présent	Passé	
croîs	aie	crû
croissons	ayons	crû
croissez	ayez	crû

INFINITIF

Présent	/ VARIANTE	Passé
croître	/ croitre	avoir crû

PARTICIPE

Présent	Passé (composé)
croissant	ayant crû
	Passé
	crû

5 • Conditionnel passé 2e forme : mêmes formes que le plus-que-parfait du subjonctif.

6 • Forme surcomposée : *j'ai eu crû* (→ Grammaire du verbe, paragraphes 4, 56, 70).

7 • Futur proche : *je vais croître ou je vais croitre* (→ Grammaire du verbe, paragraphes 5, 62).

• Traditionnellement, le verbe **croître** prend un accent circonflexe sur l'**i** qui précède le **t** et aussi lorsqu'il y a confusion possible avec le verbe **croire** (*je croîs* = croissance ; *je crois* = croyance). Les rectifications orthographiques recommandent de n'utiliser l'accent circonflexe que lorsqu'il est nécessaire de distinguer ces deux verbes. Comme il n'y a pas de confusion possible entre **croitre** et **croire** à l'infinitif, ni au futur et au conditionnel, l'accent n'est plus considéré comme nécessaire pour ces formes.

MODE D'EMPLOI

➊ **Un regroupement des temps simples, d'une part, et composés, d'autre part.**
Leur regroupement permet de mettre en évidence les correspondances entre les différents temps.

➋ **Du vert pour indiquer les changements de radical.**
Les changements de radical sont indiqués en vert. Par exemple, dans les formes *croissons*, *croissez* et *croissent* de l'indicatif présent du verbe ***croître/croitre***, le radical *croî-* devient *croiss-*.

➌ **Du gras vert pour indiquer les difficultés orthographiques.**
Les difficultés orthographiques sont indiquées en **gras vert**. Par exemple, à l'indicatif présent, les formes *croîs*, *croîs* et *croît* prennent un accent circonflexe sur le ***i*** (***î***) pour éviter qu'on les confonde avec les formes du verbe *croire*.

➍ **Les rectifications orthographiques surlignées en vert.**
Les variantes issues des rectifications orthographiques sont indiquées en marge et surlignées en vert. La partie du verbe qui est modifiée est indiquée en **gras vert**.

➎ **Conditionnel passé 2e forme.** Ce passé du conditionnel n'étant en réalité que le plus-que-parfait du subjonctif, une simple mention au bas de chaque tableau renvoie à ce temps.

➏ **Forme surcomposée.** D'emploi rare, ce temps est néanmoins indiqué pour la 1re personne.

➐ **Futur proche.** Forme composée de deux verbes, *aller* + infinitif, le futur proche (→ Grammaire du verbe, paragraphes 5, 62) insiste sur l'imminence d'une action. La 1re personne est donnée à titre indicatif.

➑ **Que.** Cette présentation rappelle que, sans être un élément de morphologie verbale, *que* permet souvent de distinguer les formes (dans bien des cas semblables) du subjonctif et de l'indicatif.

➒ **Un regroupement de modes impersonnels.** L'infinitif et le participe sont regroupés et signalés par un fond gris.

➓ **Participe passé.** Les tableaux ne donnant que des éléments de morphologie verbale, le participe est donné au masculin singulier. Pour résoudre les problèmes d'accord, voir la *Liste alphabétique des verbes* et la *Grammaire du verbe*.

LES VERBES *ÊTRE* ET *AVOIR*

être

INDICATIF

Présent		Passé composé		
je	suis	j'	ai	été
tu	es	tu	as	été
elle	est	elle	a	été
nous	sommes	nous	avons	été
vous	êtes	vous	avez	été
ils	sont	ils	ont	été

Imparfait		Plus-que-parfait		
j'	étais	j'	avais	été
tu	étais	tu	avais	été
elle	était	elle	avait	été
nous	étions	nous	avions	été
vous	étiez	vous	aviez	été
ils	étaient	ils	avaient	été

Passé simple		Passé antérieur		
je	fus	j'	eus	été
tu	fus	tu	eus	été
elle	fut	elle	eut	été
nous	fûmes	nous	eûmes	été
vous	fûtes	vous	eûtes	été
ils	furent	ils	eurent	été

Futur simple		Futur antérieur		
je	serai	j'	aurai	été
tu	seras	tu	auras	été
elle	sera	elle	aura	été
nous	serons	nous	aurons	été
vous	serez	vous	aurez	été
ils	seront	ils	auront	été

Conditionnel présent		Conditionnel passé		
je	serais	j'	aurais	été
tu	serais	tu	aurais	été
elle	serait	elle	aurait	été
nous	serions	nous	aurions	été
vous	seriez	vous	auriez	été
ils	seraient	ils	auraient	été

SUBJONCTIF

Présent		Passé		
que je	sois	que j'	aie	été
que tu	sois	que tu	aies	été
qu' elle	soit	qu' elle	ait	été
que n.	soyons	que n.	ayons	été
que v.	soyez	que v.	ayez	été
qu' ils	soient	qu' ils	aient	été

Imparfait		Plus-que-parfait		
que je	fusse	que j'	eusse	été
que tu	fusses	que tu	eusses	été
qu' elle	fût	qu' elle	eût	été
que n.	fussions	que n.	eussions	été
que v.	fussiez	que v.	eussiez	été
qu' ils	fussent	qu' ils	eussent	été

IMPÉRATIF

Présent	Passé	
sois	aie	été
soyons	ayons	été
soyez	ayez	été

INFINITIF

Présent	Passé
être	avoir été

PARTICIPE

Présent	Passé (composé)
étant	ayant été
	Passé
	été

Conditionnel passé 2e forme : mêmes formes que le plus-que-parfait du subjonctif.
Forme surcomposée : *j'ai eu été* (→ Grammaire du verbe, paragraphes 4, 56, 70).
Futur proche : *je vais être* (→ Grammaire du verbe, paragraphes 5, 62).

- **Être** sert d'auxiliaire :
  1. pour la forme passive : *il est aimé, il a été aimé* (→ tableau 86) ;
  2. pour les temps composés des verbes pronominaux : *il s'est blessé* (→ tableau 87) ;
  3. à quelques verbes qui ne sont pas transitifs directs et qui, dans la liste alphabétique des verbes, sont suivis de la mention *être*.
- Certains verbes se conjuguent tantôt avec **être**, tantôt avec **avoir** : ils sont signalés, dans la liste alphabétique, par la mention *être* ou *avoir* (→ Grammaire du verbe, paragraphe 18).
- Le participe *été* est toujours invariable.

85 avoir

INDICATIF

Présent		Passé composé		
j'	ai	j'	ai	eu
tu	as	tu	as	eu
elle	a	elle	a	eu
nous	avons	nous	avons	eu
vous	avez	vous	avez	eu
ils	ont	ils	ont	eu

Imparfait		Plus-que-parfait		
j'	avais	j'	avais	eu
tu	avais	tu	avais	eu
elle	avait	elle	avait	eu
nous	avions	nous	avions	eu
vous	aviez	vous	aviez	eu
ils	avaient	ils	avaient	eu

Passé simple		Passé antérieur		
j'	eus	j'	eus	eu
tu	eus	tu	eus	eu
elle	eut	elle	eut	eu
nous	eûmes	nous	eûmes	eu
vous	eûtes	vous	eûtes	eu
ils	eurent	ils	eurent	eu

Futur simple		Futur antérieur		
j'	aurai	j'	aurai	eu
tu	auras	tu	auras	eu
elle	aura	elle	aura	eu
nous	aurons	nous	aurons	eu
vous	aurez	vous	aurez	eu
ils	auront	ils	auront	eu

Conditionnel présent		Conditionnel passé		
j'	aurais	j'	aurais	eu
tu	aurais	tu	aurais	eu
elle	aurait	elle	aurait	eu
nous	aurions	nous	aurions	eu
vous	auriez	vous	auriez	eu
ils	auraient	ils	auraient	eu

SUBJONCTIF

Présent		Passé		
que j'	aie	que j'	aie	eu
que tu	aies	que tu	aies	eu
qu' elle	ait	qu' elle	ait	eu
que n.	ayons	que n.	ayons	eu
que v.	ayez	que v.	ayez	eu
qu' ils	aient	qu' ils	aient	eu

Imparfait		Plus-que-parfait		
que j'	eusse	que j'	eusse	eu
que tu	eusses	que tu	eusses	eu
qu' elle	eût	qu' elle	eût	eu
que n.	eussions	que n.	eussions	eu
que v.	eussiez	que v.	eussiez	eu
qu' ils	eussent	qu' ils	eussent	eu

IMPÉRATIF

Présent	Passé	
aie	aie	eu
ayons	ayons	eu
ayez	ayez	eu

INFINITIF

Présent	Passé
avoir	avoir eu

PARTICIPE

Présent	Passé (composé)
ayant	ayant eu
	Passé
	eu

Conditionnel passé 2e forme : mêmes formes que le plus-que-parfait du subjonctif.
Forme surcomposée : *j'ai eu eu* (→ Grammaire du verbe, paragraphes 4, 56, 70).
Futur proche : *je vais avoir* (→ Grammaire du verbe, paragraphes 5, 62).

- **Avoir** est un verbe transitif quand il a un complément direct : *J'ai un beau livre.*
  Il sert d'auxiliaire pour les temps composés de tous les verbes transitifs directs qui ne sont pas pronominaux et d'un grand nombre de verbes transitifs indirects et intransitifs. Les quelques verbes transitifs indirects ou intransitifs qui utilisent l'auxiliaire *être* sont signalés dans la liste alphabétique des verbes par la mention *être*.

LA FORME PASSIVE : *ÊTRE AIMÉ*

être aimé

INDICATIF

Présent			Passé composé		
je	suis	aimé	j'	ai	été aimé
tu	es	aimé	tu	as	été aimé
elle	est	aimée	elle	a	été aimée
nous	sommes	aimés	nous	avons	été aimés
vous	êtes	aimés	vous	avez	été aimés
ils	sont	aimés	ils	ont	été aimés

Imparfait			Plus-que-parfait		
j'	étais	aimé	j'	avais	été aimé
tu	étais	aimé	tu	avais	été aimé
elle	était	aimée	elle	avait	été aimée
nous	étions	aimés	nous	avions	été aimés
vous	étiez	aimés	vous	aviez	été aimés
ils	étaient	aimés	ils	avaient	été aimés

Passé simple			Passé antérieur		
je	fus	aimé	j'	eus	été aimé
tu	fus	aimé	tu	eus	été aimé
elle	fut	aimée	elle	eut	été aimée
nous	fûmes	aimés	nous	eûmes	été aimés
vous	fûtes	aimés	vous	eûtes	été aimés
ils	furent	aimés	ils	eurent	été aimés

Futur simple			Futur antérieur		
je	serai	aimé	j'	aurai	été aimé
tu	seras	aimé	tu	auras	été aimé
elle	sera	aimée	elle	aura	été aimée
nous	serons	aimés	nous	aurons	été aimés
vous	serez	aimés	vous	aurez	été aimés
ils	seront	aimés	ils	auront	été aimés

Conditionnel présent			Conditionnel passé		
je	serais	aimé	j'	aurais	été aimé
tu	serais	aimé	tu	aurais	été aimé
elle	serait	aimée	elle	aurait	été aimée
nous	serions	aimés	nous	aurions	été aimés
vous	seriez	aimés	vous	auriez	été aimés
ils	seraient	aimés	ils	auraient	été aimés

SUBJONCTIF

Présent			Passé		
que je	sois	aimé	que j'	aie	été aimé
que tu	sois	aimé	que tu	aies	été aimé
qu'elle	soit	aimée	qu'elle	ait	été aimée
que n.	soyons	aimés	que n.	ayons	été aimés
que v.	soyez	aimés	que v.	ayez	été aimés
qu' ils	soient	aimés	qu' ils	aient	été aimés

Imparfait			Plus-que-parfait		
que je	fusse	aimé	que j'	eusse	été aimé
que tu	fusses	aimé	que tu	eusses	été aimé
qu'elle	fût	aimée	qu'elle	eût	été aimée
que n.	fussions	aimés	que n.	eussions	été aimés
que v.	fussiez	aimés	que v.	eussiez	été aimés
qu' ils	fussent	aimés	qu' ils	eussent	été aimés

IMPÉRATIF

Présent		Passé	
sois	aimé	aie	été aimé
soyons	aimés	ayons	été aimés
soyez	aimés	ayez	été aimés

INFINITIF

Présent	Passé
être aimé	avoir été aimé

PARTICIPE

Présent	Passé (composé)
étant aimé	ayant été aimé
	Passé
	été aimé

Conditionnel passé 2e forme : mêmes formes que le plus-que-parfait du subjonctif.
Forme surcomposée : *j'ai eu été aimé* (→ Grammaire du verbe, paragraphes 4, 56, 70).
Futur proche : *je vais être aimé* (→ Grammaire du verbe, paragraphes 5, 62).

- Pour tout savoir sur la forme passive → Grammaire du verbe, paragraphes 4, 12.
- Le participe passé du verbe à la forme passive s'accorde toujours avec le sujet : *Elle est aimée.*

LA CONSTRUCTION PRONOMINALE : *SE LAVER*

87 conjugaison type de la construction pronominale | se laver

INDICATIF

Présent			**Passé composé**			
je	me	lave	je	me	suis	lavé
tu	te	laves	tu	t'	es	lavé
elle	se	lave	elle	s'	est	lavée
n.	nous	lavons	n.	nous	sommes	lavés
v.	vous	lavez	v.	vous	êtes	lavés
ils	se	lavent	ils	se	sont	lavés
Imparfait			**Plus-que-parfait**			
je	me	lavais	je	m'	étais	lavé
tu	te	lavais	tu	t'	étais	lavé
elle	se	lavait	elle	s'	était	lavée
n.	nous	lavions	n.	nous	étions	lavés
v.	vous	laviez	v.	vous	étiez	lavés
ils	se	lavaient	ils	s'	étaient	lavés
Passé simple			**Passé antérieur**			
je	me	lavai	je	me	fus	lavé
tu	te	lavas	tu	te	fus	lavé
elle	se	lava	elle	se	fut	lavée
n.	nous	lavâmes	n.	nous	fûmes	lavés
v.	vous	lavâtes	v.	vous	fûtes	lavés
ils	se	lavèrent	ils	se	furent	lavés
Futur simple			**Futur antérieur**			
je	me	laverai	je	me	serai	lavé
tu	te	laveras	tu	te	seras	lavé
elle	se	lavera	elle	se	sera	lavée
n.	nous	laverons	n.	nous	serons	lavés
v.	vous	laverez	v.	vous	serez	lavés
ils	se	laveront	ils	se	seront	lavés
Conditionnel présent			**Conditionnel passé**			
je	me	laverais	je	me	serais	lavé
tu	te	laverais	tu	te	serais	lavé
elle	se	laverait	elle	se	serait	lavée
n.	nous	laverions	n.	nous	serions	lavés
v.	vous	laveriez	v.	vous	seriez	lavés
ils	se	laveraient	ils	se	seraient	lavés

SUBJONCTIF

Présent			**Passé**			
que je	me	lave	que je	me	sois	lavé
que tu	te	laves	que tu	te	sois	lavé
qu' elle	se	lave	qu' elle	se	soit	lavée
que n.	n.	lavions	que n.	n.	soyons	lavés
que v.	v.	laviez	que v.	v.	soyez	lavés
qu' ils	se	lavent	qu' ils	se	soient	lavés
Imparfait			**Plus-que-parfait**			
que je	me	lavasse	que je	me	fusse	lavé
que tu	te	lavasses	que tu	te	fusses	lavé
qu' elle	se	lavât	qu' elle	se	fût	lavée
que n.	n.	lavassions	que n.	n.	fussions	lavés
que v.	v.	lavassiez	que v.	v.	fussiez	lavés
qu' ils	se	lavassent	qu' ils	se	fussent	lavés

IMPÉRATIF

Présent	**Passé**	
lave-toi	sois-toi	lavé
lavons-nous	soyons-nous	lavés
lavez-vous	soyez-vous	lavés

INFINITIF

Présent	**Passé**
se laver	s'être lavé

PARTICIPE

Présent	**Passé (composé)**
se lavant	s'étant lavé
	Passé
	lavé

Conditionnel passé 2ᵉ forme : mêmes formes que le plus-que-parfait du subjonctif.
Forme surcomposée : *je me suis eu lavé* (→ Grammaire du verbe, paragraphes 4, 56, 70).
Futur proche : *je vais me laver* (→ Grammaire du verbe, paragraphes 5, 62).

- Pour tout savoir sur la construction pronominale → Grammaire du verbe, paragraphes 4, 12 et 17.
- Dans la liste alphabétique à la fin de l'ouvrage, les verbes pronominaux sont suivis de la lettre *P*. Ils se conjuguent tous avec l'auxiliaire *être*.
- Pour l'accord du participe passé des verbes pronominaux → Grammaire du verbe, paragraphe 50. Certains verbes pronominaux ont un participe passé toujours invariable : *ils se sont nui*. Ils sont signalés par *p. p. invariable* dans la liste.

LES VERBES RÉGULIERS

liste des verbes réguliers

Les verbes réguliers se divisent en deux catégories : les verbes en -er et les verbes en -ir. La liste ci-dessous présente les verbes types qui servent de modèles à la conjugaison de tous les autres verbes réguliers.

- **Verbes réguliers en** -er

88	aimer	verbes réguliers en -er
89	placer	verbes en -cer
90	manger	verbes en -ger
91	peser	verbes en -e(.)er
92	céder	verbes en -é(.)er
93	modeler	verbes en -eler changeant *e* en *è* devant une syllabe muette
94	appeler	verbes en -eler doublant *l* devant *e* muet
95	acheter	verbes en -eter changeant *e* en *è* devant une syllabe muette
96	jeter	verbes en -eter doublant *t* devant *e* muet
97	épeler	verbes en -eler doublant *l* devant *e* muet (ou changeant *e* en *è* devant une syllabe muette en nouvelle orthographe)
98	breveter	verbes en -eter doublant *t* devant *e* muet (ou changeant *e* en *è* devant une syllabe muette en nouvelle orthographe)
99	créer	verbes en -éer
100	siéger	verbes en -éger
101	crier	verbes en -ier
102	payer	verbes en -ayer
103	broyer	verbes en -oyer (sauf *envoyer* et *renvoyer*)
104	essuyer	verbes en -uyer
105	envoyer	–

- **Verbes réguliers en** -ir

106	finir	verbes réguliers en -ir
107	haïr	–

aimer

INDICATIF

Présent		Passé composé		
j'	aime	j'	ai	aimé
tu	aimes	tu	as	aimé
elle	aime	elle	a	aimé
nous	aimons	nous	avons	aimé
vous	aimez	vous	avez	aimé
ils	aiment	ils	ont	aimé

Imparfait		Plus-que-parfait		
j'	aimais	j'	avais	aimé
tu	aimais	tu	avais	aimé
elle	aimait	elle	avait	aimé
nous	aimions	nous	avions	aimé
vous	aimiez	vous	aviez	aimé
ils	aimaient	ils	avaient	aimé

Passé simple		Passé antérieur		
j'	aimai	j'	eus	aimé
tu	aimas	tu	eus	aimé
elle	aima	elle	eut	aimé
nous	aimâmes	nous	eûmes	aimé
vous	aimâtes	vous	eûtes	aimé
ils	aimèrent	ils	eurent	aimé

Futur simple		Futur antérieur		
j'	aimerai	j'	aurai	aimé
tu	aimeras	tu	auras	aimé
elle	aimera	elle	aura	aimé
nous	aimerons	nous	aurons	aimé
vous	aimerez	vous	aurez	aimé
ils	aimeront	ils	auront	aimé

Conditionnel présent		Conditionnel passé		
j'	aimerais	j'	aurais	aimé
tu	aimerais	tu	aurais	aimé
elle	aimerait	elle	aurait	aimé
nous	aimerions	nous	aurions	aimé
vous	aimeriez	vous	auriez	aimé
ils	aimeraient	ils	auraient	aimé

SUBJONCTIF

Présent		Passé		
que j'	aime	que j'	aie	aimé
que tu	aimes	que tu	aies	aimé
qu' elle	aime	qu' elle	ait	aimé
que n.	aimions	que n.	ayons	aimé
que v.	aimiez	que v.	ayez	aimé
qu' ils	aiment	qu' ils	aient	aimé

Imparfait		Plus-que-parfait		
que j'	aimasse	que j'	eusse	aimé
que tu	aimasses	que tu	eusses	aimé
qu' elle	aimât	qu' elle	eût	aimé
que n.	aimassions	que n.	eussions	aimé
que v.	aimassiez	que v.	eussiez	aimé
qu' ils	aimassent	qu' ils	eussent	aimé

IMPÉRATIF

Présent	Passé	
aime	aie	aimé
aimons	ayons	aimé
aimez	ayez	aimé

INFINITIF

Présent	Passé
aimer	avoir aimé

PARTICIPE

Présent	Passé (composé)
aimant	ayant aimé
	Passé
	aimé

Conditionnel passé 2e forme : mêmes formes que le plus-que-parfait du subjonctif.
Forme surcomposée : *j'ai eu aimé* (→ Grammaire du verbe, paragraphes 4, 56, 70).
Futur proche : *je vais aimer* (→ Grammaire du verbe, paragraphes 5, 62).

- Pour les verbes qui forment leurs temps composés avec l'auxiliaire **être** → conjugaison du verbe **aller**, tableau 108.
- À l'impératif singulier, devant le pronom **-y** ou **-en** complément du verbe, le verbe prend un **s** *penses-y*, *chantes-en encore*, mais *ose y mettre de l'ordre*, *chante en français*.
- Dans les phrases interrogatives, on écrit *Aimé-je ?* ou *Aimè-je ?* ainsi que *Aime-t-il ?* (→ Grammaire du verbe, paragraphe 19).

89 verbes en -cer | placer

INDICATIF

Présent		Passé composé		
je	place	j'	ai	placé
tu	places	tu	as	placé
elle	place	elle	a	placé
nous	plaçons	nous	avons	placé
vous	placez	vous	avez	placé
ils	placent	ils	ont	placé

Imparfait		Plus-que-parfait		
je	plaçais	j'	avais	placé
tu	plaçais	tu	avais	placé
elle	plaçait	elle	avait	placé
nous	placions	nous	avions	placé
vous	placiez	vous	aviez	placé
ils	plaçaient	ils	avaient	placé

Passé simple		Passé antérieur		
je	plaçai	j'	eus	placé
tu	plaças	tu	eus	placé
elle	plaça	elle	eut	placé
nous	plaçâmes	nous	eûmes	placé
vous	plaçâtes	vous	eûtes	placé
ils	placèrent	ils	eurent	placé

Futur simple		Futur antérieur		
je	placerai	j'	aurai	placé
tu	placeras	tu	auras	placé
elle	placera	elle	aura	placé
nous	placerons	nous	aurons	placé
vous	placerez	vous	aurez	placé
ils	placeront	ils	auront	placé

Conditionnel présent		Conditionnel passé		
je	placerais	j'	aurais	placé
tu	placerais	tu	aurais	placé
elle	placerait	elle	aurait	placé
nous	placerions	nous	aurions	placé
vous	placeriez	vous	auriez	placé
ils	placeraient	ils	auraient	placé

SUBJONCTIF

Présent		Passé		
que je	place	que j'	aie	placé
que tu	places	que tu	aies	placé
qu'elle	place	qu'elle	ait	placé
que n.	placions	que n.	ayons	placé
que v.	placiez	que v.	ayez	placé
qu' ils	placent	qu' ils	aient	placé

Imparfait		Plus-que-parfait		
que je	plaçasse	que j'	eusse	placé
que tu	plaçasses	que tu	eusses	placé
qu'elle	plaçât	qu'elle	eût	placé
que n.	plaçassions	que n.	eussions	placé
que v.	plaçassiez	que v.	eussiez	placé
qu' ils	plaçassent	qu' ils	eussent	placé

IMPÉRATIF

Présent	Passé	
place	aie	placé
plaçons	ayons	placé
placez	ayez	placé

INFINITIF

Présent	Passé
placer	avoir placé

PARTICIPE

Présent	Passé (composé)
plaçant	ayant placé
	Passé
	placé

Conditionnel passé 2e forme : mêmes formes que le plus-que-parfait du subjonctif.
Forme surcomposée : *j'ai eu placé* (→ Grammaire du verbe, paragraphes 4, 56, 70).
Futur proche : *je vais placer* (→ Grammaire du verbe, paragraphes 5, 62).

- Les verbes en **-cer** prennent une cédille sous le **c** devant les voyelles **a** et **o** : *nous commençons, tu commenças*, pour conserver au **c** le son doux [s].
- Pour les verbes en **-ecer** → aussi tableau 91. Par exemple, **dépecer** : *je dépèce, nous dépeçons.*
- Pour les verbes en **-écer** → aussi tableau 92. Par exemple, **rapiécer** : *je rapièce, nous rapiéçons.*

manger

INDICATIF

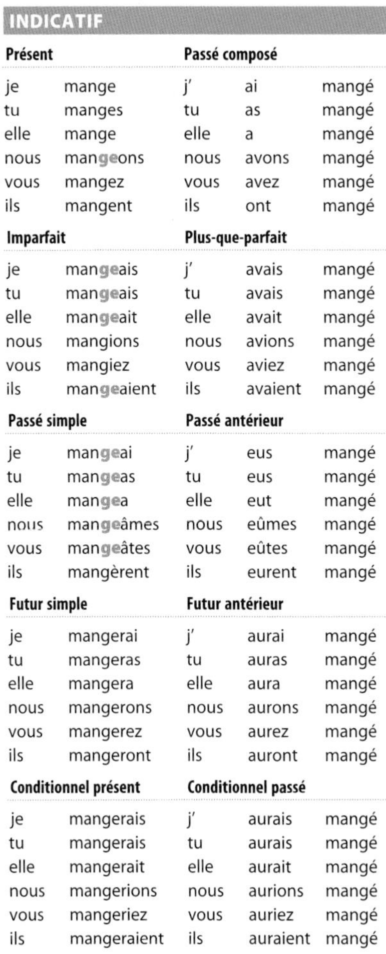

Présent		Passé composé		
je	mange	j'	ai	mangé
tu	manges	tu	as	mangé
elle	mange	elle	a	mangé
nous	mangeons	nous	avons	mangé
vous	mangez	vous	avez	mangé
ils	mangent	ils	ont	mangé

Imparfait		Plus-que-parfait		
je	mangeais	j'	avais	mangé
tu	mangeais	tu	avais	mangé
elle	mangeait	elle	avait	mangé
nous	mangions	nous	avions	mangé
vous	mangiez	vous	aviez	mangé
ils	mangeaient	ils	avaient	mangé

Passé simple		Passé antérieur		
je	mangeai	j'	eus	mangé
tu	mangeas	tu	eus	mangé
elle	mangea	elle	eut	mangé
nous	mangeâmes	nous	eûmes	mangé
vous	mangeâtes	vous	eûtes	mangé
ils	mangèrent	ils	eurent	mangé

Futur simple		Futur antérieur		
je	mangerai	j'	aurai	mangé
tu	mangeras	tu	auras	mangé
elle	mangera	elle	aura	mangé
nous	mangerons	nous	aurons	mangé
vous	mangerez	vous	aurez	mangé
ils	mangeront	ils	auront	mangé

Conditionnel présent		Conditionnel passé		
je	mangerais	j'	aurais	mangé
tu	mangerais	tu	aurais	mangé
elle	mangerait	elle	aurait	mangé
nous	mangerions	nous	aurions	mangé
vous	mangeriez	vous	auriez	mangé
ils	mangeraient	ils	auraient	mangé

SUBJONCTIF

Présent		Passé		
que je	mange	que j'	aie	mangé
que tu	manges	que tu	aies	mangé
qu'elle	mange	qu'elle	ait	mangé
que n.	mangions	que n.	ayons	mangé
que v.	mangiez	que v.	ayez	mangé
qu'ils	mangent	qu'ils	aient	mangé

Imparfait		Plus-que-parfait		
que je	mangeasse	que j'	eusse	mangé
que tu	mangeasses	que tu	eusses	mangé
qu'elle	mangeât	qu'elle	eût	mangé
que n.	mangeassions	que n.	eussions	mangé
que v.	mangeassiez	que v.	eussiez	mangé
qu'ils	mangeassent	qu'ils	eussent	mangé

IMPÉRATIF

Présent	Passé	
mange	aie	mangé
mangeons	ayons	mangé
mangez	ayez	mangé

INFINITIF

Présent	Passé
manger	avoir mangé

PARTICIPE

Présent	Passé (composé)
mangeant	ayant mangé
	Passé
	mangé

Conditionnel passé 2e forme : mêmes formes que le plus-que-parfait du subjonctif.
Forme surcomposée : *j'ai eu mangé* (→ Grammaire du verbe, paragraphes 4, 56, 70).
Futur proche : *je vais manger* (→ Grammaire du verbe, paragraphes 5, 62).

- Les verbes en **-ger** conservent l'**e** après le **g** devant les voyelles **a** et **o** : *nous jugeons*, *tu jugeas*, pour maintenir partout le son du **g** doux [ʒ].
  (Bien entendu, les verbes en **-guer** conservent le **u** à toutes les formes.)
- Pour les verbes en **-éger** → tableau 100.

91 verbes ayant un *e* muet à l'avant-dernière syllabe de l'infinitif : verbes en **-e(.)er** — peser

INDICATIF

Présent		Passé composé		
je	pèse	j'	ai	pesé
tu	pèses	tu	as	pesé
elle	pèse	elle	a	pesé
nous	pesons	nous	avons	pesé
vous	pesez	vous	avez	pesé
ils	pèsent	ils	ont	pesé

Imparfait		Plus-que-parfait		
je	pesais	j'	avais	pesé
tu	pesais	tu	avais	pesé
elle	pesait	elle	avait	pesé
nous	pesions	nous	avions	pesé
vous	pesiez	vous	aviez	pesé
ils	pesaient	ils	avaient	pesé

Passé simple		Passé antérieur		
je	pesai	j'	eus	pesé
tu	pesas	tu	eus	pesé
elle	pesa	elle	eut	pesé
nous	pesâmes	nous	eûmes	pesé
vous	pesâtes	vous	eûtes	pesé
ils	pesèrent	ils	eurent	pesé

Futur simple		Futur antérieur		
je	pèserai	j'	aurai	pesé
tu	pèseras	tu	auras	pesé
elle	pèsera	elle	aura	pesé
nous	pèserons	nous	aurons	pesé
vous	pèserez	vous	aurez	pesé
ils	pèseront	ils	auront	pesé

Conditionnel présent		Conditionnel passé		
je	pèserais	j'	aurais	pesé
tu	pèserais	tu	aurais	pesé
elle	pèserait	elle	aurait	pesé
nous	pèserions	nous	aurions	pesé
vous	pèseriez	vous	auriez	pesé
ils	pèseraient	ils	auraient	pesé

SUBJONCTIF

Présent		Passé		
que je	pèse	que j'	aie	pesé
que tu	pèses	que tu	aies	pesé
qu'elle	pèse	qu'elle	ait	pesé
que n.	pesions	que n.	ayons	pesé
que v.	pesiez	que v.	ayez	pesé
qu'ils	pèsent	qu'ils	aient	pesé

Imparfait		Plus-que-parfait		
que je	pesasse	que j'	eusse	pesé
que tu	pesasses	que tu	eusses	pesé
qu'elle	pesât	qu'elle	eût	pesé
que n.	pesassions	que n.	eussions	pesé
que v.	pesassiez	que v.	eussiez	pesé
qu'ils	pesassent	qu'ils	eussent	pesé

IMPÉRATIF

Présent	Passé	
pèse	aie	pesé
pesons	ayons	pesé
pesez	ayez	pesé

INFINITIF

Présent	Passé
peser	avoir pesé

PARTICIPE

Présent	Passé (composé)
pesant	ayant pesé
	Passé
	pesé

Conditionnel passé 2e forme : mêmes formes que le plus-que-parfait du subjonctif.
Forme surcomposée : *j'ai eu pesé* (→ Grammaire du verbe, paragraphes 4, 56, 70).
Futur proche : *je vais peser* (→ Grammaire du verbe, paragraphes 5, 62).

- Verbes en **-ecer** (→ aussi tableau 89), **-emer**, **-ener**, **-erer**, **-eser**, **-ever**, **-evrer**.
  Ces verbes, qui ont un **e** muet à l'avant-dernière syllabe de l'infinitif, comme **lever**, changent l'**e muet** en **è ouvert** devant une syllabe muette, y compris devant les terminaisons du futur (**-erai**…) et du conditionnel (**-erais**…) :
  Je lève, je lèverai, je lèverais.
- Pour les verbes en **-eler**, **-eter** → tableaux 93, 94, 95, 96, 97 et 98.

céder

INDICATIF

Présent		Passé composé		
je	cède	j'	ai	cédé
tu	cèdes	tu	as	cédé
elle	cède	elle	a	cédé
nous	cédons	nous	avons	cédé
vous	cédez	vous	avez	cédé
ils	cèdent	ils	ont	cédé

Imparfait		Plus-que-parfait		
je	cédais	j'	avais	cédé
tu	cédais	tu	avais	cédé
elle	cédait	elle	avait	cédé
nous	cédions	nous	avions	cédé
vous	cédiez	vous	aviez	cédé
ils	cédaient	ils	avaient	cédé

Passé simple		Passé antérieur		
je	cédai	j'	eus	cédé
tu	cédas	tu	eus	cédé
elle	céda	elle	eut	cédé
nous	cédâmes	nous	eûmes	cédé
vous	cédâtes	vous	eûtes	cédé
ils	cédèrent	ils	eurent	cédé

Futur simple		/ VARIANTE	Futur antérieur		
je	céderai	/ cèderai	j'	aurai	cédé
tu	céderas	/ cèderas	tu	auras	cédé
elle	cédera	/ cèdera	elle	aura	cédé
nous	céderons	/ cèderons	nous	aurons	cédé
vous	céderez	/ cèderez	vous	aurez	cédé
ils	céderont	/ cèderont	ils	auront	cédé

Conditionnel présent		/ VARIANTE	Conditionnel passé		
je	céderais	/ cèderais	j'	aurais	cédé
tu	céderais	/ cèderais	tu	aurais	cédé
elle	céderait	/ cèderait	elle	aurait	cédé
nous	céderions	/ cèderions	nous	aurions	cédé
vous	céderiez	/ cèderiez	vous	auriez	cédé
ils	céderaient	/ cèderaient	ils	auraient	cédé

SUBJONCTIF

Présent		Passé		
que je	cède	que j'	aie	cédé
que tu	cèdes	que tu	aies	cédé
qu'elle	cède	qu'elle	ait	cédé
que n.	cédions	que n.	ayons	cédé
que v.	cédiez	que v.	ayez	cédé
qu'ils	cèdent	qu'ils	aient	cédé

Imparfait		Plus-que-parfait		
que je	cédasse	que j'	eusse	cédé
que tu	cédasses	que tu	eusses	cédé
qu'elle	cédât	qu'elle	eût	cédé
que n.	cédassions	que n.	eussions	cédé
que v.	cédassiez	que v.	eussiez	cédé
qu'ils	cédassent	qu'ils	eussent	cédé

IMPÉRATIF

Présent	Passé
cède	aie cédé
cédons	ayons cédé
cédez	ayez cédé

INFINITIF

Présent	Passé
céder	avoir cédé

PARTICIPE

Présent	Passé (composé)
cédant	ayant cédé
	Passé
	cédé

Conditionnel passé 2e forme : mêmes formes que le plus-que-parfait du subjonctif.
Forme surcomposée : *j'ai eu cédé* (→ Grammaire du verbe, paragraphes 4, 56, 70).
Futur proche : *je vais céder* (→ Grammaire du verbe, paragraphes 5, 62).

- Verbes en **-éber**, **-ébrer**, **-écer** (→ aussi tableau 89), **-écher**, **-écrer**, **-éder**, **-égler**, **-égner**, **-égrer**, **-éguer**, **-éjer**, **-éler**, **-émer**, **-éner**, **-éper**, **-équer**, **-érer**, **-éser**, **-éter**, **-étrer**, **-éver**, **-évrer**, **-éyer**, etc.
- Ces verbes, qui ont un **é fermé** à l'avant-dernière syllabe de l'infinitif, changent l'**é fermé** en **è ouvert** devant une syllabe muette : *je cède*. Traditionnellement, ces verbes conservent l'**é fermé** au futur et au conditionnel, malgré la tendance à prononcer cet **é** de plus en plus ouvert. Les rectifications orthographiques autorisent l'**è ouvert** au futur et au conditionnel. L'Académie française écrit : *je cèderai*.

93

verbes en **-eler** changeant *e* en *è* devant une syllabe muette

modeler

INDICATIF

Présent		Passé composé		
je	modèle	j'	ai	modelé
tu	modèles	tu	as	modelé
elle	modèle	elle	a	modelé
nous	modelons	nous	avons	modelé
vous	modelez	vous	avez	modelé
ils	modèlent	ils	ont	modelé

Imparfait		Plus-que-parfait		
je	modelais	j'	avais	modelé
tu	modelais	tu	avais	modelé
elle	modelait	elle	avait	modelé
nous	modelions	nous	avions	modelé
vous	modeliez	vous	aviez	modelé
ils	modelaient	ils	avaient	modelé

Passé simple		Passé antérieur		
je	modelai	j'	eus	modelé
tu	modelas	tu	eus	modelé
elle	modela	elle	eut	modelé
nous	modelâmes	nous	eûmes	modelé
vous	modelâtes	vous	eûtes	modelé
ils	modelèrent	ils	eurent	modelé

Futur simple		Futur antérieur		
je	modèlerai	j'	aurai	modelé
tu	modèleras	tu	auras	modelé
elle	modèlera	elle	aura	modelé
nous	modèlerons	nous	aurons	modelé
vous	modèlerez	vous	aurez	modelé
ils	modèleront	ils	auront	modelé

Conditionnel présent		Conditionnel passé		
je	modèlerais	j'	aurais	modelé
tu	modèlerais	tu	aurais	modelé
elle	modèlerait	elle	aurait	modelé
nous	modèlerions	nous	aurions	modelé
vous	modèleriez	vous	auriez	modelé
ils	modèleraient	ils	auraient	modelé

SUBJONCTIF

Présent		Passé		
que je	modèle	que j'	aie	modelé
que tu	modèles	que tu	aies	modelé
qu'elle	modèle	qu'elle	ait	modelé
que n.	modelions	que n.	ayons	modelé
que v.	modeliez	que v.	ayez	modelé
qu' ils	modèlent	qu' ils	aient	modelé

Imparfait		Plus-que-parfait		
que je	modelasse	que j'	eusse	modelé
que tu	modelasses	que tu	eusses	modelé
qu'elle	modelât	qu'elle	eût	modelé
que n.	modelassions	que n.	eussions	modelé
que v.	modelassiez	que v.	eussiez	modelé
qu' ils	modelassent	qu' ils	eussent	modelé

IMPÉRATIF

Présent	Passé	
modèle	aie	modelé
modelons	ayons	modelé
modelez	ayez	modelé

INFINITIF

Présent	Passé
modeler	avoir modelé

PARTICIPE

Présent	Passé (composé)
modelant	ayant modelé
	Passé
	modelé

Conditionnel passé 2e forme : mêmes formes que le plus-que-parfait du subjonctif.
Forme surcomposée : *j'ai eu modelé* (→ Grammaire du verbe, paragraphes 4, 56, 70).
Futur proche : *je vais modeler* (→ Grammaire du verbe, paragraphes 5, 62).

- Les verbes en **-eler** se conjuguant comme **modeler** prennent toujours un accent grave devant une syllabe muette. Il s'agit traditionnellement de : *babeler, celer (déceler, receler), ciseler (aciseler), démanteler, drapeler, écarteler, embreler, s'encasteler, épinceler, geler (congeler, décongeler, dégeler, recongeler, regeler, surgeler), handeler, harceler, marteler, modeler (remodeler), peler.*
- Les rectifications orthographiques autorisent que tous les autres verbes en **-eler** se conjuguent aussi sur ce modèle avec **è**, sauf **appeler**, **interpeller** (ou **interpeler**) et leurs composés.

INDICATIF

Présent		Passé composé		
j'	appelle	j'	ai	appelé
tu	appelles	tu	as	appelé
elle	appelle	elle	a	appelé
nous	appelons	nous	avons	appelé
vous	appelez	vous	avez	appelé
ils	appellent	ils	ont	appelé
Imparfait		**Plus-que-parfait**		
j'	appelais	j'	avais	appelé
tu	appelais	tu	avais	appelé
elle	appelait	elle	avait	appelé
nous	appelions	nous	avions	appelé
vous	appeliez	vous	aviez	appelé
ils	appelaient	ils	avaient	appelé
Passé simple		**Passé antérieur**		
j'	appelai	j'	eus	appelé
tu	appelas	tu	eus	appelé
elle	appela	elle	eut	appelé
nous	appelâmes	nous	eûmes	appelé
vous	appelâtes	vous	eûtes	appelé
ils	appelèrent	ils	eurent	appelé
Futur simple		**Futur antérieur**		
j'	appellerai	j'	aurai	appelé
tu	appelleras	tu	auras	appelé
elle	appellera	elle	aura	appelé
nous	appellerons	nous	aurons	appelé
vous	appellerez	vous	aurez	appelé
ils	appelleront	ils	auront	appelé
Conditionnel présent		**Conditionnel passé**		
j'	appellerais	j'	aurais	appelé
tu	appellerais	tu	aurais	appelé
elle	appellerait	elle	aurait	appelé
nous	appellerions	nous	aurions	appelé
vous	appelleriez	vous	auriez	appelé
ils	appelleraient	ils	auraient	appelé

SUBJONCTIF

Présent		Passé		
que j'	appelle	que j'	aie	appelé
que tu	appelles	que tu	aies	appelé
qu' elle	appelle	qu' elle	ait	appelé
que n.	appelions	que n.	ayons	appelé
que v.	appeliez	que v.	ayez	appelé
qu' ils	appellent	qu' ils	aient	appelé
Imparfait		**Plus-que-parfait**		
que j'	appelasse	que j'	eusse	appelé
que tu	appelasses	que tu	eusses	appelé
qu' elle	appelât	qu' elle	eût	appelé
que n.	appelassions	que n.	eussions	appelé
que v.	appelassiez	que v.	eussiez	appelé
qu' ils	appelassent	qu' ils	eussent	appelé

IMPÉRATIF

Présent	Passé	
appelle	aie	appelé
appelons	ayons	appelé
appelez	ayez	appelé

INFINITIF

Présent	Passé
appeler	avoir appelé

PARTICIPE

Présent	Passé (composé)
appelant	ayant appelé
	Passé
	appelé

Conditionnel passé 2e forme : mêmes formes que le plus-que-parfait du subjonctif.
Forme surcomposée : *j'ai eu appelé* (→ Grammaire du verbe, paragraphes 4, 56, 70).
Futur proche : *je vais appeler* (→ Grammaire du verbe, paragraphes 5, 62).

- Certains verbes en **-eler** doublent le **l** devant un **e muet** : *j'appelle*. D'autres verbes ne doublent pas la consonne devant l'**e muet**, mais prennent un accent grave sur l'**e** qui précède le **l** : *je modèle*, (→ tableau 93 pour la liste de ces cas traditionnels). Toutefois, les rectifications orthographiques autorisent l'emploi du **è** pour tous les verbes en **-eler**, sauf pour **appeler**, **interpeller** (ou **interpeler**) et les verbes de leur famille (*rappeler*...). On a donc : *il ruissèle* (ou *il ruisselle*), mais *il appelle*.

95

verbes en **-eter** changeant *e* en *è* devant une syllabe muette

acheter

INDICATIF

Présent		Passé composé		
j'	achète	j'	ai	acheté
tu	achètes	tu	as	acheté
elle	achète	elle	a	acheté
nous	achetons	nous	avons	acheté
vous	achetez	vous	avez	acheté
ils	achètent	ils	ont	acheté

Imparfait		Plus-que-parfait		
j'	achetais	j'	avais	acheté
tu	achetais	tu	avais	acheté
elle	achetait	elle	avait	acheté
nous	achetions	nous	avions	acheté
vous	achetiez	vous	aviez	acheté
ils	achetaient	ils	avaient	acheté

Passé simple		Passé antérieur		
j'	achetai	j'	eus	acheté
tu	achetas	tu	eus	acheté
elle	acheta	elle	eut	acheté
nous	achetâmes	nous	eûmes	acheté
vous	achetâtes	vous	eûtes	acheté
ils	achetèrent	ils	eurent	acheté

Futur simple		Futur antérieur		
j'	achèterai	j'	aurai	acheté
tu	achèteras	tu	auras	acheté
elle	achètera	elle	aura	acheté
nous	achèterons	nous	aurons	acheté
vous	achèterez	vous	aurez	acheté
ils	achèteront	ils	auront	acheté

Conditionnel présent		Conditionnel passé		
j'	achèterais	j'	aurais	acheté
tu	achèterais	tu	aurais	acheté
elle	achèterait	elle	aurait	acheté
nous	achèterions	nous	aurions	acheté
vous	achèteriez	vous	auriez	acheté
ils	achèteraient	ils	auraient	acheté

SUBJONCTIF

Présent		Passé		
que j'	achète	que j'	aie	acheté
que tu	achètes	que tu	aies	acheté
qu'elle	achète	qu'elle	ait	acheté
que n.	achetions	que n.	ayons	acheté
que v.	achetiez	que v.	ayez	acheté
qu' ils	achètent	qu' ils	aient	acheté

Imparfait		Plus-que-parfait		
que j'	achetasse	que j'	eusse	acheté
que tu	achetasses	que tu	eusses	acheté
qu'elle	achetât	qu'elle	eût	acheté
que n.	achetassions	que n.	eussions	acheté
que v.	achetassiez	que v.	eussiez	acheté
qu' ils	achetassent	qu' ils	eussent	acheté

IMPÉRATIF

Présent	Passé	
achète	aie	acheté
achetons	ayons	acheté
achetez	ayez	acheté

INFINITIF

Présent	Passé
acheter	avoir acheté

PARTICIPE

Présent	Passé (composé)
achetant	ayant acheté
	Passé
	acheté

Conditionnel passé 2e forme : mêmes formes que le plus-que-parfait du subjonctif.
Forme surcomposée : *j'ai eu acheté* (→ Grammaire du verbe, paragraphes 4, 56, 70).
Futur proche : *je vais acheter* (→ Grammaire du verbe, paragraphes 5, 62).

- Les verbes en **-eter** se conjuguant comme **acheter** prennent toujours un accent grave devant une syllabe muette. Il s'agit traditionnellement de : *acheter (préacheter, racheter), bégueter* ou *bègueter, caleter, corseter, crocheter, émoucheter, fileter, fureter, haleter, moueter* et *rapiéceter* ou *rapièceter.*
- Les rectifications orthographiques autorisent que tous les autres verbes en **-eter** se conjuguent aussi sur ce modèle avec **è**, sauf **jeter** (et ses composés).

jeter

INDICATIF

Présent		Passé composé		
je	jette	j'	ai	jeté
tu	jettes	tu	as	jeté
elle	jette	elle	a	jeté
nous	jetons	nous	avons	jeté
vous	jetez	vous	avez	jeté
ils	jettent	ils	ont	jeté

Imparfait		Plus-que-parfait		
je	jetais	j'	avais	jeté
tu	jetais	tu	avais	jeté
elle	jetait	elle	avait	jeté
nous	jetions	nous	avions	jeté
vous	jetiez	vous	aviez	jeté
ils	jetaient	ils	avaient	jeté

Passé simple		Passé antérieur		
je	jetai	j'	eus	jeté
tu	jetas	tu	eus	jeté
elle	jeta	elle	eut	jeté
nous	jetâmes	nous	eûmes	jeté
vous	jetâtes	vous	eûtes	jeté
ils	jetèrent	ils	eurent	jeté

Futur simple		Futur antérieur		
je	jetterai	j'	aurai	jeté
tu	jetteras	tu	auras	jeté
elle	jettera	elle	aura	jeté
nous	jetterons	nous	aurons	jeté
vous	jetterez	vous	aurez	jeté
ils	jetteront	ils	auront	jeté

Conditionnel présent		Conditionnel passé		
je	jetterais	j'	aurais	jeté
tu	jetterais	tu	aurais	jeté
elle	jetterait	elle	aurait	jeté
nous	jetterions	nous	aurions	jeté
vous	jetteriez	vous	auriez	jeté
ils	jetteraient	ils	auraient	jeté

SUBJONCTIF

Présent		Passé		
que je	jette	que j'	aie	jeté
que tu	jettes	que tu	aies	jeté
qu' elle	jette	qu' elle	ait	jeté
que n.	jetions	que n.	ayons	jeté
que v.	jetiez	que v.	ayez	jeté
qu' ils	jettent	qu' ils	aient	jeté

Imparfait		Plus-que-parfait		
que je	jetasse	que j'	eusse	jeté
que tu	jetasses	que tu	eusses	jeté
qu' elle	jetât	qu' elle	eût	jeté
que n.	jetassions	que n.	eussions	jeté
que v.	jetassiez	que v.	eussiez	jeté
qu' ils	jetassent	qu' ils	eussent	jeté

IMPÉRATIF

Présent	Passé	
jette	aie	jeté
jetons	ayons	jeté
jetez	ayez	jeté

INFINITIF

Présent	Passé
jeter	avoir jeté

PARTICIPE

Présent	Passé (composé)
jetant	ayant jeté
	Passé
	jeté

Conditionnel passé 2e forme : mêmes formes que le plus-que-parfait du subjonctif.
Forme surcomposée : *j'ai eu jeté* (→ Grammaire du verbe, paragraphes 4, 56, 70).
Futur proche : *je vais jeter* (→ *Grammaire du verbe, paragraphes 5, 62).*

- Certains verbes en **-eter** doublent le **t** devant un **e muet** : *je jette.* D'autres verbes ne doublent pas la consonne devant l'**e muet**, mais prennent un accent grave sur l'**e** qui précède le **t** : *j'achète* (→ tableau 95 pour la liste de ces cas traditionnels). Toutefois, les rectifications orthographiques autorisent l'emploi du **è** pour tous les verbes en **-eter**, sauf pour **jeter** et les verbes de sa famille (*interjeter, projeter, rejeter...*). On a donc : *elle époussète* (ou *elle époussette*), mais *elle rejette.*

97 épeler

verbes en -eler doublant *l* devant *e* muet (ou changeant *e* en *è* devant une syllabe muette en nouvelle orthographe)

INDICATIF

Présent		/ VARIANTE	Passé composé		
j'	épelle	/ épèle	j'	ai	épelé
tu	épelles	/ épèles	tu	as	épelé
elle	épelle	/ épèle	elle	a	épelé
nous	épelons		nous	avons	épelé
vous	épelez		vous	avez	épelé
ils	épellent	/ épèlent	ils	ont	épelé

Imparfait		Plus-que-parfait		
j'	épelais	j'	avais	épelé
tu	épelais	tu	avais	épelé
elle	épelait	elle	avait	épelé
nous	épelions	nous	avions	épelé
vous	épeliez	vous	aviez	épelé
ils	épelaient	ils	avaient	épelé

Passé simple		Passé antérieur		
j'	épelai	j'	eus	épelé
tu	épelas	tu	eus	épelé
elle	épela	elle	eut	épelé
nous	épelâmes	nous	eûmes	épelé
vous	épelâtes	vous	eûtes	épelé
ils	épelèrent	ils	eurent	épelé

Futur simple		/ VARIANTE	Futur antérieur		
j'	épellerai	/ épèlerai	j'	aurai	épelé
tu	épelleras	/ épèleras	tu	auras	épelé
elle	épellera	/ épèlera	elle	aura	épelé
nous	épellerons	/ épèlerons	nous	aurons	épelé
vous	épellerez	/ épèlerez	vous	aurez	épelé
ils	épelleront	/ épèleront	ils	auront	épelé

Conditionnel présent		/ VARIANTE	Conditionnel passé		
j'	épellerais	/ épèlerais	j'	aurais	épelé
tu	épellerais	/ épèlerais	tu	aurais	épelé
elle	épellerait	/ épèlerait	elle	aurait	épelé
nous	épellerions	/ épèlerions	nous	aurions	épelé
vous	épelleriez	/ épèleriez	vous	auriez	épelé
ils	épelleraient	/ épèleraient	ils	auraient	épelé

SUBJONCTIF

Présent		/ VARIANTE	Passé		
que j'	épelle	/ épèle	que j'	aie	épelé
que tu	épelles	/ épèles	que tu	aies	épelé
qu'elle	épelle	/ épèle	qu'elle	ait	épelé
que n.	épelions		que n.	ayons	épelé
que v.	épeliez		que v.	ayez	épelé
qu' ils	épellent	/ épèlent	qu' ils	aient	épelé

Imparfait		Plus-que-parfait		
que j'	épelasse	que j'	eusse	épelé
que tu	épelasses	que tu	eusses	épelé
qu'elle	épelât	qu'elle	eût	épelé
que n.	épelassions	que n.	eussions	épelé
que v.	épelassiez	que v.	eussiez	épelé
qu' ils	épelassent	qu' ils	eussent	épelé

IMPÉRATIF

Présent	/ VARIANTE	Passé	
épelle	/ épèle	aie	épelé
épelons		ayons	épelé
épelez		ayez	épelé

INFINITIF

Présent	Passé
épeler	avoir épelé

PARTICIPE

Présent	Passé (composé)
épelant	ayant épelé
	Passé
	épelé

Conditionnel passé 2e forme : mêmes formes que le plus-que-parfait du subjonctif.
Forme surcomposée : *j'ai eu épelé* (→ Grammaire du verbe, paragraphes 4, 56, 70).
Futur proche : *je vais épeler* (→ *Grammaire du verbe, paragraphes 5, 62).*

- Traditionnellement, on conjuguait le verbe **épeler** avec un double **l** devant un **e muet** : *j'épelle*, comme *j'appelle*. Les rectifications de l'orthographe le conjuguent maintenant avec l'accent grave : *j'épèle*, comme *je modèle*. Le Conseil supérieur de la langue française recommande d'employer la variante avec **è**.

verbes en **-eter** doublant *t* devant *e* muet (ou changeant *e* en *è* devant une syllabe muette en nouvelle orthographe)

breveter 98

INDICATIF

Présent	/ VARIANTE	Passé composé	
je brevette	/ brevète	j' ai	breveté
tu brevettes	/ brevètes	tu as	breveté
elle brevette	/ brevète	elle a	breveté
n. brevetons		n. avons	breveté
v. brevetez		v. avez	breveté
ils brevettent	/ brevètent	ils ont	breveté

Imparfait	Plus-que-parfait	
je brevetais	j' avais	breveté
tu brevetais	tu avais	breveté
elle brevetait	elle avait	breveté
n. brevetions	n. avions	breveté
v. brevetiez	v. aviez	breveté
ils brevetaient	ils avaient	breveté

Passé simple	Passé antérieur	
je brevetai	j' eus	breveté
tu brevetas	tu eus	breveté
elle breveta	elle eut	breveté
n. brevetâmes	n. eûmes	breveté
v. brevetâtes	v. eûtes	breveté
ils brevetèrent	ils eurent	breveté

Futur simple	/ VARIANTE	Futur antérieur	
je brevetterai	/ brevèterai	j' aurai	breveté
tu brevetteras	/ brevèteras	tu auras	breveté
elle brevettera	/ brevètera	elle aura	breveté
n. brevetterons	/ brevèterons	n. aurons	breveté
v. brevetterez	/ brevèterez	v. aurez	breveté
ils brevetteront	/ brevèteront	ils auront	breveté

Conditionnel présent	/ VARIANTE	Conditionnel passé	
je brevetterais	/ brevèterais	j' aurais	breveté
tu brevetterais	/ brevèterais	tu aurais	breveté
elle brevetterait	/ brevèterait	elle aurait	breveté
n. brevetterions	/ brevèterions	n. aurions	breveté
v. brevetteriez	/ brevèteriez	v. auriez	breveté
ils brevetteraient	/ brevèteraient	ils auraient	breveté

SUBJONCTIF

Présent	/ VARIANTE	Passé	
que je brevette	/ brevète	que j' aie	breveté
que tu brevettes	/ brevètes	que tu aies	breveté
qu' elle brevette	/ brevète	qu' elle ait	breveté
que n. brevetions		que n. ayons	breveté
que v. brevetiez		que v. ayez	breveté
qu' ils brevettent	/ brevètent	qu' ils aient	breveté

Imparfait	Plus-que-parfait	
que je brevetasse	que j' eusse	breveté
que tu brevetasses	que tu eusses	breveté
qu' elle brevetât	qu' elle eût	breveté
que n. brevetassions	que n. eussions	breveté
que v. brevetassiez	que v. eussiez	breveté
qu' ils brevetassent	qu' ils eussent	breveté

IMPÉRATIF

Présent	/ VARIANTE	Passé	
brevette	/ brevète	aie	breveté
brevetons		ayons	breveté
brevetez		ayez	breveté

INFINITIF

Présent	Passé
breveter	avoir breveté

PARTICIPE

Présent	Passé (composé)
brevetant	ayant breveté

Passé

breveté

Conditionnel passé 2e forme : mêmes formes que le plus-que-parfait du subjonctif.
Forme surcomposée : *j'ai eu breveté* (→ Grammaire du verbe, paragraphes 4, 56, 70).
Futur proche : *je vais breveter* (→ Grammaire du verbe, paragraphes 5, 62).

- Traditionnellement, on conjuguait le verbe **breveter** avec un double **t** devant un **e muet** : *je brevette*, comme *je jette*. Les rectifications de l'orthographe le conjuguent maintenant avec l'accent grave : *je brevète*, comme *j'achète*. Le Conseil supérieur de la langue française recommande d'employer la variante avec **è**.

99 verbes en -éer | créer

INDICATIF

Présent		Passé composé		
je	crée	j'	ai	créé
tu	crées	tu	as	créé
elle	crée	elle	a	créé
nous	créons	nous	avons	créé
vous	créez	vous	avez	créé
ils	créent	ils	ont	créé

Imparfait		Plus-que-parfait		
je	créais	j'	avais	créé
tu	créais	tu	avais	créé
elle	créait	elle	avait	créé
nous	créions	nous	avions	créé
vous	créiez	vous	aviez	créé
ils	créaient	ils	avaient	créé

Passé simple		Passé antérieur		
je	créai	j'	eus	créé
tu	créas	tu	eus	créé
elle	créa	elle	eut	créé
nous	créâmes	nous	eûmes	créé
vous	créâtes	vous	eûtes	créé
ils	créèrent	ils	eurent	créé

Futur simple		Futur antérieur		
je	créerai	j'	aurai	créé
tu	créeras	tu	auras	créé
elle	créera	elle	aura	créé
nous	créerons	nous	aurons	créé
vous	créerez	vous	aurez	créé
ils	créeront	ils	auront	créé

Conditionnel présent		Conditionnel passé		
je	créerais	j'	aurais	créé
tu	créerais	tu	aurais	créé
elle	créerait	elle	aurait	créé
nous	créerions	nous	aurions	créé
vous	créeriez	vous	auriez	créé
ils	créeraient	ils	auraient	créé

SUBJONCTIF

Présent		Passé		
que je	crée	que j'	aie	créé
que tu	crées	que tu	aies	créé
qu'elle	crée	qu'elle	ait	créé
que n.	créions	que n.	ayons	créé
que v.	créiez	que v.	ayez	créé
qu'ils	créent	qu'ils	aient	créé

Imparfait		Plus-que-parfait		
que je	créasse	que j'	eusse	créé
que tu	créasses	que tu	eusses	créé
qu'elle	créât	qu'elle	eût	créé
que n.	créassions	que n.	eussions	créé
que v.	créassiez	que v.	eussiez	créé
qu'ils	créassent	qu'ils	eussent	créé

IMPÉRATIF

Présent	Passé	
crée	aie	créé
créons	ayons	créé
créez	ayez	créé

INFINITIF

Présent	Passé
créer	avoir créé

PARTICIPE

Présent	Passé (composé)
créant	ayant créé

Passé

créé

Conditionnel passé 2e forme : mêmes formes que le plus-que-parfait du subjonctif.
Forme surcomposée : *j'ai eu créé* (→ Grammaire du verbe, paragraphes 4, 56, 70).
Futur proche : *je vais créer* (→ Grammaire du verbe, paragraphes 5, 62).

- Ces verbes sont réguliers. Ils n'offrent d'autre particularité que la présence très régulière de deux **e** à certaines personnes de l'indicatif présent, du passé simple, du futur, du conditionnel présent, de l'impératif, du subjonctif présent et du participe passé masculin, et celle de trois **e** au participe passé féminin : *créée*.
- Dans les verbes en **-éer**, l'**é** reste toujours fermé (avec accent aigu) : *je crée, tu crées*…

INDICATIF

Présent		Passé composé		
je	siège	j'	ai	siégé
tu	sièges	tu	as	siégé
elle	siège	elle	a	siégé
nous	siégeons	nous	avons	siégé
vous	siégez	vous	avez	siégé
ils	siègent	ils	ont	siégé

Imparfait		Plus-que-parfait		
je	siégeais	j'	avais	siégé
tu	siégeais	tu	avais	siégé
elle	siégeait	elle	avait	siégé
nous	siégions	nous	avions	siégé
vous	siégiez	vous	aviez	siégé
ils	siégeaient	ils	avaient	siégé

Passé simple		Passé antérieur		
je	siégeai	j'	eus	siégé
tu	siégeas	tu	eus	siégé
elle	siégea	elle	eut	siégé
nous	siégeâmes	nous	eûmes	siégé
vous	siégeâtes	vous	eûtes	siégé
ils	siégèrent	ils	eurent	siégé

Futur simple		/ VARIANTE	Futur antérieur		
je	siégerai	/siègerai	j'	aurai	siégé
tu	siégeras	/siègeras	tu	auras	siégé
elle	siégera	/siègera	elle	aura	siégé
nous	siégerons	/siègerons	nous	aurons	siégé
vous	siégerez	/siègerez	vous	aurez	siégé
ils	siégeront	/siègeront	ils	auront	siégé

Conditionnel présent		/ VARIANTE	Conditionnel passé		
je	siégerais	/siègerais	j'	aurais	siégé
tu	siégerais	/siègerais	tu	aurais	siégé
elle	siégerait	/siègerait	elle	aurait	siégé
nous	siégerions	/siègerions	nous	aurions	siégé
vous	siégeriez	/siègeriez	vous	auriez	siégé
ils	siégeraient	/siègeraient	ils	auraient	siégé

SUBJONCTIF

Présent		Passé		
que je	siège	que j'	aie	siégé
que tu	sièges	que tu	aies	siégé
qu'elle	siège	qu'elle	ait	siégé
que n.	siégions	que n.	ayons	siégé
que v.	siégiez	que v.	ayez	siégé
qu' ils	siègent	qu' ils	aient	siégé

Imparfait		Plus-que-parfait		
que je	siégeasse	que j'	eusse	siégé
que tu	siégeasses	que tu	eusses	siégé
qu'elle	siégeât	qu'elle	eût	siégé
que n.	siégeassions	que n.	eussions	siégé
que v.	siégeassiez	que v.	eussiez	siégé
qu' ils	siégeassent	qu' ils	eussent	siégé

IMPÉRATIF

Présent	Passé	
siège	aie	siégé
siégeons	ayons	siégé
siégez	ayez	siégé

INFINITIF

Présent	Passé
siéger	avoir siégé

PARTICIPE

Présent	Passé (composé)
siégeant	ayant siégé
	Passé
	siégé

Conditionnel passé 2e forme : mêmes formes que le plus-que-parfait du subjonctif.
Forme surcomposée : *j'ai eu siégé* (→ Grammaire du verbe, paragraphes 4, 56, 70).
Futur proche : *je vais siéger* (→ Grammaire du verbe, paragraphes 5, 62).

- Dans les verbes en **-éger** :

— L'**é** du radical se change en **è** devant un **e muet**, même au futur et au conditionnel.
— Pour conserver partout le son du **g** doux [ʒ], on maintient l'**e** après le **g** devant les voyelles **a** et **o**.

crier

INDICATIF

Présent		Passé composé		
je	crie	j'	ai	crié
tu	cries	tu	as	crié
elle	crie	elle	a	crié
nous	crions	nous	avons	crié
vous	criez	vous	avez	crié
ils	crient	ils	ont	crié

Imparfait		Plus-que-parfait		
je	criais	j'	avais	crié
tu	criais	tu	avais	crié
elle	criait	elle	avait	crié
nous	criions	nous	avions	crié
vous	criiez	vous	aviez	crié
ils	criaient	ils	avaient	crié

Passé simple		Passé antérieur		
je	criai	j'	eus	crié
tu	crias	tu	eus	crié
elle	cria	elle	eut	crié
nous	criâmes	nous	eûmes	crié
vous	criâtes	vous	eûtes	crié
ils	crièrent	ils	eurent	crié

Futur simple		Futur antérieur		
je	crierai	j'	aurai	crié
tu	crieras	tu	auras	crié
elle	criera	elle	aura	crié
nous	crierons	nous	aurons	crié
vous	crierez	vous	aurez	crié
ils	crieront	ils	auront	crié

Conditionnel présent		Conditionnel passé		
je	crierais	j'	aurais	crié
tu	crierais	tu	aurais	crié
elle	crierait	elle	aurait	crié
nous	crierions	nous	aurions	crié
vous	crieriez	vous	auriez	crié
ils	crieraient	ils	auraient	crié

SUBJONCTIF

Présent		Passé		
que je	crie	que j'	aie	crié
que tu	cries	que tu	aies	crié
qu'elle	crie	qu'elle	ait	crié
que n.	criions	que n.	ayons	crié
que v.	criiez	que v.	ayez	crié
qu' ils	crient	qu' ils	aient	crié

Imparfait		Plus-que-parfait		
que je	criasse	que j'	eusse	crié
que tu	criasses	que tu	eusses	crié
qu'elle	criât	qu'elle	eût	crié
que n.	criassions	que n.	eussions	crié
que v.	criassiez	que v.	eussiez	crié
qu' ils	criassent	qu' ils	eussent	crié

IMPÉRATIF

Présent	Passé	
crie	aie	crié
crions	ayons	crié
criez	ayez	crié

INFINITIF

Présent	Passé
crier	avoir crié

PARTICIPE

Présent	Passé (composé)
criant	ayant crié
	Passé
	crié

Conditionnel passé 2e forme : mêmes formes que le plus-que-parfait du subjonctif.
Forme surcomposée : *j'ai eu crié* (→ Grammaire du verbe, paragraphes 4, 56, 70).
Futur proche : *je vais crier* (→ Grammaire du verbe, paragraphes 5, 62).

- Ces verbes sont réguliers. Ils n'offrent d'autre particularité que les deux **i** à la 1re et à la 2e personnes du pluriel de l'imparfait de l'indicatif et du présent du subjonctif : *criions, criiez*. Ces deux **i** proviennent de la rencontre de l'**i** final du radical, qui se maintient dans toute la conjugaison, avec l'**i** initial de la terminaison de l'imparfait de l'indicatif et du présent du subjonctif.

INDICATIF

Présent		Passé composé		
je	paie / paye	j'	ai	payé
tu	paies / payes	tu	as	payé
elle	paie / paye	elle	a	payé
nous	payons	nous	avons	payé
vous	payez	vous	avez	payé
ils	paient / payent	ils	ont	payé

Imparfait		Plus-que-parfait		
je	payais	j'	avais	payé
tu	payais	tu	avais	payé
elle	payait	elle	avait	payé
nous	payions	nous	avions	payé
vous	payiez	vous	aviez	payé
ils	payaient	ils	avaient	payé

Passé simple		Passé antérieur		
je	payai	j'	eus	payé
tu	payas	tu	eus	payé
elle	paya	elle	eut	payé
nous	payâmes	nous	eûmes	payé
vous	payâtes	vous	eûtes	payé
ils	payèrent	ils	eurent	payé

Futur simple		Futur antérieur		
je	paierai / payerai	j'	aurai	payé
tu	paieras / payeras	tu	auras	payé
elle	paiera / payera	elle	aura	payé
nous	paierons / payerons	nous	aurons	payé
vous	paierez / payerez	vous	aurez	payé
ils	paieront / payeront	ils	auront	payé

Conditionnel présent		Conditionnel passé		
je	paierais / payerais	j'	aurais	payé
tu	paierais / payerais	tu	aurais	payé
elle	paierait / payerait	elle	aurait	payé
nous	paierions / payerions	nous	aurions	payé
vous	paieriez / payeriez	vous	auriez	payé
ils	paieraient / payeraient	ils	auraient	payé

SUBJONCTIF

Présent		Passé		
que je	paie / paye	que j'	aie	payé
que tu	paies / payes	que tu	aies	payé
qu'elle	paie / paye	qu'elle	ait	payé
que n.	payions	que n.	ayons	payé
que v.	payiez	que v.	ayez	payé
qu' ils	paient / payent	qu' ils	aient	payé

Imparfait		Plus-que-parfait		
que je	payasse	que j'	eusse	payé
que tu	payasses	que tu	eusses	payé
qu'elle	payât	qu'elle	eût	payé
que n.	payassions	que n.	eussions	payé
que v.	payassiez	que v.	eussiez	payé
qu' ils	payassent	qu' ils	eussent	payé

IMPÉRATIF

Présent	Passé
paie / paye	aie payé
payons	ayons payé
payez	ayez payé

INFINITIF

Présent	Passé
payer	avoir payé

PARTICIPE

Présent	Passé (composé)
payant	ayant payé
	Passé
	payé

1. Les verbes en **-eyer** (**grasseyer, faseyer, capeyer...**) conservent l'**y** dans toute la conjugaison.

Conditionnel passé 2e forme : mêmes formes que le plus-que-parfait du subjonctif.
Forme surcomposée : *j'ai eu payé* (→ Grammaire du verbe, paragraphes 4, 56, 70).
Futur proche : *je vais payer* (→ Grammaire du verbe, paragraphes 5, 62).

- Les verbes en **-ayer** peuvent : 1. conserver l'**y** dans toute la conjugaison ; 2. remplacer l'**y** par un **i** devant un **e muet**, c'est-à-dire devant les terminaisons **-e**, **-es**, **-ent**, **-erai** (**-eras**...), **-erais** (**-erait**...) : *je paye* (prononcer [pɛj] : *pey*) ou *je paie* (prononcer [pɛ] : *pè*).
- Remarquer la présence régulière de l'**i** après l'**y** aux deux premières personnes du pluriel de l'imparfait de l'indicatif et du présent du subjonctif.
- Le verbe **bayer** conserve l'**y** dans toute la conjugaison.

103 verbes en -oyer[1] | broyer

INDICATIF

Présent		Passé composé		
je	broie	j'	ai	broyé
tu	broies	tu	as	broyé
elle	broie	elle	a	broyé
nous	broyons	nous	avons	broyé
vous	broyez	vous	avez	broyé
ils	broient	ils	ont	broyé

Imparfait		Plus-que-parfait		
je	broyais	j'	avais	broyé
tu	broyais	tu	avais	broyé
elle	broyait	elle	avait	broyé
nous	broyions	nous	avions	broyé
vous	broyiez	vous	aviez	broyé
ils	broyaient	ils	avaient	broyé

Passé simple		Passé antérieur		
je	broyai	j'	eus	broyé
tu	broyas	tu	eus	broyé
elle	broya	elle	eut	broyé
nous	broyâmes	nous	eûmes	broyé
vous	broyâtes	vous	eûtes	broyé
ils	broyèrent	ils	eurent	broyé

Futur simple		Futur antérieur		
je	broierai	j'	aurai	broyé
tu	broieras	tu	auras	broyé
elle	broiera	elle	aura	broyé
nous	broierons	nous	aurons	broyé
vous	broierez	vous	aurez	broyé
ils	broieront	ils	auront	broyé

Conditionnel présent		Conditionnel passé		
je	broierais	j'	aurais	broyé
tu	broierais	tu	aurais	broyé
elle	broierait	elle	aurait	broyé
nous	broierions	nous	aurions	broyé
vous	broieriez	vous	auriez	broyé
ils	broieraient	ils	auraient	broyé

SUBJONCTIF

Présent		Passé		
que je	broie	que j'	aie	broyé
que tu	broies	que tu	aies	broyé
qu'elle	broie	qu'elle	ait	broyé
que n.	broyions	que n.	ayons	broyé
que v.	broyiez	que v.	ayez	broyé
qu' ils	broient	qu' ils	aient	broyé

Imparfait		Plus-que-parfait		
que je	broyasse	que j'	eusse	broyé
que tu	broyasses	que tu	eusses	broyé
qu'elle	broyât	qu'elle	eût	broyé
que n.	broyassions	que n.	eussions	broyé
que v.	broyassiez	que v.	eussiez	broyé
qu' ils	broyassent	qu' ils	eussent	broyé

IMPÉRATIF

Présent	Passé	
broie	aie	broyé
broyons	ayons	broyé
broyez	ayez	broyé

INFINITIF

Présent	Passé
broyer	avoir broyé

PARTICIPE

Présent	Passé (composé)
broyant	ayant broyé
	Passé
	broyé

1. Exceptions : **envoyer** et **renvoyer** sont irréguliers au futur et au conditionnel (→ tableau 105).

Conditionnel passé 2e forme : mêmes formes que le plus-que-parfait du subjonctif.
Forme surcomposée : *j'ai eu broyé* (→ Grammaire du verbe, paragraphes 4, 56, 70).
Futur proche : *je vais broyer* (→ *Grammaire du verbe, paragraphes 5, 62)*.

- Les verbes en **-oyer** changent l'**y** du radical en **i** devant un **e muet** (terminaisons **-e**, **-es**, **-ent**, **-erai**..., **-erais**...) : *je broie, je broierai.*
- Remarquer la présence régulière de l'**i** après l'**y** aux deux premières personnes du pluriel de l'imparfait de l'indicatif et du présent du subjonctif.

INDICATIF

Présent		Passé composé		
j'	essuie	j'	ai	essuyé
tu	essuies	tu	as	essuyé
elle	essuie	elle	a	essuyé
nous	essuyons	nous	avons	essuyé
vous	essuyez	vous	avez	essuyé
ils	essuient	ils	ont	essuyé

Imparfait		Plus-que-parfait		
j'	essuyais	j'	avais	essuyé
tu	essuyais	tu	avais	essuyé
elle	essuyait	elle	avait	essuyé
nous	essuyions	nous	avions	essuyé
vous	essuyiez	vous	aviez	essuyé
ils	essuyaient	ils	avaient	essuyé

Passé simple		Passé antérieur		
j'	essuyai	j'	eus	essuyé
tu	essuyas	tu	eus	essuyé
elle	essuya	elle	eut	essuyé
nous	essuyâmes	nous	eûmes	essuyé
vous	essuyâtes	vous	eûtes	essuyé
ils	essuyèrent	ils	eurent	essuyé

Futur simple		Futur antérieur		
j'	essuierai	j'	aurai	essuyé
tu	essuieras	tu	auras	essuyé
elle	essuiera	elle	aura	essuyé
nous	essuierons	nous	aurons	essuyé
vous	essuierez	vous	aurez	essuyé
ils	essuieront	ils	auront	essuyé

Conditionnel présent		Conditionnel passé		
j'	essuierais	j'	aurais	essuyé
tu	essuierais	tu	aurais	essuyé
elle	essuierait	elle	aurait	essuyé
nous	essuierions	nous	aurions	essuyé
vous	essuieriez	vous	auriez	essuyé
ils	essuieraient	ils	auraient	essuyé

SUBJONCTIF

Présent		Passé		
que j'	essuie	que j'	aie	essuyé
que tu	essuies	que tu	aies	essuyé
qu' elle	essuie	qu' elle	ait	essuyé
que n.	essuyions	que n.	ayons	essuyé
que v.	essuyiez	que v.	ayez	essuyé
qu' ils	essuient	qu' ils	aient	essuyé

Imparfait		Plus-que-parfait		
que j'	essuyasse	que j'	eusse	essuyé
que tu	essuyasses	que tu	eusses	essuyé
qu' elle	essuyât	qu' elle	eût	essuyé
que n.	essuyassions	que n.	eussions	essuyé
que v.	essuyassiez	que v.	eussiez	essuyé
qu' ils	essuyassent	qu' ils	eussent	essuyé

IMPÉRATIF

Présent	Passé	
essuie	aie	essuyé
essuyons	ayons	essuyé
essuyez	ayez	essuyé

INFINITIF

Présent	Passé
essuyer	avoir essuyé

PARTICIPE

Présent	Passé (composé)
essuyant	ayant essuyé

Passé
essuyé

Conditionnel passé 2e forme : mêmes formes que le plus-que-parfait du subjonctif.
Forme surcomposée : *j'ai eu essuyé* (→ Grammaire du verbe, paragraphes 4, 56, 70).
Futur proche : *je vais essuyer* (→ Grammaire du verbe, paragraphes 5, 62).

- Les verbes en **-uyer** changent l'**y** du radical en **i** devant un **e muet** (terminaisons **-e**, **-es**, **-ent**, **-erai**..., **-erais**...) : *j'essuie, j'essuierai.*
- Remarquer la présence régulière de l'**i** après l'**y** aux deux premières personnes du pluriel de l'imparfait de l'indicatif et du présent du subjonctif.

105 envoyer

INDICATIF

Présent		Passé composé		
j'	envoie	j'	ai	envoyé
tu	envoies	tu	as	envoyé
elle	envoie	elle	a	envoyé
nous	envoyons	nous	avons	envoyé
vous	envoyez	vous	avez	envoyé
ils	envoient	ils	ont	envoyé

Imparfait		Plus-que-parfait		
j'	envoyais	j'	avais	envoyé
tu	envoyais	tu	avais	envoyé
elle	envoyait	elle	avait	envoyé
nous	envoyions	nous	avions	envoyé
vous	envoyiez	vous	aviez	envoyé
ils	envoyaient	ils	avaient	envoyé

Passé simple		Passé antérieur		
j'	envoyai	j'	eus	envoyé
tu	envoyas	tu	eus	envoyé
elle	envoya	elle	eut	envoyé
nous	envoyâmes	nous	eûmes	envoyé
vous	envoyâtes	vous	eûtes	envoyé
ils	envoyèrent	ils	eurent	envoyé

Futur simple		Futur antérieur		
j'	enverrai	j'	aurai	envoyé
tu	enverras	tu	auras	envoyé
elle	enverra	elle	aura	envoyé
nous	enverrons	nous	aurons	envoyé
vous	enverrez	vous	aurez	envoyé
ils	enverront	ils	auront	envoyé

Conditionnel présent		Conditionnel passé		
j'	enverrais	j'	aurais	envoyé
tu	enverrais	tu	aurais	envoyé
elle	enverrait	elle	aurait	envoyé
nous	enverrions	nous	aurions	envoyé
vous	enverriez	vous	auriez	envoyé
ils	enverraient	ils	auraient	envoyé

SUBJONCTIF

Présent		Passé		
que j'	envoie	que j'	aie	envoyé
que tu	envoies	que tu	aies	envoyé
qu' elle	envoie	qu' elle	ait	envoyé
que n.	envoyions	que n.	ayons	envoyé
que v.	envoyiez	que v.	ayez	envoyé
qu' ils	envoient	qu' ils	aient	envoyé

Imparfait		Plus-que-parfait		
que j'	envoyasse	que j'	eusse	envoyé
que tu	envoyasses	que tu	eusses	envoyé
qu' elle	envoyât	qu' elle	eût	envoyé
que n.	envoyassions	que n.	eussions	envoyé
que v.	envoyassiez	que v.	eussiez	envoyé
qu' ils	envoyassent	qu' ils	eussent	envoyé

IMPÉRATIF

Présent	Passé	
envoie	aie	envoyé
envoyons	ayons	envoyé
envoyez	ayez	envoyé

INFINITIF

Présent	Passé
envoyer	avoir envoyé

PARTICIPE

Présent	Passé (composé)
envoyant	ayant envoyé
	Passé
	envoyé

Conditionnel passé 2e forme : mêmes formes que le plus-que-parfait du subjonctif.
Forme surcomposée : *j'ai eu envoyé* (→ Grammaire du verbe, paragraphes 4, 56, 70).
Futur proche : *je vais envoyer* (→ Grammaire du verbe, paragraphes 5, 62).

- **Renvoyer** se conjugue sur ce modèle.
- Remarquer la présence de l'**i** après l'**y** aux deux premières personnes du pluriel de l'imparfait de l'indicatif et du présent du subjonctif.

INDICATIF

Présent		Passé composé		
je	finis	j'	ai	fini
tu	finis	tu	as	fini
elle	finit	elle	a	fini
nous	finissons	nous	avons	fini
vous	finissez	vous	avez	fini
ils	finissent	ils	ont	fini

Imparfait		Plus-que-parfait		
je	finissais	j'	avais	fini
tu	finissais	tu	avais	fini
elle	finissait	elle	avait	fini
nous	finissions	nous	avions	fini
vous	finissiez	vous	aviez	fini
ils	finissaient	ils	avaient	fini

Passé simple		Passé antérieur		
je	finis	j'	eus	fini
tu	finis	tu	eus	fini
elle	finit	elle	eut	fini
nous	finîmes	nous	eûmes	fini
vous	finîtes	vous	eûtes	fini
ils	finirent	ils	eurent	fini

Futur simple		Futur antérieur		
je	finirai	j'	aurai	fini
tu	finiras	tu	auras	fini
elle	finira	elle	aura	fini
nous	finirons	nous	aurons	fini
vous	finirez	vous	aurez	fini
ils	finiront	ils	auront	fini

Conditionnel présent		Conditionnel passé		
je	finirais	j'	aurais	fini
tu	finirais	tu	aurais	fini
elle	finirait	elle	aurait	fini
nous	finirions	nous	aurions	fini
vous	finiriez	vous	auriez	fini
ils	finiraient	ils	auraient	fini

SUBJONCTIF

Présent		Passé		
que je	finisse	que j'	aie	fini
que tu	finisses	que tu	aies	fini
qu'elle	finisse	qu'elle	ait	fini
que n.	finissions	que n.	ayons	fini
que v.	finissiez	que v.	ayez	fini
qu' ils	finissent	qu' ils	aient	fini

Imparfait		Plus-que-parfait		
que je	finisse	que j'	eusse	fini
que tu	finisses	que tu	eusses	fini
qu'elle	finît	qu'elle	eût	fini
que n.	finissions	que n.	eussions	fini
que v.	finissiez	que v.	eussiez	fini
qu' ils	finissent	qu' ils	eussent	fini

IMPÉRATIF

Présent	Passé	
finis	aie	fini
finissons	ayons	fini
finissez	ayez	fini

INFINITIF

Présent	Passé
finir	avoir fini

PARTICIPE

Présent	Passé (composé)
finissant	ayant fini
	Passé
	fini

Conditionnel passé 2e forme : mêmes formes que le plus-que-parfait du subjonctif.
Forme surcomposée : *j'ai eu fini* (→ Grammaire du verbe, paragraphes 4, 56, 70).
Futur proche : *je vais finir* (→ Grammaire du verbe, paragraphes 5, 62).

- Ainsi se conjuguent environ 300 verbes réguliers en **-ir**.
- Les verbes **obéir** et **désobéir** ont gardé, d'une ancienne construction transitive directe, un passif : *Sera-t-elle obéie ?*
- Le verbe **maudire** se conjugue sur ce modèle, bien que son infinitif s'achève en **-ire** et que son participe passé se termine par **-t** : *maudi**t**, maudi**te***.
- Le verbe **s'amuïr** se conjugue sur ce modèle et son tréma est toujours présent (jamais d'accent circonflexe sur l'**i**).

107 haïr

INDICATIF

Présent		Passé composé		
je	hais	j'	ai	haï
tu	hais	tu	as	haï
elle	hait	elle	a	haï
nous	haïssons	nous	avons	haï
vous	haïssez	vous	avez	haï
ils	haïssent	ils	ont	haï

Imparfait		Plus-que-parfait		
je	haïssais	j'	avais	haï
tu	haïssais	tu	avais	haï
elle	haïssait	elle	avait	haï
nous	haïssions	nous	avions	haï
vous	haïssiez	vous	aviez	haï
ils	haïssaient	ils	avaient	haï

Passé simple		Passé antérieur		
je	haïs	j'	eus	haï
tu	haïs	tu	eus	haï
elle	haït	elle	eut	haï
nous	haïmes	nous	eûmes	haï
vous	haïtes	vous	eûtes	haï
ils	haïrent	ils	eurent	haï

Futur simple		Futur antérieur		
je	haïrai	j'	aurai	haï
tu	haïras	tu	auras	haï
elle	haïra	elle	aura	haï
nous	haïrons	nous	aurons	haï
vous	haïrez	vous	aurez	haï
ils	haïront	ils	auront	haï

Conditionnel présent		Conditionnel passé		
je	haïrais	j'	aurais	haï
tu	haïrais	tu	aurais	haï
elle	haïrait	elle	aurait	haï
nous	haïrions	nous	aurions	haï
vous	haïriez	vous	auriez	haï
ils	haïraient	ils	auraient	haï

SUBJONCTIF

Présent		Passé		
que je	haïsse	que j'	aie	haï
que tu	haïsses	que tu	aies	haï
qu'elle	haïsse	qu'elle	ait	haï
que n.	haïssions	que n.	ayons	haï
que v.	haïssiez	que v.	ayez	haï
qu' ils	haïssent	qu' ils	aient	haï

Imparfait		Plus-que-parfait		
que je	haïsse	que j'	eusse	haï
que tu	haïsses	que tu	eusses	haï
qu'elle	haït	qu'elle	eût	haï
que n.	haïssions	que n.	eussions	haï
que v.	haïssiez	que v.	eussiez	haï
qu' ils	haïssent	qu' ils	eussent	haï

IMPÉRATIF

Présent	Passé	
hais	aie	haï
haïssons	ayons	haï
haïssez	ayez	haï

INFINITIF

Présent	Passé
haïr	avoir haï

PARTICIPE

Présent	Passé (composé)
haïssant	ayant haï
	Passé
	haï

Conditionnel passé 2e forme : mêmes formes que le plus-que-parfait du subjonctif.
Forme surcomposée : *j'ai eu haï* (→ Grammaire du verbe, paragraphes 4, 56, 70).
Futur proche : *je vais haïr* (→ Grammaire du verbe, paragraphes 5, 62).

- **Haïr** et **entrehaïr** sont les seuls verbes de cette conjugaison.
- **Haïr** et **entrehaïr** prennent un tréma sur l'**i** dans toute leur conjugaison, excepté aux trois personnes du singulier du présent de l'indicatif et à la deuxième personne du singulier de l'impératif, qui se prononcent [è].
- Le tréma exclut l'accent circonflexe au passé simple et au subjonctif imparfait.

LES VERBES IRRÉGULIERS

liste des verbes irréguliers

Ces verbes sont classés dans le même ordre que celui des tableaux de conjugaison où se trouve entièrement conjugué soit le verbe lui-même, soit le verbe type (en vert) qui lui sert de modèle, à l'auxiliaire près.

108 aller
109 tenir
abstenir (s')
appartenir
contenir
détenir
entretenir
maintenir
obtenir
retenir
soutenir
venir
advenir
bienvenir
circonvenir
contrevenir
convenir
devenir
disconvenir
intervenir
obvenir
parvenir
prévenir
provenir
redevenir
ressouvenir (se)
revenir
souvenir
subvenir
survenir

110 acquérir
conquérir
enquérir (s')
quérir
reconquérir
requérir
111 sentir
consentir
pressentir
ressentir
mentir
démentir
partir
départir
repartir
répartir[1]
repentir (se)
sortir
ressortir[2]
112 vêtir[3]
dévêtir
revêtir
survêtir
113 couvrir
découvrir
redécouvrir
recouvrir
ouvrir
entrouvrir
rentrouvrir
rouvrir
offrir
souffrir

114 cueillir
accueillir
recueillir
115 assaillir
saillir[4]
tressaillir
défaillir
116 faillir
117 bouillir
débouillir
racabouillir
rebouillir
118 dormir
endormir
rendormir
119 courir
accourir
concourir
discourir
encourir
parcourir
recourir
secourir
120 mourir
121 servir[5]
desservir
resservir
122 fuir
enfuir (s')
123 ouïr
124 gésir

125 recevoir
apercevoir
concevoir
décevoir
entrapercevoir
percevoir
126 voir
entrevoir
prévoir[6]
revoir
127 pourvoir
dépourvoir
128 savoir
129 devoir
redevoir
130 pouvoir
131 émouvoir
mouvoir
promouvoir
132 pleuvoir
repleuvoir
133 falloir
134 valoir
équivaloir
prévaloir
revaloir
135 vouloir
revouloir
136 seoir/soir
137 asseoir/assoir
rasseoir/rassoir
138 messeoir/messoir

1. Le verbe **répartir** au sens de «distribuer» se conjugue sur le modèle de **finir** (→ tableau 106).
2. Le verbe **ressortir** au sens de «être du ressort de» se conjugue sur le modèle de **finir** (→ tableau 106).
3. **Vêtir** a des variantes que ses composés ignorent.
4. Le verbe **saillir** a plusieurs modèles de conjugaison (→ notes au tableau 115).
5. **Asservir** se conjugue sur le modèle de **finir** (→ tableau 106).
6. **Prévoir** a un futur et un conditionnel réguliers (comme **pourvoir**).

139 surseoir/sursoir
140 choir
141 échoir
142 déchoir
143 rendre
défendre
descendre
condescendre
redescendre
fendre
pourfendre
refendre
pendre
appendre
dépendre
rependre
suspendre
tendre
attendre
détendre
distendre
entendre
étendre
prétendre
réentendre
retendre
sous-entendre
sous-tendre
vendre
mévendre
revendre
épandre
répandre
fondre
confondre
morfondre (se)
parfondre
refondre
tréfondre
pondre
répondre
correspondre
tondre
retondre
surtondre
perdre
éperdre
reperdre
mordre
démordre
remordre
tordre
détordre
distordre
retordre
sourdre[1]
144 prendre
apprendre
comprendre
déprendre (se)
désapprendre
entreprendre
éprendre (s')
méprendre (se)
r(é)apprendre
reprendre
surprendre
145 rompre
corrompre
interrompre
foutre
contrefoutre (se)
refoutre
146 battre
abattre
combattre
contrebattre
débattre
ébattre (s')
embattre
entrebattre (s')
rabattre
rebattre
soubattre
147 mettre
admettre
commettre
compromettre
décommettre
démettre
émettre
entremettre (s')
mainmettre
omettre
permettre
promettre
réadmettre
remettre
retransmettre
soumettre
télétransmettre
transmettre
148 peindre
dépeindre
repeindre
astreindre
épreindre
étreindre
restreindre
retreindre
rétreindre
atteindre
ceindre
enceindre
empreindre
enfreindre
feindre
geindre
teindre
déteindre
éteindre
reteindre
aveindre
149 joindre
adjoindre
conjoindre
disjoindre
enjoindre
rejoindre
oindre
poindre
150 craindre
contraindre
plaindre
151 vaincre
convaincre
152 traire
abstraire
distraire
extraire
rentraire
retraire
raire
soustraire
braire
153 faire
contrefaire
défaire
forfaire
malfaire
méfaire
parfaire
redéfaire
refaire
satisfaire
stupéfaire
surfaire

1. **Sourdre** est défectif.

154 plaire
complaire
déplaire
taire[1]
155 paraître/paraitre
apparaître/
apparaitre
comparaître/
comparaitre
disparaître/
disparaitre
réapparaître/
réapparaitre
recomparaître/
recomparaitre
reparaître/
reparaitre
transparaître/
transparaitre
connaître/
connaitre
méconnaître/
méconnaitre
reconnaître/
reconnaitre
156 naître/naitre
renaître/
renaitre
157 paître/paitre
158 repaître/
repaitre
159 décroître/
décroitre
accroître/
accroitre
recroître/
recroitre
160 croître/croitre
161 croire
accroire[2]
mécroire
162 boire
emboire (s')
163 clore[3]
déclore
éclore
enclore
forclore
reclore
164 exclure
conclure
165 inclure
occlure
reclure
166 absoudre
dissoudre
167 résoudre
168 coudre
découdre
recoudre
169 moudre
émoudre
remoudre
170 suivre
ensuivre (s')
poursuivre
171 vivre
revivre
survivre
172 lire
élire
réélire
relire
173 dire[4, 5]
adire (s')
contredire
dédire
interdire
médire
prédire
redire[5]
174 rire
sourire
175 écrire
circonscrire
décrire
désinscrire
inscrire
prescrire
proscrire
récrire
réécrire
réinscrire
retranscrire
souscrire
transcrire
176 confire
déconfire
circoncire[6]
frire
suffire[7]
177 cuire
décuire
précuire
recuire
conduire
coproduire
déduire
éconduire
enduire
induire
introduire
méconduire (se)
produire
reconduire
réduire
réintroduire
reproduire
retraduire
séduire
surproduire
traduire
autodétruire (s')
construire
déconstruire
détruire
entredétruire (s')
instruire
reconstruire
nuire[8]
entrenuire (s')[8]
178 luire
reluire

1. **Taire** ne prend jamais d'accent circonflexe à la 3e personne du singulier de l'indicatif présent.
2. **Accroire** s'utilise uniquement à l'infinitif.
3. Certains verbes de cette famille ont une variante sans accent circonflexe au présent (par exemple : *il éclôt* ou *il éclot*).
4. **Maudire** se conjugue sur le modèle de **finir**.
5. **Dire** et **redire** sont les deux seuls verbes de cette famille qui font *vous (re)dites.*
6. **Circoncire** a un participe passé en **-is** : *circoncis, circoncise, circoncises.*
7. **Suffire** a un participe passé invariable en **-i** : *suffi.*
8. **Nuire** et **entrenuire** ont un participe passé invariable en **-i** : *nui, entrenui.*

INDICATIF

Présent		Passé composé		
je	vais	je	suis	allé
tu	vas	tu	es	allé
elle	va	elle	est	allée
nous	allons	nous	sommes	allés
vous	allez	vous	êtes	allés
ils	vont	ils	sont	allés

Imparfait		Plus-que-parfait		
j'	allais	j'	étais	allé
tu	allais	tu	étais	allé
elle	allait	elle	était	allée
nous	allions	nous	étions	allés
vous	alliez	vous	étiez	allés
ils	allaient	ils	étaient	allés

Passé simple		Passé antérieur		
j'	allai	je	fus	allé
tu	allas	tu	fus	allé
elle	alla	elle	fut	allée
nous	allâmes	nous	fûmes	allés
vous	allâtes	vous	fûtes	allés
ils	allèrent	ils	furent	allés

Futur simple		Futur antérieur		
j'	irai	je	serai	allé
tu	iras	tu	seras	allé
elle	ira	elle	sera	allée
nous	irons	nous	serons	allés
vous	irez	vous	serez	allés
ils	iront	ils	seront	allés

Conditionnel présent		Conditionnel passé		
j'	irais	je	serais	allé
tu	irais	tu	serais	allé
elle	irait	elle	serait	allée
nous	irions	nous	serions	allés
vous	iriez	vous	seriez	allés
ils	iraient	ils	seraient	allés

SUBJONCTIF

Présent		Passé		
que j'	aille	que je	sois	allé
que tu	ailles	que tu	sois	allé
qu' elle	aille	qu' elle	soit	allée
que n.	allions	que n.	soyons	allés
que v.	alliez	que v.	soyez	allés
qu' ils	aillent	qu' ils	soient	allés

Imparfait		Plus-que-parfait		
que j'	allasse	que je	fusse	allé
que tu	allasses	que tu	fusses	allé
qu' elle	allât	qu' elle	fût	allée
que n.	allassions	que n.	fussions	allés
que v.	allassiez	que v.	fussiez	allés
qu' ils	allassent	qu' ils	fussent	allés

IMPÉRATIF

Présent	Passé	
va	sois	allé
allons	soyons	allés
allez	soyez	allés

INFINITIF

Présent	Passé
aller	être allé

PARTICIPE

Présent	Passé (composé)
allant	étant allé
	Passé
	allé

Conditionnel passé 2e forme : mêmes formes que le plus-que-parfait du subjonctif.
Forme surcomposée : *j'ai été allé* (→ Grammaire du verbe, paragraphes 4, 56, 70).
Futur proche : *je vais aller* (→ Grammaire du verbe, paragraphes 5, 62).

- Remarquer l'emploi de l'auxiliaire **être** dans les temps composés.
- À l'impératif, devant le pronom **-y** complément du verbe *aller*, **va** prend un **s** euphonique : *vas-y*, mais : *va y mettre bon ordre*. À la forme interrogative, on écrit : *Va-t-il ?* comme : *Aima-t-il ?* (→ Grammaire du verbe, paragraphe 19).
- **S'en aller** se conjugue comme **aller**. Aux temps composés, on met l'auxiliaire **être** entre **en** et **allé** : *je m'en suis allé*, et non ⊗ *je me suis en allé*. L'impératif est : *va-t'en* (avec élision de l'**e** du pronom réfléchi **te**), *allons-nous-en*, *allez-vous-en*.

tenir

INDICATIF

Présent		Passé composé		
je	tiens	j'	ai	tenu
tu	tiens	tu	as	tenu
elle	tient	elle	a	tenu
nous	tenons	nous	avons	tenu
vous	tenez	vous	avez	tenu
ils	tiennent	ils	ont	tenu

Imparfait		Plus-que-parfait		
je	tenais	j'	avais	tenu
tu	tenais	tu	avais	tenu
elle	tenait	elle	avait	tenu
nous	tenions	nous	avions	tenu
vous	teniez	vous	aviez	tenu
ils	tenaient	ils	avaient	tenu

Passé simple		Passé antérieur		
je	tins	j'	eus	tenu
tu	tins	tu	eus	tenu
elle	tint	elle	eut	tenu
nous	tînmes	nous	eûmes	tenu
vous	tîntes	vous	eûtes	tenu
ils	tinrent	ils	eurent	tenu

Futur simple		Futur antérieur		
je	tiendrai	j'	aurai	tenu
tu	tiendras	tu	auras	tenu
elle	tiendra	elle	aura	tenu
nous	tiendrons	nous	aurons	tenu
vous	tiendrez	vous	aurez	tenu
ils	tiendront	ils	auront	tenu

Conditionnel présent		Conditionnel passé		
je	tiendrais	j'	aurais	tenu
tu	tiendrais	tu	aurais	tenu
elle	tiendrait	elle	aurait	tenu
nous	tiendrions	nous	aurions	tenu
vous	tiendriez	vous	auriez	tenu
ils	tiendraient	ils	auraient	tenu

SUBJONCTIF

Présent		Passé		
que je	tienne	que j'	aie	tenu
que tu	tiennes	que tu	aies	tenu
qu' elle	tienne	qu' elle	ait	tenu
que n.	tenions	que n.	ayons	tenu
que v.	teniez	que v.	ayez	tenu
qu' ils	tiennent	qu' ils	aient	tenu

Imparfait		Plus-que-parfait		
que je	tinsse	que j'	eusse	tenu
que tu	tinsses	que tu	eusses	tenu
qu' elle	tînt	qu' elle	eût	tenu
que n.	tinssions	que n.	eussions	tenu
que v.	tinssiez	que v.	eussiez	tenu
qu' ils	tinssent	qu' ils	eussent	tenu

IMPÉRATIF

Présent	Passé	
tiens	aie	tenu
tenons	ayons	tenu
tenez	ayez	tenu

INFINITIF

Présent	Passé
tenir	avoir tenu

PARTICIPE

Présent	Passé (composé)
tenant	ayant tenu
	Passé
	tenu

Conditionnel passé 2e forme : mêmes formes que le plus-que-parfait du subjonctif.
Forme surcomposée : *j'ai eu tenu* (→ Grammaire du verbe, paragraphes 4, 56, 70).
Futur proche : *je vais tenir* (→ Grammaire du verbe, paragraphes 5, 62).

- **Tenir**, **venir** et leurs composés se conjuguent sur ce modèle (→ Liste des verbes irréguliers, p. 120 à 122).
- **Venir** et ses composés prennent l'auxiliaire **être**, sauf **circonvenir**, **contrevenir**, **prévenir** et **subvenir**. Le verbe **disconvenir** accepte les deux auxiliaires **avoir** et **être**. Le verbe **convenir** prend **avoir**, mais accepte **être** (littéraire) avec **convenir de**.
- **Advenir** n'est employé qu'à la 3e personne du singulier et du pluriel ; les temps composés se forment avec l'auxiliaire **être** : *il est advenu*.
- De l'ancien verbe **avenir**, il ne subsiste que le nom (*l'avenir*) et l'adjectif (*avenant, avenante*).

INDICATIF

Présent		Passé composé		
j'	acquiers	j'	ai	acquis
tu	acquiers	tu	as	acquis
elle	acquiert	elle	a	acquis
nous	acquérons	nous	avons	acquis
vous	acquérez	vous	avez	acquis
ils	acquièrent	ils	ont	acquis

Imparfait		Plus-que-parfait		
j'	acquérais	j'	avais	acquis
tu	acquérais	tu	avais	acquis
elle	acquérait	elle	avait	acquis
nous	acquérions	nous	avions	acquis
vous	acquériez	vous	aviez	acquis
ils	acquéraient	ils	avaient	acquis

Passé simple		Passé antérieur		
j'	acquis	j'	eus	acquis
tu	acquis	tu	eus	acquis
elle	acquit	elle	eut	acquis
nous	acquîmes	nous	eûmes	acquis
vous	acquîtes	vous	eûtes	acquis
ils	acquirent	ils	eurent	acquis

Futur simple		Futur antérieur		
j'	acquerrai	j'	aurai	acquis
tu	acquerras	tu	auras	acquis
elle	acquerra	elle	aura	acquis
nous	acquerrons	nous	aurons	acquis
vous	acquerrez	vous	aurez	acquis
ils	acquerront	ils	auront	acquis

Conditionnel présent		Conditionnel passé		
j'	acquerrais	j'	aurais	acquis
tu	acquerrais	tu	aurais	acquis
elle	acquerrait	elle	aurait	acquis
nous	acquerrions	nous	aurions	acquis
vous	acquerriez	vous	auriez	acquis
ils	acquerraient	ils	auraient	acquis

SUBJONCTIF

Présent		Passé		
que j'	acquière	que j'	aie	acquis
que tu	acquières	que tu	aies	acquis
qu'elle	acquière	qu'elle	ait	acquis
que n.	acquérions	que n.	ayons	acquis
que v.	acquériez	que v.	ayez	acquis
qu' ils	acquièrent	qu' ils	aient	acquis

Imparfait		Plus-que-parfait		
que j'	acquisse	que j'	eusse	acquis
que tu	acquisses	que tu	eusses	acquis
qu'elle	acquît	qu'elle	eût	acquis
que n.	acquissions	que n.	eussions	acquis
que v.	acquissiez	que v.	eussiez	acquis
qu' ils	acquissent	qu' ils	eussent	acquis

IMPÉRATIF

Présent	Passé	
acquiers	aie	acquis
acquérons	ayons	acquis
acquérez	ayez	acquis

INFINITIF

Présent	Passé
acquérir	avoir acquis

PARTICIPE

Présent	Passé (composé)
acquérant	ayant acquis
	Passé
	acquis

Conditionnel passé 2e forme : mêmes formes que le plus-que-parfait du subjonctif.
Forme surcomposée : *j'ai eu acquis* (→ Grammaire du verbe, paragraphes 4, 56, 70).
Futur proche : *je vais acquérir* (→ Grammaire du verbe, paragraphes 5, 62).

- Les composés de **quérir** se conjuguent sur ce modèle (→ Liste des verbes irréguliers, p. 120 à 122).
- Le verbe **quérir** ne s'utilise qu'à l'infinitif.
- Ne pas confondre le participe substantivé **acquis** (*avoir de l'acquis*) avec le substantif verbal **acquit** de **acquitter** (*par acquit, pour acquit*). Noter la subsistance d'une forme ancienne dans la locution *à enquerre* (seulement à l'infinitif).
- Remarquer le redoublement du **r** au futur et au conditionnel présent, ainsi que l'absence d'accent sur le **e** dans ce cas : *j'acquerrai, j'acquerrais.*

111 sentir

INDICATIF

Présent		Passé composé		
je	sens	j'	ai	senti
tu	sens	tu	as	senti
elle	sent	elle	a	senti
nous	sentons	nous	avons	senti
vous	sentez	vous	avez	senti
ils	sentent	ils	ont	senti

Imparfait		Plus-que-parfait		
je	sentais	j'	avais	senti
tu	sentais	tu	avais	senti
elle	sentait	elle	avait	senti
nous	sentions	nous	avions	senti
vous	sentiez	vous	aviez	senti
ils	sentaient	ils	avaient	senti

Passé simple		Passé antérieur		
je	sentis	j'	eus	senti
tu	sentis	tu	eus	senti
elle	sentit	elle	eut	senti
nous	sentîmes	nous	eûmes	senti
vous	sentîtes	vous	eûtes	senti
ils	sentirent	ils	eurent	senti

Futur simple		Futur antérieur		
je	sentirai	j'	aurai	senti
tu	sentiras	tu	auras	senti
elle	sentira	elle	aura	senti
nous	sentirons	nous	aurons	senti
vous	sentirez	vous	aurez	senti
ils	sentiront	ils	auront	senti

Conditionnel présent		Conditionnel passé		
je	sentirais	j'	aurais	senti
tu	sentirais	tu	aurais	senti
elle	sentirait	elle	aurait	senti
nous	sentirions	nous	aurions	senti
vous	sentiriez	vous	auriez	senti
ils	sentiraient	ils	auraient	senti

SUBJONCTIF

Présent		Passé		
que je	sente	que j'	aie	senti
que tu	sentes	que tu	aies	senti
qu' elle	sente	qu' elle	ait	senti
que n.	sentions	que n.	ayons	senti
que v.	sentiez	que v.	ayez	senti
qu' ils	sentent	qu' ils	aient	senti

Imparfait		Plus-que-parfait		
que je	sentisse	que j'	eusse	senti
que tu	sentisses	que tu	eusses	senti
qu' elle	sentît	qu' elle	eût	senti
que n.	sentissions	que n.	eussions	senti
que v.	sentissiez	que v.	eussiez	senti
qu' ils	sentissent	qu' ils	eussent	senti

IMPÉRATIF

Présent	Passé	
sens	aie	senti
sentons	ayons	senti
sentez	ayez	senti

INFINITIF

Présent	Passé
sentir	avoir senti

PARTICIPE

Présent	Passé (composé)
sentant	ayant senti
	Passé
	senti

Conditionnel passé 2e forme : mêmes formes que le plus-que-parfait du subjonctif.
Forme surcomposée : *j'ai eu senti* (→ Grammaire du verbe, paragraphes 4, 56, 70).
Futur proche : *je vais sentir* (→ Grammaire du verbe, paragraphes 5, 62).

- **Mentir**, **sentir**, **partir**, **se repentir**, **sortir** et leurs composés se conjuguent sur ce modèle (→ Liste des verbes irréguliers, p. 120 à 122). Certains de ces verbes se conjuguent avec l'auxiliaire **être**.
- Le participe passé *menti* est invariable, mais *démenti* s'accorde (*démentie*, *démentis*, *démenties*).

INDICATIF

Présent		Passé composé		
je	vêts	j'	ai	vêtu
tu	vêts	tu	as	vêtu
elle	vêt	elle	a	vêtu
nous	vêtons	nous	avons	vêtu
vous	vêtez	vous	avez	vêtu
ils	vêtent	ils	ont	vêtu
Imparfait		**Plus-que-parfait**		
je	vêtais	j'	avais	vêtu
tu	vêtais	tu	avais	vêtu
elle	vêtait	elle	avait	vêtu
nous	vêtions	nous	avions	vêtu
vous	vêtiez	vous	aviez	vêtu
ils	vêtaient	ils	avaient	vêtu
Passé simple		**Passé antérieur**		
je	vêtis	j'	eus	vêtu
tu	vêtis	tu	eus	vêtu
elle	vêtit	elle	eut	vêtu
nous	vêtîmes	nous	eûmes	vêtu
vous	vêtîtes	vous	eûtes	vêtu
ils	vêtirent	ils	eurent	vêtu
Futur simple		**Futur antérieur**		
je	vêtirai	j'	aurai	vêtu
tu	vêtiras	tu	auras	vêtu
elle	vêtira	elle	aura	vêtu
nous	vêtirons	nous	aurons	vêtu
vous	vêtirez	vous	aurez	vêtu
ils	vêtiront	ils	auront	vêtu
Conditionnel présent		**Conditionnel passé**		
je	vêtirais	j'	aurais	vêtu
tu	vêtirais	tu	aurais	vêtu
elle	vêtirait	elle	aurait	vêtu
nous	vêtirions	nous	aurions	vêtu
vous	vêtiriez	vous	auriez	vêtu
ils	vêtiraient	ils	auraient	vêtu

SUBJONCTIF

Présent		Passé		
que je	vête	que j'	aie	vêtu
que tu	vêtes	que tu	aies	vêtu
qu'elle	vête	qu'elle	ait	vêtu
que n.	vêtions	que n.	ayons	vêtu
que v.	vêtiez	que v.	ayez	vêtu
qu' ils	vêtent	qu' ils	aient	vêtu
Imparfait		**Plus-que-parfait**		
que je	vêtisse	que j'	eusse	vêtu
que tu	vêtisses	que tu	eusses	vêtu
qu'elle	vêtît	qu'elle	eût	vêtu
que n.	vêtissions	que n.	eussions	vêtu
que v.	vêtissiez	que v.	eussiez	vêtu
qu' ils	vêtissent	qu' ils	eussent	vêtu

IMPÉRATIF

Présent	Passé	
vêts	aie	vêtu
vêtons	ayons	vêtu
vêtez	ayez	vêtu

INFINITIF

Présent	Passé
vêtir	avoir vêtu

PARTICIPE

Présent	Passé (composé)
vêtant	ayant vêtu
	Passé
	vêtu

Conditionnel passé 2e forme : mêmes formes que le plus-que-parfait du subjonctif.
Forme surcomposée : *j'ai eu vêtu* (→ Grammaire du verbe, paragraphes 4, 56, 70).
Futur proche : *je vais vêtir* (→ Grammaire du verbe, paragraphes 5, 62).

- **Dévêtir**, **survêtir** et **revêtir** se conjuguent sur ce modèle.
- Concurremment aux formes données dans le tableau, on trouve également certaines formes de **vêtir** conjuguées sur le modèle de **finir** : à l'indicatif présent (*je vêtis*), au subjonctif présent (*que je vêtisse*), à l'indicatif imparfait (*je vêtissais*), à l'impératif présent (*vêtis-toi*, *vêtissons-nous*) et au participe présent (*vêtissant*). Cependant, dans les composés (**dévêtir**, **revêtir**, **survêtir**), les formes du tableau sont les seules admises : *il revêt*, *dévêts-toi*, *survêtant.*

113 verbes en -vrir et -frir | couvrir

INDICATIF

Présent		Passé composé		
je	couvre	j'	ai	couvert
tu	couvres	tu	as	couvert
elle	couvre	elle	a	couvert
nous	couvrons	nous	avons	couvert
vous	couvrez	vous	avez	couvert
ils	couvrent	ils	ont	couvert
Imparfait		**Plus-que-parfait**		
je	couvrais	j'	avais	couvert
tu	couvrais	tu	avais	couvert
elle	couvrait	elle	avait	couvert
nous	couvrions	nous	avions	couvert
vous	couvriez	vous	aviez	couvert
ils	couvraient	ils	avaient	couvert
Passé simple		**Passé antérieur**		
je	couvris	j'	eus	couvert
tu	couvris	tu	eus	couvert
elle	couvrit	elle	eut	couvert
nous	couvrîmes	nous	eûmes	couvert
vous	couvrîtes	vous	eûtes	couvert
ils	couvrirent	ils	eurent	couvert
Futur simple		**Futur antérieur**		
je	couvrirai	j'	aurai	couvert
tu	couvriras	tu	auras	couvert
elle	couvrira	elle	aura	couvert
nous	couvrirons	nous	aurons	couvert
vous	couvrirez	vous	aurez	couvert
ils	couvriront	ils	auront	couvert
Conditionnel présent		**Conditionnel passé**		
je	couvrirais	j'	aurais	couvert
tu	couvrirais	tu	aurais	couvert
elle	couvrirait	elle	aurait	couvert
nous	couvririons	nous	aurions	couvert
vous	couvririez	vous	auriez	couvert
ils	couvriraient	ils	auraient	couvert

SUBJONCTIF

Présent		Passé		
que je	couvre	que j'	aie	couvert
que tu	couvres	que tu	aies	couvert
qu'elle	couvre	qu'elle	ait	couvert
que n.	couvrions	que n.	ayons	couvert
que v.	couvriez	que v.	ayez	couvert
qu' ils	couvrent	qu' ils	aient	couvert
Imparfait		**Plus-que-parfait**		
que je	couvrisse	que j'	eusse	couvert
que tu	couvrisses	que tu	eusses	couvert
qu'elle	couvrît	qu'elle	eût	couvert
que n.	couvrissions	que n.	eussions	couvert
que v.	couvrissiez	que v.	eussiez	couvert
qu' ils	couvrissent	qu' ils	eussent	couvert

IMPÉRATIF

Présent	Passé	
couvre	aie	couvert
couvrons	ayons	couvert
couvrez	ayez	couvert

INFINITIF

Présent	Passé
couvrir	avoir couvert

PARTICIPE

Présent	Passé (composé)
couvrant	ayant couvert
	Passé
	couvert

Conditionnel passé 2e forme : mêmes formes que le plus-que-parfait du subjonctif.
Forme surcomposée : *j'ai eu couvert* (→ Grammaire du verbe, paragraphes 4, 56, 70).
Futur proche : *je vais couvrir* (→ Grammaire du verbe, paragraphes 5, 62).

- Ainsi se conjuguent **couvrir**, **ouvrir**, **souffrir**, **offrir** et leurs composés (→ Liste des verbes irréguliers, p. 120 à 122).
- Remarquer l'analogie des terminaisons du présent de l'indicatif, de l'impératif et du subjonctif avec celles des verbes en **-er**.

INDICATIF

Présent		Passé composé		
je	cueille	j'	ai	cueilli
tu	cueilles	tu	as	cueilli
elle	cueille	elle	a	cueilli
nous	cueillons	nous	avons	cueilli
vous	cueillez	vous	avez	cueilli
ils	cueillent	ils	ont	cueilli
Imparfait		**Plus-que-parfait**		
je	cueillais	j'	avais	cueilli
tu	cueillais	tu	avais	cueilli
elle	cueillait	elle	avait	cueilli
nous	cueillions	nous	avions	cueilli
vous	cueilliez	vous	aviez	cueilli
ils	cueillaient	ils	avaient	cueilli
Passé simple		**Passé antérieur**		
je	cueillis	j'	eus	cueilli
tu	cueillis	tu	eus	cueilli
elle	cueillit	elle	eut	cueilli
nous	cueillîmes	nous	eûmes	cueilli
vous	cueillîtes	vous	eûtes	cueilli
ils	cueillirent	ils	eurent	cueilli
Futur simple		**Futur antérieur**		
je	cueillerai	j'	aurai	cueilli
tu	cueilleras	tu	auras	cueilli
elle	cueillera	elle	aura	cueilli
nous	cueillerons	nous	aurons	cueilli
vous	cueillerez	vous	aurez	cueilli
ils	cueilleront	ils	auront	cueilli
Conditionnel présent		**Conditionnel passé**		
je	cueillerais	j'	aurais	cueilli
tu	cueillerais	tu	aurais	cueilli
elle	cueillerait	elle	aurait	cueilli
nous	cueillerions	nous	aurions	cueilli
vous	cueilleriez	vous	auriez	cueilli
ils	cueilleraient	ils	auraient	cueilli

SUBJONCTIF

Présent		Passé		
que je	cueille	que j'	aie	cueilli
que tu	cueilles	que tu	aies	cueilli
qu' elle	cueille	qu' elle	ait	cueilli
que n.	cueillions	que n.	ayons	cueilli
que v.	cueilliez	que v.	ayez	cueilli
qu' ils	cueillent	qu' ils	aient	cueilli
Imparfait		**Plus-que-parfait**		
que je	cueillisse	que j'	eusse	cueilli
que tu	cueillisses	que tu	eusses	cueilli
qu' elle	cueillît	qu' elle	eût	cueilli
que n.	cueillissions	que n.	eussions	cueilli
que v.	cueillissiez	que v.	eussiez	cueilli
qu' ils	cueillissent	qu' ils	eussent	cueilli

IMPÉRATIF

Présent	Passé	
cueille	aie	cueilli
cueillons	ayons	cueilli
cueillez	ayez	cueilli

INFINITIF

Présent	Passé
cueillir	avoir cueilli

PARTICIPE

Présent	Passé (composé)
cueillant	ayant cueilli
	Passé
	cueilli

Conditionnel passé 2e forme : mêmes formes que le plus-que-parfait du subjonctif.
Forme surcomposée : *j'ai eu cueilli* (→ Grammaire du verbe, paragraphes 4, 56, 70).
Futur proche : *je vais cueillir* (→ Grammaire du verbe, paragraphes 5, 62).

- **Accueillir** et **recueillir** se conjuguent sur ce modèle.
- Remarquer l'analogie des terminaisons de ce verbe avec celles des verbes en **-er**, en particulier au futur et au conditionnel présent : *je cueillerai* comme *j'aimerai*. (Mais le passé simple est *je cueillis*, différent de *j'aimai*.)

115 assaillir

INDICATIF

Présent		Passé composé		
j'	assaille	j'	ai	assailli
tu	assailles	tu	as	assailli
elle	assaille	elle	a	assailli
nous	assaillons	nous	avons	assailli
vous	assaillez	vous	avez	assailli
ils	assaillent	ils	ont	assailli

Imparfait		Plus-que-parfait		
j'	assaillais	j'	avais	assailli
tu	assaillais	tu	avais	assailli
elle	assaillait	elle	avait	assailli
nous	assaillions	nous	avions	assailli
vous	assailliez	vous	aviez	assailli
ils	assaillaient	ils	avaient	assailli

Passé simple		Passé antérieur		
j'	assaillis	j'	eus	assailli
tu	assaillis	tu	eus	assailli
elle	assaillit	elle	eut	assailli
nous	assaillîmes	nous	eûmes	assailli
vous	assaillîtes	vous	eûtes	assailli
ils	assaillirent	ils	eurent	assailli

Futur simple		Futur antérieur		
j'	assaillirai[1]	j'	aurai	assailli
tu	assailliras	tu	auras	assailli
elle	assaillira	elle	aura	assailli
nous	assaillirons	nous	aurons	assailli
vous	assaillirez	vous	aurez	assailli
ils	assailliront	ils	auront	assailli

Conditionnel présent		Conditionnel passé		
j'	assaillirais[1]	j'	aurais	assailli
tu	assaillirais	tu	aurais	assailli
elle	assaillirait	elle	aurait	assailli
nous	assaillirions	nous	aurions	assailli
vous	assailliriez	vous	auriez	assailli
ils	assailliraient	ils	auraient	assailli

SUBJONCTIF

Présent		Passé		
que j'	assaille	que j'	aie	assailli
que tu	assailles	que tu	aies	assailli
qu' elle	assaille	qu' elle	ait	assailli
que n.	assaillions	que n.	ayons	assailli
que v.	assailliez	que v.	ayez	assailli
qu' ils	assaillent	qu' ils	aient	assailli

Imparfait		Plus-que-parfait		
que j'	assaillisse	que j'	eusse	assailli
que tu	assaillisses	que tu	eusses	assailli
qu' elle	assaillît	qu' elle	eût	assailli
que n.	assaillissions	que n.	eussions	assailli
que v.	assaillissiez	que v.	eussiez	assailli
qu' ils	assaillissent	qu' ils	eussent	assailli

IMPÉRATIF

Présent	Passé	
assaille	aie	assailli
assaillons	ayons	assailli
assaillez	ayez	assailli

INFINITIF

Présent	Passé
assaillir	avoir assailli

PARTICIPE

Présent	Passé (composé)
assaillant	ayant assailli
	Passé
	assailli

1. **Saillir** a une conjugaison différente au futur et au conditionnel : *il saillera, il saillerait*…

Conditionnel passé 2e forme : mêmes formes que le plus-que-parfait du subjonctif.
Forme surcomposée : *j'ai eu assailli* (→ Grammaire du verbe, paragraphes 4, 56, 70).
Futur proche : *je vais assaillir* (→ Grammaire du verbe, paragraphes 5, 62).

- **Tressaillir** et **défaillir** se conjuguent sur ce modèle.
- **Saillir** ne s'utilise qu'aux 3es personnes, à l'infinitif et au participe présent. De plus :
  au sens de « déborder, s'avancer, faire saillie », il se conjugue sur le modèle d'**assaillir** (attention cependant à l'exception du futur et du conditionnel) ;
  — au sens de « se précipiter hors, jaillir avec force » et au sens de « s'accoupler », il se conjugue sur le modèle de **finir** (→ tableau 106).

INDICATIF

Présent			Passé composé		
je	faillis	/ *faux*	j'	ai	failli
tu	faillis	/ *faux*	tu	as	failli
elle	faillit	/ *faut*	elle	a	failli
nous	faillissons	/ *faillons*	nous	avons	failli
vous	faillissez	/ *faillez*	vous	avez	failli
ils	faillissent	/ *faillent*	ils	ont	failli

Imparfait			Plus-que-parfait		
je	faillissais	/ *faillais*	j'	avais	failli
tu	faillissais	/ *faillais*	tu	avais	failli
elle	faillissait	/ *faillait*	elle	avait	failli
nous	faillissions	/ *faillions*	nous	avions	failli
vous	faillissiez	/ *failliez*	vous	aviez	failli
ils	faillissaient	/ *faillaient*	ils	avaient	failli

Passé simple		Passé antérieur		
je	faillis	j'	eus	failli
tu	faillis	tu	eus	failli
elle	faillit	elle	eut	failli
nous	faillîmes	nous	eûmes	failli
vous	faillîtes	vous	eûtes	failli
ils	faillirent	ils	eurent	failli

Futur simple			Futur antérieur		
je	faillirai	/ *faudrai*	j'	aurai	failli
tu	failliras	/ *faudras*	tu	auras	failli
elle	faillira	/ *faudra*	elle	aura	failli
nous	faillirons	/ *faudrons*	nous	aurons	failli
vous	faillirez	/ *faudrez*	vous	aurez	failli
ils	failliront	/ *faudront*	ils	auront	failli

Conditionnel présent			Conditionnel passé		
je	faillirais	/ *faudrais*	j'	aurais	failli
tu	faillirais	/ *faudrais*	tu	aurais	failli
elle	faillirait	/ *faudrait*	elle	aurait	failli
nous	faillirions	/ *faudrions*	nous	aurions	failli
vous	failliriez	/ *faudriez*	vous	auriez	failli
ils	failliraient	/ *faudraient*	ils	auraient	failli

SUBJONCTIF

Présent			Passé		
que je	faillisse	/ *faille*	que j'	aie	failli
que tu	faillisses	/ *failles*	que tu	aies	failli
qu' elle	faillisse	/ *faille*	qu' elle	ait	failli
que n.	faillissions	/ *faillions*	que n.	ayons	failli
que v.	faillissiez	/ *failliez*	que v.	ayez	failli
qu' ils	faillissent	/ *faillent*	qu' ils	aient	failli

Imparfait		Plus-que-parfait		
que je	*faillisse*	que j'	eusse	failli
que tu	*faillisses*	que tu	eusses	failli
qu' elle	*faillît*	qu' elle	eût	failli
que n.	*faillissions*	que n.	eussions	failli
que v.	*faillissiez*	que v.	eussiez	failli
qu' ils	*faillissent*	qu' ils	eussent	failli

IMPÉRATIF

Présent		Passé	
faillis	/ *faux*	aie	failli
faillissons	/ *faillons*	ayons	failli
faillissez	/ *faillez*	ayez	failli

INFINITIF

Présent	Passé
faillir	avoir failli

PARTICIPE

Présent	Passé (composé)
faillissant / *faillant*	ayant failli
	Passé
	failli

Conditionnel passé 2e forme : mêmes formes que le plus-que-parfait du subjonctif.
Forme surcomposée : *j'ai eu failli* (→ Grammaire du verbe, paragraphes 4, 56, 70).
Futur proche : *je vais faillir* (→ Grammaire du verbe, paragraphes 5, 62).

- Ce verbe, qui était autrefois défectif, se conjugue maintenant plus souvent sur le modèle de **finir**. Les formes en italique sont tout à fait désuètes ou inusitées.
- Ce verbe peut signifier « être sur le point de, manquer de » : *j'ai failli tomber.*
- Il peut aussi signifier « faire défaut, manquer à » : *je ne faillirai jamais à mon devoir.* Dans ce sens, on trouve aussi des expressions toutes faites comme : *le cœur me faut.* Ne pas confondre avec **falloir** (→ tableau 133), qui fait aussi *il faut.*
- Au sens de « faire faillite », ce verbe n'est plus employé. L'adjectif *failli* et le nom *un failli* (en droit : « personne qui a fait faillite ») proviennent du participe passé dans ce sens ancien.
- Le verbe **défaillir** se conjugue sur le modèle d'**assaillir** (→ tableau 115).

117 bouillir

INDICATIF

Présent		Passé composé		
je	bous	j'	ai	bouilli
tu	bous	tu	as	bouilli
elle	bout	elle	a	bouilli
nous	bouillons	nous	avons	bouilli
vous	bouillez	vous	avez	bouilli
ils	bouillent	ils	ont	bouilli

Imparfait		Plus-que-parfait		
je	bouillais	j'	avais	bouilli
tu	bouillais	tu	avais	bouilli
elle	bouillait	elle	avait	bouilli
nous	bouillions	nous	avions	bouilli
vous	bouilliez	vous	aviez	bouilli
ils	bouillaient	ils	avaient	bouilli

Passé simple		Passé antérieur		
je	bouillis	j'	eus	bouilli
tu	bouillis	tu	eus	bouilli
elle	bouillit	elle	eut	bouilli
nous	bouillîmes	nous	eûmes	bouilli
vous	bouillîtes	vous	eûtes	bouilli
ils	bouillirent	ils	eurent	bouilli

Futur simple		Futur antérieur		
je	bouillirai	j'	aurai	bouilli
tu	bouilliras	tu	auras	bouilli
elle	bouillira	elle	aura	bouilli
nous	bouillirons	nous	aurons	bouilli
vous	bouillirez	vous	aurez	bouilli
ils	bouilliront	ils	auront	bouilli

Conditionnel présent		Conditionnel passé		
je	bouillirais	j'	aurais	bouilli
tu	bouillirais	tu	aurais	bouilli
elle	bouillirait	elle	aurait	bouilli
nous	bouillirions	nous	aurions	bouilli
vous	bouilliriez	vous	auriez	bouilli
ils	bouilliraient	ils	auraient	bouilli

SUBJONCTIF

Présent		Passé		
que je	bouille	que j'	aie	bouilli
que tu	bouilles	que tu	aies	bouilli
qu' elle	bouille	qu' elle	ait	bouilli
que n.	bouillions	que n.	ayons	bouilli
que v.	bouilliez	que v.	ayez	bouilli
qu' ils	bouillent	qu' ils	aient	bouilli

Imparfait		Plus-que-parfait		
que je	bouillisse	que j'	eusse	bouilli
que tu	bouillisses	que tu	eusses	bouilli
qu' elle	bouillît	qu' elle	eût	bouilli
que n.	bouillissions	que n.	eussions	bouilli
que v.	bouillissiez	que v.	eussiez	bouilli
qu' ils	bouillissent	qu' ils	eussent	bouilli

IMPÉRATIF

Présent	Passé	
bous	aie	bouilli
bouillons	ayons	bouilli
bouillez	ayez	bouilli

INFINITIF

Présent	Passé
bouillir	avoir bouilli

PARTICIPE

Présent	Passé (composé)
bouillant	ayant bouilli
	Passé
	bouilli

Conditionnel passé 2e forme : mêmes formes que le plus-que-parfait du subjonctif.
Forme surcomposée : *j'ai eu bouilli* (→ Grammaire du verbe, paragraphes 4, 56, 70).
Futur proche : *je vais bouillir* (→ Grammaire du verbe, paragraphes 5, 62).

- **Débouillir**, **racabouillir** et **rebouillir** se conjuguent sur ce modèle.

INDICATIF

Présent		Passé composé		
je	dors	j'	ai	dormi
tu	dors	tu	as	dormi
elle	dort	elle	a	dormi
nous	dormons	nous	avons	dormi
vous	dormez	vous	avez	dormi
ils	dorment	ils	ont	dormi

Imparfait		Plus-que-parfait		
je	dormais	j'	avais	dormi
tu	dormais	tu	avais	dormi
elle	dormait	elle	avait	dormi
nous	dormions	nous	avions	dormi
vous	dormiez	vous	aviez	dormi
ils	dormaient	ils	avaient	dormi

Passé simple		Passé antérieur		
je	dormis	j'	eus	dormi
tu	dormis	tu	eus	dormi
elle	dormit	elle	eut	dormi
nous	dormîmes	nous	eûmes	dormi
vous	dormîtes	vous	eûtes	dormi
ils	dormirent	ils	eurent	dormi

Futur simple		Futur antérieur		
je	dormirai	j'	aurai	dormi
tu	dormiras	tu	auras	dormi
elle	dormira	elle	aura	dormi
nous	dormirons	nous	aurons	dormi
vous	dormirez	vous	aurez	dormi
ils	dormiront	ils	auront	dormi

Conditionnel présent		Conditionnel passé		
je	dormirais	j'	aurais	dormi
tu	dormirais	tu	aurais	dormi
elle	dormirait	elle	aurait	dormi
nous	dormirions	nous	aurions	dormi
vous	dormiriez	vous	auriez	dormi
ils	dormiraient	ils	auraient	dormi

SUBJONCTIF

Présent		Passé		
que je	dorme	que j'	aie	dormi
que tu	dormes	que tu	aies	dormi
qu'elle	dorme	qu'elle	ait	dormi
que n.	dormions	que n.	ayons	dormi
que v.	dormiez	que v.	ayez	dormi
qu'ils	dorment	qu'ils	aient	dormi

Imparfait		Plus-que-parfait		
que je	dormisse	que j'	eusse	dormi
que tu	dormisses	que tu	eusses	dormi
qu'elle	dormît	qu'elle	eût	dormi
que n.	dormissions	que n.	eussions	dormi
que v.	dormissiez	que v.	eussiez	dormi
qu'ils	dormissent	qu'ils	eussent	dormi

IMPÉRATIF

Présent	Passé	
dors	aie	dormi
dormons	ayons	dormi
dormez	ayez	dormi

INFINITIF

Présent	Passé
dormir	avoir dormi

PARTICIPE

Présent	Passé (composé)
dormant	ayant dormi
	Passé
	dormi

Conditionnel passé 2e forme : mêmes formes que le plus-que-parfait du subjonctif.
Forme surcomposée : *j'ai eu dormi* (→ Grammaire du verbe, paragraphes 4, 56, 70).
Futur proche : *je vais dormir* (→ Grammaire du verbe, paragraphes 5, 62).

- **Endormir** et **rendormir** se conjuguent sur ce modèle. Ces deux verbes, contrairement à **dormir**, ont un participe passé variable : *(r)endormi, ie, is, ies*.

119 courir

INDICATIF

Présent		Passé composé		
je	cours	j'	ai	couru
tu	cours	tu	as	couru
elle	court	elle	a	couru
nous	courons	nous	avons	couru
vous	courez	vous	avez	couru
ils	courent	ils	ont	couru

Imparfait		Plus-que-parfait		
je	courais	j'	avais	couru
tu	courais	tu	avais	couru
elle	courait	elle	avait	couru
nous	courions	nous	avions	couru
vous	couriez	vous	aviez	couru
ils	couraient	ils	avaient	couru

Passé simple		Passé antérieur		
je	courus	j'	eus	couru
tu	courus	tu	eus	couru
elle	courut	elle	eut	couru
nous	courûmes	nous	eûmes	couru
vous	courûtes	vous	eûtes	couru
ils	coururent	ils	eurent	couru

Futur simple		Futur antérieur		
je	courrai	j'	aurai	couru
tu	courras	tu	auras	couru
elle	courra	elle	aura	couru
nous	courrons	nous	aurons	couru
vous	courrez	vous	aurez	couru
ils	courront	ils	auront	couru

Conditionnel présent		Conditionnel passé		
je	courrais	j'	aurais	couru
tu	courrais	tu	aurais	couru
elle	courrait	elle	aurait	couru
nous	courrions	nous	aurions	couru
vous	courriez	vous	auriez	couru
ils	courraient	ils	auraient	couru

SUBJONCTIF

Présent		Passé		
que je	coure	que j'	aie	couru
que tu	coures	que tu	aies	couru
qu' elle	coure	qu' elle	ait	couru
que n.	courions	que n.	ayons	couru
que v.	couriez	que v.	ayez	couru
qu' ils	courent	qu' ils	aient	couru

Imparfait		Plus-que-parfait		
que je	courusse	que j'	eusse	couru
que tu	courusses	que tu	eusses	couru
qu' elle	courût	qu' elle	eût	couru
que n.	courussions	que n.	eussions	couru
que v.	courussiez	que v.	eussiez	couru
qu' ils	courussent	qu' ils	eussent	couru

IMPÉRATIF

Présent	Passé	
cours	aie	couru
courons	ayons	couru
courez	ayez	couru

INFINITIF

Présent	Passé
courir	avoir couru

PARTICIPE

Présent	Passé (composé)
courant	ayant couru
	Passé
	couru

Conditionnel passé 2e forme : mêmes formes que le plus-que-parfait du subjonctif.
Forme surcomposée : *j'ai eu couru* (→ Grammaire du verbe, paragraphes 4, 56, 70).
Futur proche : *je vais courir* (→ Grammaire du verbe, paragraphes 5, 62).

- Les composés de **courir** se conjuguent sur ce modèle (→ Liste des verbes irréguliers, p. 120 à 122).
- Remarquer les deux **r** : le premier **r** est celui du radical et le second est l'affixe du futur ou du conditionnel présent : *je courrai, je courrais*. L'**i** de l'infinitif a disparu.

INDICATIF

Présent		Passé composé		
je	meurs	je	suis	mort
tu	meurs	tu	es	mort
elle	meurt	elle	est	morte
nous	mourons	nous	sommes	morts
vous	mourez	vous	êtes	morts
ils	meurent	ils	sont	morts

Imparfait		Plus-que-parfait		
je	mourais	j'	étais	mort
tu	mourais	tu	étais	mort
elle	mourait	elle	était	morte
nous	mourions	nous	étions	morts
vous	mouriez	vous	étiez	morts
ils	mouraient	ils	étaient	morts

Passé simple		Passé antérieur		
je	mourus	je	fus	mort
tu	mourus	tu	fus	mort
elle	mourut	elle	fut	morte
nous	mourûmes	nous	fûmes	morts
vous	mourûtes	vous	fûtes	morts
ils	moururent	ils	furent	morts

Futur simple		Futur antérieur		
je	mourrai	je	serai	mort
tu	mourras	tu	seras	mort
elle	mourra	elle	sera	morte
nous	mourrons	nous	serons	morts
vous	mourrez	vous	serez	morts
ils	mourront	ils	seront	morts

Conditionnel présent		Conditionnel passé		
je	mourrais	je	serais	mort
tu	mourrais	tu	serais	mort
elle	mourrait	elle	serait	morte
nous	mourrions	nous	serions	morts
vous	mourriez	vous	seriez	morts
ils	mourraient	ils	seraient	morts

SUBJONCTIF

Présent		Passé		
que je	meure	que je	sois	mort
que tu	meures	que tu	sois	mort
qu'elle	meure	qu'elle	soit	morte
que n.	mourions	que n.	soyons	morts
que v.	mouriez	que v.	soyez	morts
qu' ils	meurent	qu' ils	soient	morts

Imparfait		Plus-que-parfait		
que je	mourusse	que je	fusse	mort
que tu	mourusses	que tu	fusses	mort
qu'elle	mourût	qu'elle	fût	morte
que n.	mourussions	que n.	fussions	morts
que v.	mourussiez	que v.	fussiez	morts
qu' ils	mourussent	qu' ils	fussent	morts

IMPÉRATIF

Présent	Passé	
meurs	sois	mort
mourons	soyons	morts
mourez	soyez	morts

INFINITIF

Présent	Passé
mourir	être mort

PARTICIPE

Présent	Passé (composé)
mourant	étant mort
	Passé
	mort

Conditionnel passé 2ᵉ forme : mêmes formes que le plus-que-parfait du subjonctif.
Forme surcomposée : *j'ai été mort* (→ Grammaire du verbe, paragraphes 4, 56, 70).
Futur proche : *je vais mourir* (→ Grammaire du verbe, paragraphes 5, 62).

- Remarquer le redoublement du **r** au futur et au conditionnel présent : *je mourrai, je mourrais.*
- Remarquer l'emploi de l'auxiliaire **être** dans les temps composés.
- À la forme pronominale, le verbe **se mourir** ne se conjugue qu'aux temps simples.

121 servir

INDICATIF

Présent		Passé composé		
je	sers	j'	ai	servi
tu	sers	tu	as	servi
elle	sert	elle	a	servi
nous	servons	nous	avons	servi
vous	servez	vous	avez	servi
ils	servent	ils	ont	servi
Imparfait		**Plus-que-parfait**		
je	servais	j'	avais	servi
tu	servais	tu	avais	servi
elle	servait	elle	avait	servi
nous	servions	nous	avions	servi
vous	serviez	vous	aviez	servi
ils	servaient	ils	avaient	servi
Passé simple		**Passé antérieur**		
je	servis	j'	eus	servi
tu	servis	tu	eus	servi
elle	servit	elle	eut	servi
nous	servîmes	nous	eûmes	servi
vous	servîtes	vous	eûtes	servi
ils	servirent	ils	eurent	servi
Futur simple		**Futur antérieur**		
je	servirai	j'	aurai	servi
tu	serviras	tu	auras	servi
elle	servira	elle	aura	servi
nous	servirons	nous	aurons	servi
vous	servirez	vous	aurez	servi
ils	serviront	ils	auront	servi
Conditionnel présent		**Conditionnel passé**		
je	servirais	j'	aurais	servi
tu	servirais	tu	aurais	servi
elle	servirait	elle	aurait	servi
nous	servirions	nous	aurions	servi
vous	serviriez	vous	auriez	servi
ils	serviraient	ils	auraient	servi

SUBJONCTIF

Présent		Passé		
que je	serve	que j'	aie	servi
que tu	serves	que tu	aies	servi
qu' elle	serve	qu' elle	ait	servi
que n.	servions	que n.	ayons	servi
que v.	serviez	que v.	ayez	servi
qu' ils	servent	qu' ils	aient	servi
Imparfait		**Plus-que-parfait**		
que je	servisse	que j'	eusse	servi
que tu	servisses	que tu	eusses	servi
qu' elle	servît	qu' elle	eût	servi
que n.	servissions	que n.	eussions	servi
que v.	servissiez	que v.	eussiez	servi
qu' ils	servissent	qu' ils	eussent	servi

IMPÉRATIF

Présent	Passé	
sers	aie	servi
servons	ayons	servi
servez	ayez	servi

INFINITIF

Présent	Passé
servir	avoir servi

PARTICIPE

Présent	Passé (composé)
servant	ayant servi
	Passé
	servi

Conditionnel passé 2e forme : mêmes formes que le plus-que-parfait du subjonctif.
Forme surcomposée : *j'ai eu servi* (→ Grammaire du verbe, paragraphes 4, 56, 70).
Futur proche : *je vais servir* (→ Grammaire du verbe, paragraphes 5, 62).

- **Desservir** et **resservir** se conjuguent sur ce modèle.
- **Asservir** se conjugue sur le modèle de **finir** (→ Liste des verbes irréguliers, p. 120 à 122).

INDICATIF

Présent		Passé composé		
je	fuis	j'	ai	fui
tu	fuis	tu	as	fui
elle	fuit	elle	a	fui
nous	fuyons	nous	avons	fui
vous	fuyez	vous	avez	fui
ils	fuient	ils	ont	fui

Imparfait		Plus-que-parfait		
je	fuyais	j'	avais	fui
tu	fuyais	tu	avais	fui
elle	fuyait	elle	avait	fui
nous	fuyions	nous	avions	fui
vous	fuyiez	vous	aviez	fui
ils	fuyaient	ils	avaient	fui

Passé simple		Passé antérieur		
je	fuis	j'	eus	fui
tu	fuis	tu	eus	fui
elle	fuit	elle	eut	fui
nous	fuîmes	nous	eûmes	fui
vous	fuîtes	vous	eûtes	fui
ils	fuirent	ils	eurent	fui

Futur simple		Futur antérieur		
je	fuirai	j'	aurai	fui
tu	fuiras	tu	auras	fui
elle	fuira	elle	aura	fui
nous	fuirons	nous	aurons	fui
vous	fuirez	vous	aurez	fui
ils	fuiront	ils	auront	fui

Conditionnel présent		Conditionnel passé		
je	fuirais	j'	aurais	fui
tu	fuirais	tu	aurais	fui
elle	fuirait	elle	aurait	fui
nous	fuirions	nous	aurions	fui
vous	fuiriez	vous	auriez	fui
ils	fuiraient	ils	auraient	fui

SUBJONCTIF

Présent		Passé		
que je	fuie	que j'	aie	fui
que tu	fuies	que tu	aies	fui
qu'elle	fuie	qu'elle	ait	fui
que n.	fuyions	que n.	ayons	fui
que v.	fuyiez	que v.	ayez	fui
qu' ils	fuient	qu' ils	aient	fui

Imparfait		Plus-que-parfait		
que je	fuisse	que j'	eusse	fui
que tu	fuisses	que tu	eusses	fui
qu'elle	fuît	qu'elle	eût	fui
que n.	fuissions	que n.	eussions	fui
que v.	fuissiez	que v.	eussiez	fui
qu' ils	fuissent	qu' ils	eussent	fui

IMPÉRATIF

Présent	Passé	
fuis	aie	fui
fuyons	ayons	fui
fuyez	ayez	fui

INFINITIF

Présent	Passé
fuir	avoir fui

PARTICIPE

Présent	Passé (composé)
fuyant	ayant fui
	Passé
	fui

Conditionnel passé 2e forme : mêmes formes que le plus-que-parfait du subjonctif.
Forme surcomposée : *j'ai eu fui* (→ Grammaire du verbe, paragraphes 4, 56, 70).
Futur proche : *je vais fuir* (→ *Grammaire du verbe, paragraphes 5, 62).*

- **S'enfuir** se conjugue sur ce modèle.

123 ouïr

INDICATIF

Présent			Passé composé		
j'	*ois*	*/ouïs*	*j'*	*ai*	*ouï*
tu	*ois*	*/ouïs*	*tu*	*as*	*ouï*
elle	*oit*	*/ouït*	*elle*	*a*	*ouï*
nous	*oyons*	*/ouïssons*	*nous*	*avons*	*ouï*
vous	*oyez*	*/ouïssez*	*vous*	*avez*	*ouï*
ils	*oient*	*/ouïssent*	*ils*	*ont*	*ouï*

Imparfait			Plus-que-parfait		
j'	*oyais*	*/ouïssais*	*j'*	*avais*	*ouï*
tu	*oyais*	*/ouïssais*	*tu*	*avais*	*ouï*
elle	*oyait*	*/ouïssait*	*elle*	*avait*	*ouï*
nous	*oyions*	*/ouïssions*	*nous*	*avions*	*ouï*
vous	*oyiez*	*/ouïssiez*	*vous*	*aviez*	*ouï*
ils	*oyaient*	*/ouïssaient*	*ils*	*avaient*	*ouï*

Passé simple		Passé antérieur		
j'	*ouïs*	*j'*	*eus*	*ouï*
tu	*ouïs*	*tu*	*eus*	*ouï*
elle	*ouït*	*elle*	*eut*	*ouï*
nous	*ouïmes*	*nous*	*eûmes*	*ouï*
vous	*ouïtes*	*vous*	*eûtes*	*ouï*
ils	*ouïrent*	*ils*	*eurent*	*ouï*

Futur simple			Futur antérieur		
j'	*ouïrai*	*/orrai/oirai*	*j'*	*aurai*	*ouï*
tu	*ouïras*	*/orras/...*	*tu*	*auras*	*ouï*
elle	*ouïra*	*/orra/...*	*elle*	*aura*	*ouï*
nous	*ouïrons*	*/orrons/...*	*nous*	*aurons*	*ouï*
vous	*ouïrez*	*/orrez/...*	*vous*	*aurez*	*ouï*
ils	*ouïront*	*/orront/...*	*ils*	*auront*	*ouï*

Conditionnel présent			Conditionnel passé		
j'	*ouïrais*	*/orrais/oirais*	*j'*	*aurais*	*ouï*
tu	*ouïrais*	*/orrais/...*	*tu*	*aurais*	*ouï*
elle	*ouïrait*	*/orrait/...*	*elle*	*aurait*	*ouï*
nous	*ouïrions*	*/orrions/...*	*nous*	*aurions*	*ouï*
vous	*ouïriez*	*/orriez/...*	*vous*	*auriez*	*ouï*
ils	*ouïraient*	*/orraient/...*	*ils*	*auraient*	*ouï*

SUBJONCTIF

Présent			Passé		
que j'	*oie*	*/ouïsse*	*que j'*	*aie*	*ouï*
que tu	*oies*	*/ouïsses*	*que tu*	*aies*	*ouï*
qu'elle	*oie*	*/ouïsse*	*qu'elle*	*ait*	*ouï*
que n.	*oyions*	*/ouïssions*	*que n.*	*ayons*	*ouï*
que v.	*oyiez*	*/ouïssiez*	*que v.*	*ayez*	*ouï*
qu'ils	*oient*	*/ouïssent*	*qu'ils*	*aient*	*ouï*

Imparfait		Plus-que-parfait		
que j'	*ouïsse*	*que j'*	*eusse*	*ouï*
que tu	*ouïsses*	*que tu*	*eusses*	*ouï*
qu'elle	*ouït*	*qu'elle*	*eût*	*ouï*
que n.	*ouïssions*	*que n.*	*eussions*	*ouï*
que v.	*ouïssiez*	*que v.*	*eussiez*	*ouï*
qu'ils	*ouïssent*	*qu'ils*	*eussent*	*ouï*

IMPÉRATIF

Présent		Passé	
ois	*/ouïs*	*aie*	*ouï*
oyons	*/ouïssons*	*ayons*	*ouï*
oyez	*/ouïssez*	*ayez*	*ouï*

INFINITIF

Présent	Passé
ouïr	*avoir ouï*

PARTICIPE

Présent	Passé (composé)
oyant	*ayant ouï*
	Passé
	ouï

Conditionnel passé 2e forme : mêmes formes que le plus-que-parfait du subjonctif.
Forme surcomposée : *j'ai eu ouï* (→ Grammaire du verbe, paragraphes 4, 56, 70).
Futur proche : *je vais ouïr* (→ Grammaire du verbe, paragraphes 5, 62).

- Le verbe **ouïr** a définitivement cédé la place à **entendre**. Il n'est plus employé qu'à l'infinitif, à l'impératif (*Oyez ! Oyez !*), aux temps composés et dans l'expression *par ouï-dire*. Noter le nom masculin *le ouï-dire*. La conjugaison archaïque est donnée ci-dessus en italique.
- À noter le futur *j'ouïrai* et le conditionnel *j'ouïrais*, refaits d'après l'infinitif sur le modèle régulier de **finir** (*je finirai, je finirais*).
- Le tréma exclut l'accent circonflexe au passé simple et au subjonctif imparfait.

INDICATIF

Présent	/ VARIANTE	Passé composé
je gis		.
tu gis		.
elle gît	/ git	.
nous gisons		.
vous gisez		.
ils gisent		.

Imparfait	Plus-que-parfait
je gisais	.
tu gisais	.
elle gisait	.
nous gisions	.
vous gisiez	.
ils gisaient	.

Passé simple	Passé antérieur
.	.
.	.
.	.
.	.
.	.
.	.

Futur simple	Futur antérieur
.	.
.	.
.	.
.	.
.	.
.	.

Conditionnel présent	Conditionnel passé
.	.
.	.
.	.
.	.
.	.
.	.

SUBJONCTIF

Présent	Passé
.	.
.	.
.	.
.	.
.	.
.	.

Imparfait	Plus-que-parfait
.	.
.	.
.	.
.	.
.	.
.	.

IMPÉRATIF

Présent	Passé
.	.
.	.
.	.

INFINITIF

Présent	Passé
gésir	.

PARTICIPE

Présent	Passé (composé)
gisant	.

Passé
.

Futur proche : *je vais gésir* (→ Grammaire du verbe, paragraphes 5, 62).

- Les rectifications orthographiques autorisent la forme *git* sans accent circonflexe.
- Ce verbe, qui signifie « être couché », n'est plus d'usage qu'aux formes ci-dessus.
  On n'emploie guère le verbe **gésir** qu'en parlant des personnes malades ou mortes, et de choses renversées par le temps ou la destruction : *Nous gisions tous les deux sur le pavé d'un cachot, malades et privés de secours. Son cadavre gît maintenant dans le tombeau. Des colonnes gisant éparses* (Académie). Cf. l'inscription funéraire : *ci-gît* ou *ci-git*.

125 verbes en -cevoir | recevoir

INDICATIF

Présent		Passé composé		
je	reçois	j'	ai	reçu
tu	reçois	tu	as	reçu
elle	reçoit	elle	a	reçu
nous	recevons	nous	avons	reçu
vous	recevez	vous	avez	reçu
ils	reçoivent	ils	ont	reçu

Imparfait		Plus-que-parfait		
je	recevais	j'	avais	reçu
tu	recevais	tu	avais	reçu
elle	recevait	elle	avait	reçu
nous	recevions	nous	avions	reçu
vous	receviez	vous	aviez	reçu
ils	recevaient	ils	avaient	reçu

Passé simple		Passé antérieur		
je	reçus	j'	eus	reçu
tu	reçus	tu	eus	reçu
elle	reçut	elle	eut	reçu
nous	reçûmes	nous	eûmes	reçu
vous	reçûtes	vous	eûtes	reçu
ils	reçurent	ils	eurent	reçu

Futur simple		Futur antérieur		
je	recevrai	j'	aurai	reçu
tu	recevras	tu	auras	reçu
elle	recevra	elle	aura	reçu
nous	recevrons	nous	aurons	reçu
vous	recevrez	vous	aurez	reçu
ils	recevront	ils	auront	reçu

Conditionnel présent		Conditionnel passé		
je	recevrais	j'	aurais	reçu
tu	recevrais	tu	aurais	reçu
elle	recevrait	elle	aurait	reçu
nous	recevrions	nous	aurions	reçu
vous	recevriez	vous	auriez	reçu
ils	recevraient	ils	auraient	reçu

SUBJONCTIF

Présent		Passé		
que je	reçoive	que j'	aie	reçu
que tu	reçoives	que tu	aies	reçu
qu'elle	reçoive	qu'elle	ait	reçu
que n.	recevions	que n.	ayons	reçu
que v.	receviez	que v.	ayez	reçu
qu'ils	reçoivent	qu'ils	aient	reçu

Imparfait		Plus-que-parfait		
que je	reçusse	que j'	eusse	reçu
que tu	reçusses	que tu	eusses	reçu
qu'elle	reçût	qu'elle	eût	reçu
que n.	reçussions	que n.	eussions	reçu
que v.	reçussiez	que v.	eussiez	reçu
qu'ils	reçussent	qu'ils	eussent	reçu

IMPÉRATIF

Présent	Passé
reçois	aie reçu
recevons	ayons reçu
recevez	ayez reçu

INFINITIF

Présent	Passé
recevoir	avoir reçu

PARTICIPE

Présent	Passé (composé)
recevant	ayant reçu
	Passé
	reçu

Conditionnel passé 2e forme : mêmes formes que le plus-que-parfait du subjonctif.
Forme surcomposée : *j'ai eu reçu* (→ Grammaire du verbe, paragraphes 4, 56, 70).
Futur proche : *je vais recevoir* (→ Grammaire du verbe, paragraphes 5, 62).

- La cédille est placée sous le **c** chaque fois qu'il précède un **o** ou un **u**.
- **Apercevoir**, **concevoir**, **décevoir**, **entrapercevoir** et **percevoir** se conjuguent sur ce modèle.

INDICATIF

Présent		Passé composé		
je	vois	j'	ai	vu
tu	vois	tu	as	vu
elle	voit	elle	a	vu
nous	voyons	nous	avons	vu
vous	voyez	vous	avez	vu
ils	voient	ils	ont	vu

Imparfait		Plus-que-parfait		
je	voyais	j'	avais	vu
tu	voyais	tu	avais	vu
elle	voyait	elle	avait	vu
nous	voyions	nous	avions	vu
vous	voyiez	vous	aviez	vu
ils	voyaient	ils	avaient	vu

Passé simple		Passé antérieur		
je	vis	j'	eus	vu
tu	vis	tu	eus	vu
elle	vit	elle	eut	vu
nous	vîmes	nous	eûmes	vu
vous	vîtes	vous	eûtes	vu
ils	virent	ils	eurent	vu

Futur simple		Futur antérieur		
je	verrai[1]	j'	aurai	vu
tu	verras	tu	auras	vu
elle	verra	elle	aura	vu
nous	verrons	nous	aurons	vu
vous	verrez	vous	aurez	vu
ils	verront	ils	auront	vu

Conditionnel présent		Conditionnel passé		
je	verrais[1]	j'	aurais	vu
tu	verrais	tu	aurais	vu
elle	verrait	elle	aurait	vu
nous	verrions	nous	aurions	vu
vous	verriez	vous	auriez	vu
ils	verraient	ils	auraient	vu

SUBJONCTIF

Présent		Passé		
que je	voie	que j'	aie	vu
que tu	voies	que tu	aies	vu
qu' elle	voie	qu' elle	ait	vu
que n.	voyions	que n.	ayons	vu
que v.	voyiez	que v.	ayez	vu
qu' ils	voient	qu' ils	aient	vu

Imparfait		Plus-que-parfait		
que je	visse	que j'	eusse	vu
que tu	visses	que tu	eusses	vu
qu' elle	vît	qu' elle	eût	vu
que n.	vissions	que n.	eussions	vu
que v.	vissiez	que v.	eussiez	vu
qu' ils	vissent	qu' ils	eussent	vu

IMPÉRATIF

Présent	Passé	
vois	aie	vu
voyons	ayons	vu
voyez	ayez	vu

INFINITIF

Présent	Passé
voir	avoir vu

PARTICIPE

Présent	Passé (composé)
voyant	ayant vu
	Passé
	vu

1. **Prévoir** a une conjugaison différente au futur et au conditionnel présent : *je prévoirai…, je prévoirais…*

Conditionnel passé 2e forme : mêmes formes que le plus-que-parfait du subjonctif.
Forme surcomposée : *j'ai eu vu* (→ Grammaire du verbe, paragraphes 4, 56, 70).
Futur proche : *je vais voir* (→ Grammaire du verbe, paragraphes 5, 62).

- **Entrevoir** et **revoir** se conjuguent sur ce modèle.
- **Prévoir** se conjugue aussi sur ce modèle, mais il est régulier au futur et au conditionnel (→ note 1 ci-dessus).
- Le verbe **pourvoir** diffère de ce modèle (→ tableau 127).

127 pourvoir

INDICATIF

Présent		Passé composé		
je	pourvois	j'	ai	pourvu
tu	pourvois	tu	as	pourvu
elle	pourvoit	elle	a	pourvu
nous	pourvoyons	nous	avons	pourvu
vous	pourvoyez	vous	avez	pourvu
ils	pourvoient	ils	ont	pourvu

Imparfait		Plus-que-parfait		
je	pourvoyais	j'	avais	pourvu
tu	pourvoyais	tu	avais	pourvu
elle	pourvoyait	elle	avait	pourvu
nous	pourvoyions	nous	avions	pourvu
vous	pourvoyiez	vous	aviez	pourvu
ils	pourvoyaient	ils	avaient	pourvu

Passé simple		Passé antérieur		
je	pourvus	j'	eus	pourvu
tu	pourvus	tu	eus	pourvu
elle	pourvut	elle	eut	pourvu
nous	pourvûmes	nous	eûmes	pourvu
vous	pourvûtes	vous	eûtes	pourvu
ils	pourvurent	ils	eurent	pourvu

Futur simple		Futur antérieur		
je	pourvoirai	j'	aurai	pourvu
tu	pourvoiras	tu	auras	pourvu
elle	pourvoira	elle	aura	pourvu
nous	pourvoirons	nous	aurons	pourvu
vous	pourvoirez	vous	aurez	pourvu
ils	pourvoiront	ils	auront	pourvu

Conditionnel présent		Conditionnel passé		
je	pourvoirais	j'	aurais	pourvu
tu	pourvoirais	tu	aurais	pourvu
elle	pourvoirait	elle	aurait	pourvu
nous	pourvoirions	nous	aurions	pourvu
vous	pourvoiriez	vous	auriez	pourvu
ils	pourvoiraient	ils	auraient	pourvu

SUBJONCTIF

Présent		Passé		
que je	pourvoie	que j'	aie	pourvu
que tu	pourvoies	que tu	aies	pourvu
qu' elle	pourvoie	qu' elle	ait	pourvu
que n.	pourvoyions	que n.	ayons	pourvu
que v.	pourvoyiez	que v.	ayez	pourvu
qu' ils	pourvoient	qu' ils	aient	pourvu

Imparfait		Plus-que-parfait		
que je	pourvusse	que j'	eusse	pourvu
que tu	pourvusses	que tu	eusses	pourvu
qu' elle	pourvût	qu' elle	eût	pourvu
que n.	pourvussions	que n.	eussions	pourvu
que v.	pourvussiez	que v.	eussiez	pourvu
qu' ils	pourvussent	qu' ils	eussent	pourvu

IMPÉRATIF

Présent	Passé	
pourvois	aie	pourvu
pourvoyons	ayons	pourvu
pourvoyez	ayez	pourvu

INFINITIF

Présent	Passé
pourvoir	avoir pourvu

PARTICIPE

Présent	Passé (composé)
pourvoyant	ayant pourvu
	Passé
	pourvu

Conditionnel passé 2e forme : mêmes formes que le plus-que-parfait du subjonctif.
Forme surcomposée : *j'ai eu pourvu* (→ Grammaire du verbe, paragraphes 4, 56, 70).
Futur proche : *je vais pourvoir* (→ Grammaire du verbe, paragraphes 5, 62).

- **Dépourvoir** se conjugue sur ce modèle. On l'utilise surtout dans une construction pronominale (*je me suis dépourvu de tout*), au passé simple, à l'infinitif, au participe passé et aux temps composés.
- Remarquer que la conjugaison de **pourvoir** est semblable à celle du verbe **voir** (→ tableau 126), sauf au futur et au conditionnel présent : *je pourvoirai, je pourvoirais*, ainsi qu'au passé simple et au subjonctif imparfait : *je pourvus, que je pourvusse.*

INDICATIF

Présent		Passé composé		
je	sais	j'	ai	su
tu	sais	tu	as	su
elle	sait	elle	a	su
nous	savons	nous	avons	su
vous	savez	vous	avez	su
ils	savent	ils	ont	su

Imparfait		Plus-que-parfait		
je	savais	j'	avais	su
tu	savais	tu	avais	su
elle	savait	elle	avait	su
nous	savions	nous	avions	su
vous	saviez	vous	aviez	su
ils	savaient	ils	avaient	su

Passé simple		Passé antérieur		
je	sus	j'	eus	su
tu	sus	tu	eus	su
elle	sut	elle	eut	su
nous	sûmes	nous	eûmes	su
vous	sûtes	vous	eûtes	su
ils	surent	ils	eurent	su

Futur simple		Futur antérieur		
je	saurai	j'	aurai	su
tu	sauras	tu	auras	su
elle	saura	elle	aura	su
nous	saurons	nous	aurons	su
vous	saurez	vous	aurez	su
ils	sauront	ils	auront	su

Conditionnel présent		Conditionnel passé		
je	saurais	j'	aurais	su
tu	saurais	tu	aurais	su
elle	saurait	elle	aurait	su
nous	saurions	nous	aurions	su
vous	sauriez	vous	auriez	su
ils	sauraient	ils	auraient	su

SUBJONCTIF

Présent		Passé		
que je	sache	que j'	aie	su
que tu	saches	que tu	aies	su
qu' elle	sache	qu' elle	ait	su
que n.	sachions	que n.	ayons	su
que v.	sachiez	que v.	ayez	su
qu' ils	sachent	qu' ils	aient	su

Imparfait		Plus-que-parfait		
que je	susse	que j'	eusse	su
que tu	susses	que tu	eusses	su
qu' elle	sût	qu' elle	eût	su
que n.	sussions	que n.	eussions	su
que v.	sussiez	que v.	eussiez	su
qu' ils	sussent	qu' ils	eussent	su

IMPÉRATIF

Présent	Passé	
sache	aie	su
sachons	ayons	su
sachez	ayez	su

INFINITIF

Présent	Passé
savoir	avoir su

PARTICIPE

Présent	Passé (composé)
sachant	ayant su
	Passé
	su

Conditionnel passé 2e forme : mêmes formes que le plus-que-parfait du subjonctif.
Forme surcomposée : *j'ai eu su* (→ Grammaire du verbe, paragraphes 4, 56, 70).
Futur proche : *je vais savoir* (→ Grammaire du verbe, paragraphes 5, 62).

- À noter l'emploi archaïsant du subjonctif dans les expressions : *Je ne sache pas qu'il soit venu* ; *il n'est pas venu, que je sache* (→ Grammaire du verbe, paragraphe 75).

129 devoir

INDICATIF

Présent		Passé composé		
je	dois	j'	ai	dû
tu	dois	tu	as	dû
elle	doit	elle	a	dû
nous	devons	nous	avons	dû
vous	devez	vous	avez	dû
ils	doivent	ils	ont	dû

Imparfait		Plus-que-parfait		
je	devais	j'	avais	dû
tu	devais	tu	avais	dû
elle	devait	elle	avait	dû
nous	devions	nous	avions	dû
vous	deviez	vous	aviez	dû
ils	devaient	ils	avaient	dû

Passé simple		Passé antérieur		
je	dus	j'	eus	dû
tu	dus	tu	eus	dû
elle	dut	elle	eut	dû
nous	dûmes	nous	eûmes	dû
vous	dûtes	vous	eûtes	dû
ils	durent	ils	eurent	dû

Futur simple		Futur antérieur		
je	devrai	j'	aurai	dû
tu	devras	tu	auras	dû
elle	devra	elle	aura	dû
nous	devrons	nous	aurons	dû
vous	devrez	vous	aurez	dû
ils	devront	ils	auront	dû

Conditionnel présent		Conditionnel passé		
je	devrais	j'	aurais	dû
tu	devrais	tu	aurais	dû
elle	devrait	elle	aurait	dû
nous	devrions	nous	aurions	dû
vous	devriez	vous	auriez	dû
ils	devraient	ils	auraient	dû

SUBJONCTIF

Présent		Passé		
que je	doive	que j'	aie	dû
que tu	doives	que tu	aies	dû
qu' elle	doive	qu' elle	ait	dû
que n.	devions	que n.	ayons	dû
que v.	deviez	que v.	ayez	dû
qu' ils	doivent	qu' ils	aient	dû

Imparfait		Plus-que-parfait		
que je	dusse	que j'	eusse	dû
que tu	dusses	que tu	eusses	dû
qu' elle	dût	qu' elle	eût	dû
que n.	dussions	que n.	eussions	dû
que v.	dussiez	que v.	eussiez	dû
qu' ils	dussent	qu' ils	eussent	dû

IMPÉRATIF

Présent	Passé	
dois	aie	dû
devons	ayons	dû
devez	ayez	dû

INFINITIF

Présent	Passé
devoir	avoir dû

PARTICIPE

Présent	Passé (composé)
devant	ayant dû
	Passé
	dû

Conditionnel passé 2e forme : mêmes formes que le plus-que-parfait du subjonctif.
Forme surcomposée : *j'ai eu dû* (→ Grammaire du verbe, paragraphes 4, 56, 70).
Futur proche : *je vais devoir* (→ Grammaire du verbe, paragraphes 5, 62).

- L'impératif est peu employé.
- **Devoir** prend un accent circonflexe au participe passé masculin singulier seulement : *dû*. On écrit sans accent : *due, dus, dues*.
- **Redevoir** se conjugue sur ce modèle. Son participe passé traditionnel est *redû, redue, redus, redues*. Les rectifications de l'orthographe recommandent d'écrire le participe masculin singulier de **redevoir** sans accent : *redu*.

INDICATIF

Présent		Passé composé		
je	peux / puis	j'	ai	pu
tu	peux	tu	as	pu
elle	peut	elle	a	pu
nous	pouvons	nous	avons	pu
vous	pouvez	vous	avez	pu
ils	peuvent	ils	ont	pu

Imparfait		Plus-que-parfait		
je	pouvais	j'	avais	pu
tu	pouvais	tu	avais	pu
elle	pouvait	elle	avait	pu
nous	pouvions	nous	avions	pu
vous	pouviez	vous	aviez	pu
ils	pouvaient	ils	avaient	pu

Passé simple		Passé antérieur		
je	pus	j'	eus	pu
tu	pus	tu	eus	pu
elle	put	elle	eut	pu
nous	pûmes	nous	eûmes	pu
vous	pûtes	vous	eûtes	pu
ils	purent	ils	eurent	pu

Futur simple		Futur antérieur		
je	pourrai	j'	aurai	pu
tu	pourras	tu	auras	pu
elle	pourra	elle	aura	pu
nous	pourrons	nous	aurons	pu
vous	pourrez	vous	aurez	pu
ils	pourront	ils	auront	pu

Conditionnel présent		Conditionnel passé		
je	pourrais	j'	aurais	pu
tu	pourrais	tu	aurais	pu
elle	pourrait	elle	aurait	pu
nous	pourrions	nous	aurions	pu
vous	pourriez	vous	auriez	pu
ils	pourraient	ils	auraient	pu

SUBJONCTIF

Présent		Passé		
que je	puisse	que j'	aie	pu
que tu	puisses	que tu	aies	pu
qu' elle	puisse	qu' elle	ait	pu
que n.	puissions	que n.	ayons	pu
que v.	puissiez	que v.	ayez	pu
qu' ils	puissent	qu' ils	aient	pu

Imparfait		Plus-que-parfait		
que je	pusse	que j'	eusse	pu
que tu	pusses	que tu	eusses	pu
qu' elle	pût	qu' elle	eût	pu
que n.	pussions	que n.	eussions	pu
que v.	pussiez	que v.	eussiez	pu
qu' ils	pussent	qu' ils	eussent	pu

IMPÉRATIF

Présent	Passé
.	.
.	.
.	.

INFINITIF

Présent	Passé
pouvoir	avoir pu

PARTICIPE

Présent	Passé (composé)
pouvant	ayant pu
	Passé
	pu

Conditionnel passé 2e forme : mêmes formes que le plus-que-parfait du subjonctif.
Forme surcomposée : *j'ai eu pu* (→ Grammaire du verbe, paragraphes 4, 56, 70).
Futur proche : *je vais pouvoir* (→ Grammaire du verbe, paragraphes 5, 62).

- Le verbe **pouvoir** prend deux **r** au futur et au présent du conditionnel, mais, à la différence de **mourir** et **courir**, on n'en prononce qu'un.
- *Je puis* semble d'un emploi plus distingué que *je peux*. On ne dit pas : ⊗ *Peux-je ?* mais *Puis-je ?*
- *Il se peut que* se dit pour *il peut se faire que* au sens de « il peut arriver que, il est possible que », et cette formule se construit alors normalement avec le subjonctif.
- Remarquer l'absence d'impératif, mais l'existence de constructions telles *Puisses-tu dire vrai !* et *Puissions-nous réussir !*

131 émouvoir

INDICATIF

Présent		Passé composé		
j'	émeus	j'	ai	ému
tu	émeus	tu	as	ému
elle	émeut	elle	a	ému
nous	émouvons	nous	avons	ému
vous	émouvez	vous	avez	ému
ils	émeuvent	ils	ont	ému

Imparfait		Plus-que-parfait		
j'	émouvais	j'	avais	ému
tu	émouvais	tu	avais	ému
elle	émouvait	elle	avait	ému
nous	émouvions	nous	avions	ému
vous	émouviez	vous	aviez	ému
ils	émouvaient	ils	avaient	ému

Passé simple		Passé antérieur		
j'	émus	j'	eus	ému
tu	émus	tu	eus	ému
elle	émut	elle	eut	ému
nous	émûmes	nous	eûmes	ému
vous	émûtes	vous	eûtes	ému
ils	émurent	ils	eurent	ému

Futur simple		Futur antérieur		
j'	émouvrai	j'	aurai	ému
tu	émouvras	tu	auras	ému
elle	émouvra	elle	aura	ému
nous	émouvrons	nous	aurons	ému
vous	émouvrez	vous	aurez	ému
ils	émouvront	ils	auront	ému

Conditionnel présent		Conditionnel passé		
j'	émouvrais	j'	aurais	ému
tu	émouvrais	tu	aurais	ému
elle	émouvrait	elle	aurait	ému
nous	émouvrions	nous	aurions	ému
vous	émouvriez	vous	auriez	ému
ils	émouvraient	ils	auraient	ému

SUBJONCTIF

Présent		Passé		
que j'	émeuve	que j'	aie	ému
que tu	émeuves	que tu	aies	ému
qu' elle	émeuve	qu' elle	ait	ému
que n.	émouvions	que n.	ayons	ému
que v.	émouviez	que v.	ayez	ému
qu' ils	émeuvent	qu' ils	aient	ému

Imparfait		Plus-que-parfait		
que j'	émusse	que j'	eusse	ému
que tu	émusses	que tu	eusses	ému
qu' elle	émût	qu' elle	eût	ému
que n.	émussions	que n.	eussions	ému
que v.	émussiez	que v.	eussiez	ému
qu' ils	émussent	qu' ils	eussent	ému

IMPÉRATIF

Présent	Passé	
émeus	aie	ému
émouvons	ayons	ému
émouvez	ayez	ému

INFINITIF

Présent	Passé
émouvoir	avoir ému

PARTICIPE

Présent	Passé (composé)
émouvant	ayant ému
	Passé
	ému

Conditionnel passé 2ᵉ forme : mêmes formes que le plus-que-parfait du subjonctif.
Forme surcomposée : *j'ai eu ému* (→ Grammaire du verbe, paragraphes 4, 56, 70).
Futur proche : *je vais émouvoir* (→ Grammaire du verbe, paragraphes 5, 62).

- **Promouvoir** se conjugue comme **émouvoir**.
- **Mouvoir** se conjugue comme **émouvoir**. Traditionnellement, le participe passé masculin singulier de **mouvoir** prenait un accent circonflexe (*mû*, mais *mue*, *mus*, *mues*). Les rectifications orthographiques autorisent le participe passé *mu* sans accent circonflexe.

pleuvoir 132

INDICATIF

Présent	Passé composé
il pleut	il a plu
ils pleuvent	ils ont plu
Imparfait	**Plus-que-parfait**
il pleuvait	il avait plu
ils pleuvaient	ils avaient plu
Passé simple	**Passé antérieur**
il plut	il eut plu
ils plurent	ils eurent plu
Futur simple	**Futur antérieur**
il pleuvra	il aura plu
ils pleuvront	ils auront plu
Conditionnel présent	**Conditionnel passé**
il pleuvrait	il aurait plu
ils pleuvraient	ils auraient plu

SUBJONCTIF

Présent	Passé
qu'il pleuve	qu'il ait plu
qu'ils pleuvent	qu'ils aient plu
Imparfait	**Plus-que-parfait**
qu'il plût	qu'il eût plu
qu'ils plussent	qu'ils eussent plu

IMPÉRATIF

Présent	Passé

INFINITIF

Présent	Passé
pleuvoir	avoir plu

PARTICIPE

Présent	Passé (composé)
pleuvant	ayant plu
	Passé
	plu

Conditionnel passé 2e forme : mêmes formes que le plus-que-parfait du subjonctif.
Forme surcomposée : *il a eu plu* (→ Grammaire du verbe, paragraphes 4, 56, 70).
Futur proche : *il va pleuvoir* (→ Grammaire du verbe, paragraphes 5, 62).

- **Repleuvoir** se conjugue sur ce modèle.
- Quoique habituellement impersonnel, ce verbe s'emploie au pluriel, mais dans le sens figuré : *les coups de fusil pleuvent, les sarcasmes pleuvent sur lui, les honneurs pleuvaient sur sa personne.* De même, son participe présent ne s'emploie qu'au sens figuré : *les coups pleuvant sur lui…*

133 verbe impersonnel | falloir

INDICATIF

Présent	Passé composé
il faut	il a fallu

Imparfait	Plus-que-parfait
il fallait	il avait fallu

Passé simple	Passé antérieur
il fallut	il eut fallu

Futur simple	Futur antérieur
il faudra	il aura fallu

Conditionnel présent	Conditionnel passé
il faudrait	il aurait fallu

SUBJONCTIF

Présent	Passé
qu'il faille	qu'il ait fallu

Imparfait	Plus-que-parfait
qu'il fallût	qu'il eût fallu

IMPÉRATIF

Présent	Passé

INFINITIF

Présent	Passé
falloir	avoir fallu

PARTICIPE

Présent	Passé (composé)
	ayant fallu
	Passé
	fallu

Conditionnel passé 2e forme : même forme que le plus-que-parfait du subjonctif.
Forme surcomposée : *il a eu fallu* (→ Grammaire du verbe, paragraphes 4, 56, 70).
Futur proche : *il va falloir* (→ Grammaire du verbe, paragraphes 5, 62).

- Dans les expressions : *il s'en faut de beaucoup, tant s'en faut, peu s'en faut*, historiquement la forme *faut* vient non de **falloir**, mais de **faillir** au sens de « manquer, faire défaut » (→ tableau 116).

INDICATIF

Présent		Passé composé		
je	vaux	j'	ai	valu
tu	vaux	tu	as	valu
elle	vaut	elle	a	valu
nous	valons	nous	avons	valu
vous	valez	vous	avez	valu
ils	valent	ils	ont	valu

Imparfait		Plus-que-parfait		
je	valais	j'	avais	valu
tu	valais	tu	avais	valu
elle	valait	elle	avait	valu
nous	valions	nous	avions	valu
vous	valiez	vous	aviez	valu
ils	valaient	ils	avaient	valu

Passé simple		Passé antérieur		
je	valus	j'	eus	valu
tu	valus	tu	eus	valu
elle	valut	elle	eut	valu
nous	valûmes	nous	eûmes	valu
vous	valûtes	vous	eûtes	valu
ils	valurent	ils	eurent	valu

Futur simple		Futur antérieur		
je	vaudrai	j'	aurai	valu
tu	vaudras	tu	auras	valu
elle	vaudra	elle	aura	valu
nous	vaudrons	nous	aurons	valu
vous	vaudrez	vous	aurez	valu
ils	vaudront	ils	auront	valu

Conditionnel présent		Conditionnel passé		
je	vaudrais	j'	aurais	valu
tu	vaudrais	tu	aurais	valu
elle	vaudrait	elle	aurait	valu
nous	vaudrions	nous	aurions	valu
vous	vaudriez	vous	auriez	valu
ils	vaudraient	ils	auraient	valu

SUBJONCTIF

Présent		Passé		
que je	vaille[1]	que j'	aie	valu
que tu	vailles	que tu	aies	valu
qu' elle	vaille	qu' elle	ait	valu
que n.	valions	que n.	ayons	valu
que v.	valiez	que v.	ayez	valu
qu' ils	vaillent	qu' ils	aient	valu

Imparfait		Plus-que-parfait		
que je	valusse	que j'	eusse	valu
que tu	valusses	que tu	eusses	valu
qu' elle	valût	qu' elle	eût	valu
que n.	valussions	que n.	eussions	valu
que v.	valussiez	que v.	eussiez	valu
qu' ils	valussent	qu' ils	eussent	valu

IMPÉRATIF

Présent	Passé	
vaux	aie	valu
valons	ayons	valu
valez	ayez	valu

INFINITIF

Présent	Passé
valoir	avoir valu

PARTICIPE

Présent	Passé (composé)
valant	ayant valu
	Passé
	valu

1. **Prévaloir** a une conjugaison différente au subjonctif présent : *que je prévale…, que nous prévalions…*

Conditionnel passé 2e forme : mêmes formes que le plus-que-parfait du subjonctif.
Forme surcomposée : *j'ai eu valu* (→ Grammaire du verbe, paragraphes 4, 56, 70).
Futur proche : *je vais valoir* (→ Grammaire du verbe, paragraphes 5, 62).

- **Équivaloir** et **revaloir** se conjuguent comme **valoir**. Le participe passé *équivalu* est toujours invariable. Les participes passés *revalu* et *valu* sont parfois variables (→ Grammaire du verbe, paragraphe 53).
- **Prévaloir** se conjugue comme **valoir**, sauf au subjonctif présent (→ note 1 ci-dessus). Noter qu'à la forme pronominale, le participe passé du verbe **prévaloir** s'accorde : *Elle s'est prévalue de ses droits.*

135 vouloir

INDICATIF

Présent		Passé composé		
je	veux	j'	ai	voulu
tu	veux	tu	as	voulu
elle	veut	elle	a	voulu
nous	voulons	nous	avons	voulu
vous	voulez	vous	avez	voulu
ils	veulent	ils	ont	voulu

Imparfait		Plus-que-parfait		
je	voulais	j'	avais	voulu
tu	voulais	tu	avais	voulu
elle	voulait	elle	avait	voulu
nous	voulions	nous	avions	voulu
vous	vouliez	vous	aviez	voulu
ils	voulaient	ils	avaient	voulu

Passé simple		Passé antérieur		
je	voulus	j'	eus	voulu
tu	voulus	tu	eus	voulu
elle	voulut	elle	eut	voulu
nous	voulûmes	nous	eûmes	voulu
vous	voulûtes	vous	eûtes	voulu
ils	voulurent	ils	eurent	voulu

Futur simple		Futur antérieur		
je	voudrai	j'	aurai	voulu
tu	voudras	tu	auras	voulu
elle	voudra	elle	aura	voulu
nous	voudrons	nous	aurons	voulu
vous	voudrez	vous	aurez	voulu
ils	voudront	ils	auront	voulu

Conditionnel présent		Conditionnel passé		
je	voudrais	j'	aurais	voulu
tu	voudrais	tu	aurais	voulu
elle	voudrait	elle	aurait	voulu
nous	voudrions	nous	aurions	voulu
vous	voudriez	vous	auriez	voulu
ils	voudraient	ils	auraient	voulu

SUBJONCTIF

Présent		Passé		
que je	veuille	que j'	aie	voulu
que tu	veuilles	que tu	aies	voulu
qu' elle	veuille	qu' elle	ait	voulu
que n.	voulions /*veuillions*	que n.	ayons	voulu
que v.	vouliez /*veuilliez*	que v.	ayez	voulu
qu' ils	veuillent	qu' ils	aient	voulu

Imparfait		Plus-que-parfait		
que je	voulusse	que j'	eusse	voulu
que tu	voulusses	que tu	eusses	voulu
qu' elle	voulût	qu' elle	eût	voulu
que n.	voulussions	que n.	eussions	voulu
que v.	voulussiez	que v.	eussiez	voulu
qu' ils	voulussent	qu' ils	eussent	voulu

IMPÉRATIF

Présent	Passé	
veux /veuille	aie	voulu
voulons /veuillons	ayons	voulu
voulez /veuillez	ayez	voulu

INFINITIF

Présent	Passé
vouloir	avoir voulu

PARTICIPE

Présent	Passé (composé)
voulant	ayant voulu
	Passé
	voulu

Conditionnel passé 2e forme : mêmes formes que le plus-que-parfait du subjonctif.
Forme surcomposée : *j'ai eu voulu* (→ Grammaire du verbe, paragraphes 4, 56, 70).
Futur proche : *je vais vouloir* (→ Grammaire du verbe, paragraphes 5, 62).

- L'impératif *veux, voulons, voulez* n'est d'usage que pour engager quelqu'un à s'armer de volonté : *veux donc, malheureux, et tu seras sauvé*. Pour inviter poliment, on dit plutôt : *veuille, veuillez*, au sens de « aie, ayez la bonté de » : *veuillez agréer mes respectueuses salutations*. Avec le pronom **en** qui donne à ce verbe le sens de « avoir du ressentiment », on trouve couramment *ne m'en veux pas, ne m'en voulez pas*, alors que la langue littéraire préfère *ne m'en veuille pas, ne m'en veuillez pas*.
- Au subjonctif présent, les formes primitives *que nous voulions, que vous vouliez* reprennent le pas sur *que nous veuillions, que vous veuilliez*.

INDICATIF

Présent	Passé composé
.	.
.	.
elle sied	.
.	.
.	.
ils siéent	.

Imparfait	Plus-que-parfait
.	.
.	.
elle seyait	.
.	.
.	.
ils seyaient	.

Passé simple	Passé antérieur
.	.
.	.
.	.
.	.
.	.
.	.

Futur simple	Futur antérieur
.	.
.	.
elle siéra	.
.	.
.	.
ils siéront	.

Conditionnel présent	Conditionnel passé
.	.
.	.
elle siérait	.
.	.
.	.
ils siéraient	.

SUBJONCTIF

Présent	Passé
.	.
.	.
qu'elle siée	.
.	.
.	.
qu'ils siéent	.

Imparfait	Plus-que-parfait
.	.
.	.
.	.
.	.
.	.
.	.

IMPÉRATIF

Présent	Passé
sieds	.
seyons	.
seyez	.

INFINITIF

Présent / VARIANTE	Passé
seoir / soir	.

PARTICIPE

Présent	Passé (composé)
séant / seyant	.
	Passé
	sis

Futur proche : *il va seoir* ou *il va soir* (→ Grammaire du verbe, paragraphes 5, 62).

- Traditionnellement, on écrit **seoir**. Les rectifications orthographiques éliminent l'**e** à l'infinitif et recommandent d'écrire **soir**.
- Ce verbe n'a pas de temps composés.
- Le verbe **seoir** ou **soir** signifie habituellement « convenir » : *ce vêtement vous sied à merveille.* Dans le sens d'« être assis, prendre séance », il n'existe guère qu'aux formes suivantes :
  — Participe présent : *séant* (employé parfois comme nom : *sur son séant*).
  — Participe passé : *sis, sise*, qui ne s'emploie plus guère qu'adjectivement en style juridique au lieu de *situé, située* : *hôtel sis à Paris.*
  — On trouve parfois les formes d'impératif pronominal : *sieds-toi, seyez-vous.*

asseoir/assoir

INDICATIF

Présent		Passé composé		
j'	assieds	j'	ai	assis
tu	assieds	tu	as	assis
elle	assied	elle	a	assis
nous	asseyons	nous	avons	assis
vous	asseyez	vous	avez	assis
ils	asseyent	ils	ont	assis

Imparfait		Plus-que-parfait		
j'	asseyais	j'	avais	assis
tu	asseyais	tu	avais	assis
elle	asseyait	elle	avait	assis
nous	asseyions	nous	avions	assis
vous	asseyiez	vous	aviez	assis
ils	asseyaient	ils	avaient	assis

Passé simple		Passé antérieur		
j'	assis	j'	eus	assis
tu	assis	tu	eus	assis
elle	assit	elle	eut	assis
nous	assîmes	nous	eûmes	assis
vous	assîtes	vous	eûtes	assis
ils	assirent	ils	eurent	assis

Futur simple		Futur antérieur		
j'	assiérai	j'	aurai	assis
tu	assiéras	tu	auras	assis
elle	assiéra	elle	aura	assis
nous	assiérons	nous	aurons	assis
vous	assiérez	vous	aurez	assis
ils	assiéront	ils	auront	assis

Conditionnel présent		Conditionnel passé		
j'	assiérais	j'	aurais	assis
tu	assiérais	tu	aurais	assis
elle	assiérait	elle	aurait	assis
nous	assiérions	nous	aurions	assis
vous	assiériez	vous	auriez	assis
ils	assiéraient	ils	auraient	assis

SUBJONCTIF

Présent		Passé		
que j'	asseye	que j'	aie	assis
que tu	asseyes	que tu	aies	assis
qu'elle	asseye	qu'elle	ait	assis
que n.	asseyions	que n.	ayons	assis
que v.	asseyiez	que v.	ayez	assis
qu'ils	asseyent	qu'ils	aient	assis

Imparfait		Plus-que-parfait		
que j'	assisse	que j'	eusse	assis
que tu	assisses	que tu	eusses	assis
qu'elle	assît	qu'elle	eût	assis
que n.	assissions	que n.	eussions	assis
que v.	assissiez	que v.	eussiez	assis
qu'ils	assissent	qu'ils	eussent	assis

IMPÉRATIF

Présent	Passé	
assieds	aie	assis
asseyons	ayons	assis
asseyez	ayez	assis

INFINITIF

Présent / VARIANTE	Passé
asseoir / assoir	avoir assis

PARTICIPE

Présent	Passé (composé)
asseyant	ayant assis
	Passé
	assis

Conditionnel passé 2ᵉ forme : mêmes formes que le plus-que-parfait du subjonctif.
Forme surcomposée : *j'ai eu assis* (→ Grammaire du verbe, paragraphes 4, 56, 70).
Futur proche : *je vais asseoir* ou *je vais assoir* (→ Grammaire du verbe, paragraphes 5, 62).

- Traditionellement, on écrit **asseoir**. Les rectifications orthographiques éliminent l'**e** et recommandent d'écrire **assoir**.
- Ce verbe se conjugue surtout à la forme pronominale : **s'asseoir** ou **s'assoir**.
- Les formes en **-ie-** et en **-ey-** sont plus littéraires que les formes en **-oi-** (→ page suivante).
- Le futur et le conditionnel *j'asseyerai…*, *j'asseyerais…* sont sortis de l'usage.

VOIR PAGE SUIVANTE

asseoir/assoir

INDICATIF

Présent		Passé composé		
j'	assois	j'	ai	assis
tu	assois	tu	as	assis
elle	assoit	elle	a	assis
nous	assoyons	nous	avons	assis
vous	assoyez	vous	avez	assis
ils	assoient	ils	ont	assis

Imparfait		Plus-que-parfait		
j'	assoyais	j'	avais	assis
tu	assoyais	tu	avais	assis
elle	assoyait	elle	avait	assis
nous	assoyions	nous	avions	assis
vous	assoyiez	vous	aviez	assis
ils	assoyaient	ils	avaient	assis

Passé simple		Passé antérieur		
j'	assis	j'	eus	assis
tu	assis	tu	eus	assis
elle	assit	elle	eut	assis
nous	assîmes	nous	eûmes	assis
vous	assîtes	vous	eûtes	assis
ils	assirent	ils	eurent	assis

Futur simple		Futur antérieur		
j'	assoirai	j'	aurai	assis
tu	assoiras	tu	auras	assis
elle	assoira	elle	aura	assis
nous	assoirons	nous	aurons	assis
vous	assoirez	vous	aurez	assis
ils	assoiront	ils	auront	assis

Conditionnel présent		Conditionnel passé		
j'	assoirais	j'	aurais	assis
tu	assoirais	tu	aurais	assis
elle	assoirait	elle	aurait	assis
nous	assoirions	nous	aurions	assis
vous	assoiriez	vous	auriez	assis
ils	assoiraient	ils	auraient	assis

SUBJONCTIF

Présent		Passé		
que j'	assoie	que j'	aie	assis
que tu	assoies	que tu	aies	assis
qu'elle	assoie	qu'elle	ait	assis
que n.	assoyions	que n.	ayons	assis
que v.	assoyiez	que v.	ayez	assis
qu' ils	assoient	qu' ils	aient	assis

Imparfait		Plus-que-parfait		
que j'	assisse	que j'	eusse	assis
que tu	assisses	que tu	eusses	assis
qu'elle	assît	qu'elle	eût	assis
que n.	assissions	que n.	eussions	assis
que v.	assissiez	que v.	eussiez	assis
qu' ils	assissent	qu' ils	eussent	assis

IMPÉRATIF

Présent	Passé	
assois	aie	assis
assoyons	ayons	assis
assoyez	ayez	assis

INFINITIF

Présent / VARIANTE	Passé
asseoir / assoir	avoir assis

PARTICIPE

Présent	Passé (composé)
assoyant	ayant assis
	Passé
	assis

Conditionnel passé 2e forme : mêmes formes que le plus-que-parfait du subjonctif.
Forme surcomposée : *j'ai eu assis* (→ Grammaire du verbe, paragraphes 4, 56, 70).
Futur proche : *je vais asseoir* ou *je vais assoir* (→ Grammaire du verbe, paragraphes 5, 62).

- L'infinitif de ce verbe s'orthographie traditionnellement avec un **e** étymologique, à la différence de l'indicatif présent : *j'assois*, et du futur et du conditionnel : *j'assoirai, j'assoirais*. Depuis les rectifications orthographiques approuvées par l'Académie française, il est possible d'écrire **assoir** (sans **e**) au lieu d'**asseoir**.
- **Rasseoir** (ou **rassoir**) se conjugue selon l'un ou l'autre de ces modèles.

VOIR PAGE PRÉCÉDENTE

138 (ne pas être convenable) messeoir/messoir

INDICATIF

Présent	Passé composé
.	.
.	.
elle messied	.
.	.
.	.
ils messiéent	.

Imparfait	Plus-que-parfait
.	.
.	.
elle messeyait	.
.	.
.	.
ils messeyaient	.

Passé simple	Passé antérieur
.	.
.	.
.	.
.	.
.	.
.	.

Futur simple	Futur antérieur
.	.
.	.
elle messiéra	.
.	.
.	.
ils messiéront	.

Conditionnel présent	Conditionnel passé
.	.
.	.
elle messiérait	.
.	.
.	.
ils messiéraient	.

SUBJONCTIF

Présent	Passé
.	.
.	.
qu'elle messiée	.
.	.
.	.
qu'ils messiéent	.

Imparfait	Plus-que-parfait
.	.
.	.
.	.
.	.
.	.
.	.

IMPÉRATIF

Présent	Passé
.	.
.	.
.	.

INFINITIF

Présent	/ VARIANTE	Passé
messeoir	/messoir	.

PARTICIPE

Présent		Passé (composé)
messéant	/messeyant	.
		Passé
		.

Futur proche : *il va messeoir* ou *il va messoir* (→ Grammaire du verbe, paragraphes 5, 62).

- Ce verbe n'a pas de temps composés.
- Traditionnellement, on écrit **messeoir**. Les rectifications orthographiques éliminent l'**e** à l'infinitif et recommandent d'écrire **messoir**.

INDICATIF

Présent		Passé composé		
je	sursois	j'	ai	sursis
tu	sursois	tu	as	sursis
elle	sursoit	elle	a	sursis
nous	sursoyons	nous	avons	sursis
vous	sursoyez	vous	avez	sursis
ils	sursoient	ils	ont	sursis

Imparfait		Plus-que-parfait		
je	sursoyais	j'	avais	sursis
tu	sursoyais	tu	avais	sursis
elle	sursoyait	elle	avait	sursis
nous	sursoyions	nous	avions	sursis
vous	sursoyiez	vous	aviez	sursis
ils	sursoyaient	ils	avaient	sursis

Passé simple		Passé antérieur		
je	sursis	j'	eus	sursis
tu	sursis	tu	eus	sursis
elle	sursit	elle	eut	sursis
nous	sursîmes	nous	eûmes	sursis
vous	sursîtes	vous	eûtes	sursis
ils	sursirent	ils	eurent	sursis

Futur simple	/ VARIANTE	Futur antérieur		
je surseoirai	/ sursoirai	j'	aurai	sursis
tu surseoiras	/ sursoiras	tu	auras	sursis
elle surseoira	/ sursoira	elle	aura	sursis
nous surseoirons	/ sursoirons	nous	aurons	sursis
vous surseoirez	/ sursoirez	vous	aurez	sursis
ils surseoiront	/ sursoiront	ils	auront	sursis

Conditionnel présent	/ VARIANTE	Conditionnel passé		
je surseoirais	/ sursoirais	j'	aurais	sursis
tu surseoirais	/ sursoirais	tu	aurais	sursis
elle surseoirait	/ sursoirait	elle	aurait	sursis
nous surseoirions	/ sursoirions	nous	aurions	sursis
vous surseoiriez	/ sursoiriez	vous	auriez	sursis
ils surseoiraient	/ sursoiraient	ils	auraient	sursis

SUBJONCTIF

Présent		Passé		
que je	sursoie	que j'	aie	sursis
que tu	sursoies	que tu	aies	sursis
qu'elle	sursoie	qu'elle	ait	sursis
que n.	sursoyions	que n.	ayons	sursis
que v.	sursoyiez	que v.	ayez	sursis
qu'ils	sursoient	qu'ils	aient	sursis

Imparfait		Plus-que-parfait		
que je	sursisse	que j'	eusse	sursis
que tu	sursisses	que tu	eusses	sursis
qu'elle	sursît	qu'elle	eût	sursis
que n.	sursissions	que n.	eussions	sursis
que v.	sursissiez	que v.	eussiez	sursis
qu'ils	sursissent	qu'ils	eussent	sursis

IMPÉRATIF

Présent	Passé	
sursois	aie	sursis
sursoyons	ayons	sursis
sursoyez	ayez	sursis

INFINITIF

Présent / VARIANTE	Passé
surseoir / sursoir	avoir sursis

PARTICIPE

Présent	Passé (composé)
sursoyant	ayant sursis
	Passé
	sursis

Conditionnel passé 2e forme : mêmes formes que le plus-que-parfait du subjonctif.
Forme surcomposée : *j'ai eu sursis* (→ Grammaire du verbe, paragraphes 4, 56, 70).
Futur proche : *je vais surseoir* ou *je vais sursoir* (→ Grammaire du verbe, paragraphes 5, 62).

- Traditionnellement, on écrit **surseoir** avec un **e**. Les rectifications orthographiques éliminent l'**e** à l'infinitif et recommandent d'écrire **sursoir**.
- **Surs(e)oir** a généralisé les formes en **-oi-** du verbe **ass(e)oir**, avec cette particularité que l'**e** de l'infinitif se retrouvait dans les conjugaisons traditionnelles du futur et du conditionnel : *je surseoirai…, je surseoirais…* Les rectifications orthographiques régularisent ces conjugaisons du futur et du conditionnel en éliminant la lettre **e** : *je sursoirai…, je sursoirais…*

choir

INDICATIF

Présent			Passé composé		
je	*chois*		j'	ai	chu
tu	*chois*		tu	as	chu
elle	choit		elle	a	chu
nous	*choyons*		nous	avons	chu
vous	*choyez*		vous	avez	chu
ils	choient		ils	ont	chu

Imparfait		Plus-que-parfait		
je	*choyais*	j'	avais	chu
tu	*choyais*	tu	avais	chu
elle	*choyait*	elle	avait	chu
nous	*choyions*	nous	avions	chu
vous	*choyiez*	vous	aviez	chu
ils	*choyaient*	ils	avaient	chu

Passé simple		Passé antérieur		
je	*chus*	j'	eus	chu
tu	*chus*	tu	eus	chu
elle	chut	elle	eut	chu
nous	*chûmes*	nous	eûmes	chu
vous	*chûtes*	vous	eûtes	chu
ils	churent	ils	eurent	chu

Futur simple		Futur antérieur		
je	*choirai / cherrai*	j'	aurai	chu
tu	*choiras / cherras*	tu	auras	chu
elle	*choira / cherra*	elle	aura	chu
nous	*choirons / cherrons*	nous	aurons	chu
vous	*choirez / cherrez*	vous	aurez	chu
ils	*choiront / cherront*	ils	auront	chu

Conditionnel présent		Conditionnel passé		
je	*choirais / cherrais*	j'	aurais	chu
tu	*choirais / cherrais*	tu	aurais	chu
elle	*choirait / cherrait*	elle	aurait	chu
nous	*choirions / cherrions*	nous	aurions	chu
vous	*choiriez / cherriez*	vous	auriez	chu
ils	*choiraient / cherraient*	ils	auraient	chu

SUBJONCTIF

Présent		Passé		
que je	*choie*	que j'	aie	chu
que tu	*choies*	que tu	aies	chu
qu'elle	*choie*	qu'elle	ait	chu
que n.	*choyions*	que n.	ayons	chu
que v.	*choyiez*	que v.	ayez	chu
qu'ils	*choient*	qu'ils	aient	chu

Imparfait		Plus-que-parfait		
que je	*chusse*	que j'	eusse	chu
que tu	*chusses*	que tu	eusses	chu
qu'elle	*chût*	qu'elle	eût	chu
que n.	*chussions*	que n.	eussions	chu
que v.	*chussiez*	que v.	eussiez	chu
qu'ils	*chussent*	qu'ils	eussent	chu

IMPÉRATIF

Présent	Passé
chois	*aie chu*
choyons	*ayons chu*
choyez	*ayez chu*

INFINITIF

Présent	Passé
choir	avoir chu

PARTICIPE

Présent	Passé (composé)
cheyant	ayant chu
	Passé
	chu

Conditionnel passé 2e forme : mêmes formes que le plus-que-parfait du subjonctif.
Forme surcomposée : *j'ai eu chu* (→ Grammaire du verbe, paragraphes 4, 56, 70).
Futur proche : *il va choir* (→ Grammaire du verbe, paragraphes 5, 62).

- Le verbe **choir** peut aussi se conjuguer avec l'auxiliaire **être**, bien que l'emploi de l'auxiliaire **avoir** soit aujourd'hui plus fréquent.
- Les formes en italique sont tout à fait désuètes.

INDICATIF

Présent		Passé composé	
.		.	
.		.	
elle échoit	/ *échet*	elle est	échue
.		.	
.		.	
ils échoient	/ *échéent*	ils sont	échus

Imparfait		Plus-que-parfait	
.		.	
.		.	
elle échoyait	/ *échéait*	elle était	échue
.		.	
.		.	
ils échoyaient	/ *échéaient*	ils étaient	échus

Passé simple	Passé antérieur	
.	.	
.	.	
elle échut	elle fut	échue
.	.	
.	.	
ils échurent	ils furent	échus

Futur simple		Futur antérieur	
.		.	
.		.	
elle échoira	/ *écherra*	elle sera	échue
.		.	
.		.	
ils échoiront	/ *écherront*	ils seront	échus

Conditionnel présent		Conditionnel passé	
.		.	
.		.	
elle échoirait	/ *écherrait*	elle serait	échue
.		.	
.		.	
ils échoiraient	/ *écherraient*	ils seraient	échus

SUBJONCTIF

Présent	Passé	
.	.	
.	.	
qu'elle échoie	qu'elle soit	échue
.	.	
.	.	
qu'ils échoient	qu'ils soient	échus

Imparfait	Plus-que-parfait	
.	.	
.	.	
qu'elle échût	qu'elle fût	échue
.	.	
.	.	
qu'ils échussent	qu'ils fussent	échus

IMPÉRATIF

Présent	Passé
.	.
.	.
.	.

INFINITIF

Présent	Passé
échoir	être échu

PARTICIPE

Présent	Passé (composé)
échéant	étant échu
	Passé
	échu

Conditionnel passé 2e forme : mêmes formes que le plus-que-parfait du subjonctif.
Forme surcomposée : *il a été échu* (→ Grammaire du verbe, paragraphes 4, 56, 70).
Futur proche : *il va échoir* (→ *Grammaire du verbe, paragraphes 5, 62*).

- **Échoir** est parfois employé avec l'auxiliaire **avoir**, mais cet emploi est archaïque ou populaire.
- Les formes en italique sont tout à fait désuètes. La forme *il échet* est surtout employée dans les documents juridiques.

142 déchoir

INDICATIF

Présent			Passé composé		
je	déchois		j'	ai	déchu
tu	déchois		tu	as	déchu
elle	déchoit	/ *déchet*	elle	a	déchu
n.	déchoyons		n.	avons	déchu
v.	déchoyez		v.	avez	déchu
ils	déchoient		ils	ont	déchu

Imparfait		Plus-que-parfait		
je	*déchoyais*	j'	avais	déchu
tu	*déchoyais*	tu	avais	déchu
elle	*déchoyait*	elle	avait	déchu
n.	*déchoyions*	n.	avions	déchu
v.	*déchoyiez*	v.	aviez	déchu
ils	*déchoyaient*	ils	avaient	déchu

Passé simple		Passé antérieur		
je	déchus	j'	eus	déchu
tu	déchus	tu	eus	déchu
elle	déchut	elle	eut	déchu
n.	déchûmes	n.	eûmes	déchu
v.	déchûtes	v.	eûtes	déchu
ils	déchurent	ils	eurent	déchu

Futur simple			Futur antérieur		
je	déchoirai	/ *décherrai*	j'	aurai	déchu
tu	déchoiras	/ *décherras*	tu	auras	déchu
elle	déchoira	/ *décherra*	elle	aura	déchu
n.	déchoirons	/ *décherrons*	n.	aurons	déchu
v.	déchoirez	/ *décherrez*	v.	aurez	déchu
ils	déchoiront	/ *décherront*	ils	auront	déchu

Conditionnel présent			Conditionnel passé		
je	déchoirais	/ *décherrais*	j'	aurais	déchu
tu	déchoirais	/ *décherrais*	tu	aurais	déchu
elle	déchoirait	/ *décherrait*	elle	aurait	déchu
n.	déchoirions	/ *décherrions*	n.	aurions	déchu
v.	déchoiriez	/ *décherriez*	v.	auriez	déchu
ils	déchoiraient	/ *décherraient*	ils	auraient	déchu

SUBJONCTIF

Présent		Passé		
que je	déchoie	que j'	aie	déchu
que tu	déchoies	que tu	aies	déchu
qu'elle	déchoie	qu'elle	ait	déchu
que n.	déchoyions	que n.	ayons	déchu
que v.	déchoyiez	que v.	ayez	déchu
qu'ils	déchoient	qu'ils	aient	déchu

Imparfait		Plus-que-parfait		
que je	déchusse	que j'	eusse	déchu
que tu	déchusses	que tu	eusses	déchu
qu'elle	déchût	qu'elle	eût	déchu
que n.	déchussions	que n.	eussions	déchu
que v.	déchussiez	que v.	eussiez	déchu
qu'ils	déchussent	qu'ils	eussent	déchu

IMPÉRATIF

Présent	Passé	
déchois	*aie*	*déchu*
déchoyons	*ayons*	*déchu*
déchoyez	*ayez*	*déchu*

INFINITIF

Présent	Passé
déchoir	avoir déchu

PARTICIPE

Présent	Passé (composé)
.	ayant déchu
	Passé
	déchu

Conditionnel passé 2e forme : mêmes formes que le plus-que-parfait du subjonctif.
Forme surcomposée : *j'ai eu déchu* (→ Grammaire du verbe, paragraphes 4, 56, 70).
Futur proche : *il va déchoir* (→ Grammaire du verbe, paragraphes 5, 62).

- Les formes en italique sont tout à fait désuètes.

rendre

INDICATIF

Présent		Passé composé		
je	rends	j'	ai	rendu
tu	rends	tu	as	rendu
elle	rend	elle	a	rendu
nous	rendons	nous	avons	rendu
vous	rendez	vous	avez	rendu
ils	rendent	ils	ont	rendu

Imparfait		Plus-que-parfait		
je	rendais	j'	avais	rendu
tu	rendais	tu	avais	rendu
elle	rendait	elle	avait	rendu
nous	rendions	nous	avions	rendu
vous	rendiez	vous	aviez	rendu
ils	rendaient	ils	avaient	rendu

Passé simple		Passé antérieur		
je	rendis	j'	eus	rendu
tu	rendis	tu	eus	rendu
elle	rendit	elle	eut	rendu
nous	rendîmes	nous	eûmes	rendu
vous	rendîtes	vous	eûtes	rendu
ils	rendirent	ils	eurent	rendu

Futur simple		Futur antérieur		
je	rendrai	j'	aurai	rendu
tu	rendras	tu	auras	rendu
elle	rendra	elle	aura	rendu
nous	rendrons	nous	aurons	rendu
vous	rendrez	vous	aurez	rendu
ils	rendront	ils	auront	rendu

Conditionnel présent		Conditionnel passé		
je	rendrais	j'	aurais	rendu
tu	rendrais	tu	aurais	rendu
elle	rendrait	elle	aurait	rendu
nous	rendrions	nous	aurions	rendu
vous	rendriez	vous	auriez	rendu
ils	rendraient	ils	auraient	rendu

SUBJONCTIF

Présent		Passé		
que je	rende	que j'	aie	rendu
que tu	rendes	que tu	aies	rendu
qu' elle	rende	qu' elle	ait	rendu
que n.	rendions	que n.	ayons	rendu
que v.	rendiez	que v.	ayez	rendu
qu' ils	rendent	qu' ils	aient	rendu

Imparfait		Plus-que-parfait		
que je	rendisse	que j'	eusse	rendu
que tu	rendisses	que tu	eusses	rendu
qu' elle	rendît	qu' elle	eût	rendu
que n.	rendissions	que n.	eussions	rendu
que v.	rendissiez	que v.	eussiez	rendu
qu' ils	rendissent	qu' ils	eussent	rendu

IMPÉRATIF

Présent	Passé	
rends	aie	rendu
rendons	ayons	rendu
rendez	ayez	rendu

INFINITIF

Présent	Passé
rendre	avoir rendu

PARTICIPE

Présent	Passé (composé)
rendant	ayant rendu
	Passé
	rendu

1. Sauf **prendre** et ses composés (→ tableau 144).

Conditionnel passé 2e forme : mêmes formes que le plus-que-parfait du subjonctif.
Forme surcomposée : *j'ai eu rendu* (→ Grammaire du verbe, paragraphes 4, 56, 70).
Futur proche : *je vais rendre* (→ Grammaire du verbe, paragraphes 5, 62).

- Pour savoir quels verbes se conjuguent comme **rendre** → Liste des verbes irréguliers, p. 120 à 122.
- **Sourdre** ne s'utilise qu'à l'infinitif et aux 3es personnes des temps de l'indicatif.

144 prendre

INDICATIF

Présent		Passé composé		
je	prends	j'	ai	pris
tu	prends	tu	as	pris
elle	prend	elle	a	pris
nous	prenons	nous	avons	pris
vous	prenez	vous	avez	pris
ils	prennent	ils	ont	pris

Imparfait		Plus-que-parfait		
je	prenais	j'	avais	pris
tu	prenais	tu	avais	pris
elle	prenait	elle	avait	pris
nous	prenions	nous	avions	pris
vous	preniez	vous	aviez	pris
ils	prenaient	ils	avaient	pris

Passé simple		Passé antérieur		
je	pris	j'	eus	pris
tu	pris	tu	eus	pris
elle	prit	elle	eut	pris
nous	prîmes	nous	eûmes	pris
vous	prîtes	vous	eûtes	pris
ils	prirent	ils	eurent	pris

Futur simple		Futur antérieur		
je	prendrai	j'	aurai	pris
tu	prendras	tu	auras	pris
elle	prendra	elle	aura	pris
nous	prendrons	nous	aurons	pris
vous	prendrez	vous	aurez	pris
ils	prendront	ils	auront	pris

Conditionnel présent		Conditionnel passé		
je	prendrais	j'	aurais	pris
tu	prendrais	tu	aurais	pris
elle	prendrait	elle	aurait	pris
nous	prendrions	nous	aurions	pris
vous	prendriez	vous	auriez	pris
ils	prendraient	ils	auraient	pris

SUBJONCTIF

Présent		Passé		
que je	prenne	que j'	aie	pris
que tu	prennes	que tu	aies	pris
qu' elle	prenne	qu' elle	ait	pris
que n.	prenions	que n.	ayons	pris
que v.	preniez	que v.	ayez	pris
qu' ils	prennent	qu' ils	aient	pris

Imparfait		Plus-que-parfait		
que je	prisse	que j'	eusse	pris
que tu	prisses	que tu	eusses	pris
qu' elle	prît	qu' elle	eût	pris
que n.	prissions	que n.	eussions	pris
que v.	prissiez	que v.	eussiez	pris
qu' ils	prissent	qu' ils	eussent	pris

IMPÉRATIF

Présent	Passé	
prends	aie	pris
prenons	ayons	pris
prenez	ayez	pris

INFINITIF

Présent	Passé
prendre	avoir pris

PARTICIPE

Présent	Passé (composé)
prenant	ayant pris
	Passé
	pris

Conditionnel passé 2e forme : mêmes formes que le plus-que-parfait du subjonctif.
Forme surcomposée : *j'ai eu pris* (→ Grammaire du verbe, paragraphes 4, 56, 70).
Futur proche : *je vais prendre* (→ Grammaire du verbe, paragraphes 5, 62).

- Les composés de **prendre** (→ Liste des verbes irréguliers, p. 120 à 122) se conjuguent sur ce modèle.

rompre

INDICATIF

Présent		Passé composé		
je	romps	j'	ai	rompu
tu	romps	tu	as	rompu
elle	rompt	elle	a	rompu
nous	rompons	nous	avons	rompu
vous	rompez	vous	avez	rompu
ils	rompent	ils	ont	rompu
Imparfait		**Plus-que-parfait**		
je	rompais	j'	avais	rompu
tu	rompais	tu	avais	rompu
elle	rompait	elle	avait	rompu
nous	rompions	nous	avions	rompu
vous	rompiez	vous	aviez	rompu
ils	rompaient	ils	avaient	rompu
Passé simple		**Passé antérieur**		
je	rompis	j'	eus	rompu
tu	rompis	tu	eus	rompu
elle	rompit	elle	eut	rompu
nous	rompîmes	nous	eûmes	rompu
vous	rompîtes	vous	eûtes	rompu
ils	rompirent	ils	eurent	rompu
Futur simple		**Futur antérieur**		
je	romprai	j'	aurai	rompu
tu	rompras	tu	auras	rompu
elle	rompra	elle	aura	rompu
nous	romprons	nous	aurons	rompu
vous	romprez	vous	aurez	rompu
ils	rompront	ils	auront	rompu
Conditionnel présent		**Conditionnel passé**		
je	romprais	j'	aurais	rompu
tu	romprais	tu	aurais	rompu
elle	romprait	elle	aurait	rompu
nous	romprions	nous	aurions	rompu
vous	rompriez	vous	auriez	rompu
ils	rompraient	ils	auraient	rompu

SUBJONCTIF

Présent		Passé		
que je	rompe	que j'	aie	rompu
que tu	rompes	que tu	aies	rompu
qu'elle	rompe	qu'elle	ait	rompu
que n.	rompions	que n.	ayons	rompu
que v.	rompiez	que v.	ayez	rompu
qu' ils	rompent	qu' ils	aient	rompu
Imparfait		**Plus-que-parfait**		
que je	rompisse	que j'	eusse	rompu
que tu	rompisses	que tu	eusses	rompu
qu'elle	rompît	qu'elle	eût	rompu
que n.	rompissions	que n.	eussions	rompu
que v.	rompissiez	que v.	eussiez	rompu
qu' ils	rompissent	qu' ils	eussent	rompu

IMPÉRATIF

Présent	Passé	
romps	aie	rompu
rompons	ayons	rompu
rompez	ayez	rompu

INFINITIF

Présent	Passé
rompre	avoir rompu

PARTICIPE

Présent	Passé (composé)
rompant	ayant rompu
	Passé
	rompu

Conditionnel passé 2ᵉ forme : mêmes formes que le plus-que-parfait du subjonctif.
Forme surcomposée : *j'ai eu rompu* (→ Grammaire du verbe, paragraphes 4, 56, 70).
Futur proche : *je vais rompre* (→ Grammaire du verbe, paragraphes 5, 62).

- Les verbes **corrompre** et **interrompre** se conjuguent sur ce modèle.
- Les verbes **foutre**, **refoutre** et **contrefoutre** se conjuguent aussi selon ce modèle et prennent un **t** à la troisième personne du singulier de l'indicatif présent : *il fout, elle se contrefout.*

146 battre

INDICATIF

Présent		Passé composé		
je	bats	j'	ai	battu
tu	bats	tu	as	battu
elle	bat	elle	a	battu
nous	battons	nous	avons	battu
vous	battez	vous	avez	battu
ils	battent	ils	ont	battu

Imparfait		Plus-que-parfait		
je	battais	j'	avais	battu
tu	battais	tu	avais	battu
elle	battait	elle	avait	battu
nous	battions	nous	avions	battu
vous	battiez	vous	aviez	battu
ils	battaient	ils	avaient	battu

Passé simple		Passé antérieur		
je	battis	j'	eus	battu
tu	battis	tu	eus	battu
elle	battit	elle	eut	battu
nous	battîmes	nous	eûmes	battu
vous	battîtes	vous	eûtes	battu
ils	battirent	ils	eurent	battu

Futur simple		Futur antérieur		
je	battrai	j'	aurai	battu
tu	battras	tu	auras	battu
elle	battra	elle	aura	battu
nous	battrons	nous	aurons	battu
vous	battrez	vous	aurez	battu
ils	battront	ils	auront	battu

Conditionnel présent		Conditionnel passé		
je	battrais	j'	aurais	battu
tu	battrais	tu	aurais	battu
elle	battrait	elle	aurait	battu
nous	battrions	nous	aurions	battu
vous	battriez	vous	auriez	battu
ils	battraient	ils	auraient	battu

SUBJONCTIF

Présent		Passé		
que je	batte	que j'	aie	battu
que tu	battes	que tu	aies	battu
qu' elle	batte	qu' elle	ait	battu
que n.	battions	que n.	ayons	battu
que v.	battiez	que v.	ayez	battu
qu' ils	battent	qu' ils	aient	battu

Imparfait		Plus-que-parfait		
que je	battisse	que j'	eusse	battu
que tu	battisses	que tu	eusses	battu
qu' elle	battît	qu' elle	eût	battu
que n.	battissions	que n.	eussions	battu
que v.	battissiez	que v.	eussiez	battu
qu' ils	battissent	qu' ils	eussent	battu

IMPÉRATIF

Présent	Passé	
bats	aie	battu
battons	ayons	battu
battez	ayez	battu

INFINITIF

Présent	Passé
battre	avoir battu

PARTICIPE

Présent	Passé (composé)
battant	ayant battu
	Passé
	battu

Conditionnel passé 2e forme : mêmes formes que le plus-que-parfait du subjonctif.
Forme surcomposée : *j'ai eu battu* (→ Grammaire du verbe, paragraphes 4, 56, 70).
Futur proche : *je vais battre* (→ Grammaire du verbe, paragraphes 5, 62).

- Les composés de **battre** (→ Liste des verbes irréguliers, p. 120 à 122) se conjuguent sur ce modèle.

INDICATIF

Présent		Passé composé		
je	mets	j'	ai	mis
tu	mets	tu	as	mis
elle	met	elle	a	mis
nous	mettons	nous	avons	mis
vous	mettez	vous	avez	mis
ils	mettent	ils	ont	mis

Imparfait		Plus-que-parfait		
je	mettais	j'	avais	mis
tu	mettais	tu	avais	mis
elle	mettait	elle	avait	mis
nous	mettions	nous	avions	mis
vous	mettiez	vous	aviez	mis
ils	mettaient	ils	avaient	mis

Passé simple		Passé antérieur		
je	mis	j'	eus	mis
tu	mis	tu	eus	mis
elle	mit	elle	eut	mis
nous	mîmes	nous	eûmes	mis
vous	mîtes	vous	eûtes	mis
ils	mirent	ils	eurent	mis

Futur simple		Futur antérieur		
je	mettrai	j'	aurai	mis
tu	mettras	tu	auras	mis
elle	mettra	elle	aura	mis
nous	mettrons	nous	aurons	mis
vous	mettrez	vous	aurez	mis
ils	mettront	ils	auront	mis

Conditionnel présent		Conditionnel passé		
je	mettrais	j'	aurais	mis
tu	mettrais	tu	aurais	mis
elle	mettrait	elle	aurait	mis
nous	mettrions	nous	aurions	mis
vous	mettriez	vous	auriez	mis
ils	mettraient	ils	auraient	mis

SUBJONCTIF

Présent		Passé		
que je	mette	que j'	aie	mis
que tu	mettes	que tu	aies	mis
qu'elle	mette	qu'elle	ait	mis
que n.	mettions	que n.	ayons	mis
que v.	mettiez	que v.	ayez	mis
qu' ils	mettent	qu' ils	aient	mis

Imparfait		Plus-que-parfait		
que je	misse	que j'	eusse	mis
que tu	misses	que tu	eusses	mis
qu'elle	mît	qu'elle	eût	mis
que n.	missions	que n.	eussions	mis
que v.	missiez	que v.	eussiez	mis
qu' ils	missent	qu' ils	eussent	mis

IMPÉRATIF

Présent	Passé
mets	aie mis
mettons	ayons mis
mettez	ayez mis

INFINITIF

Présent	Passé
mettre	avoir mis

PARTICIPE

Présent	Passé (composé)
mettant	ayant mis
	Passé
	mis

Conditionnel passé 2e forme : mêmes formes que le plus-que-parfait du subjonctif.
Forme surcomposée : *j'ai eu mis* (→ Grammaire du verbe, paragraphes 4, 56, 70).
Futur proche : *je vais mettre* (→ Grammaire du verbe, paragraphes 5, 62).

- Les composés de **mettre** (→ Liste des verbes irréguliers, p. 120 à 122) se conjuguent sur ce modèle.

peindre

INDICATIF

Présent		Passé composé		
je	peins	j'	ai	peint
tu	peins	tu	as	peint
elle	peint	elle	a	peint
nous	peignons	nous	avons	peint
vous	peignez	vous	avez	peint
ils	peignent	ils	ont	peint

Imparfait		Plus-que-parfait		
je	peignais	j'	avais	peint
tu	peignais	tu	avais	peint
elle	peignait	elle	avait	peint
nous	peignions	nous	avions	peint
vous	peigniez	vous	aviez	peint
ils	peignaient	ils	avaient	peint

Passé simple		Passé antérieur		
je	peignis	j'	eus	peint
tu	peignis	tu	eus	peint
elle	peignit	elle	eut	peint
nous	peignîmes	nous	eûmes	peint
vous	peignîtes	vous	eûtes	peint
ils	peignirent	ils	eurent	peint

Futur simple		Futur antérieur		
je	peindrai	j'	aurai	peint
tu	peindras	tu	auras	peint
elle	peindra	elle	aura	peint
nous	peindrons	nous	aurons	peint
vous	peindrez	vous	aurez	peint
ils	peindront	ils	auront	peint

Conditionnel présent		Conditionnel passé		
je	peindrais	j'	aurais	peint
tu	peindrais	tu	aurais	peint
elle	peindrait	elle	aurait	peint
nous	peindrions	nous	aurions	peint
vous	peindriez	vous	auriez	peint
ils	peindraient	ils	auraient	peint

SUBJONCTIF

Présent		Passé		
que je	peigne	que j'	aie	peint
que tu	peignes	que tu	aies	peint
qu'elle	peigne	qu'elle	ait	peint
que n.	peignions	que n.	ayons	peint
que v.	peigniez	que v.	ayez	peint
qu' ils	peignent	qu' ils	aient	peint

Imparfait		Plus-que-parfait		
que je	peignisse	que j'	eusse	peint
que tu	peignisses	que tu	eusses	peint
qu'elle	peignît	qu'elle	eût	peint
que n.	peignissions	que n.	eussions	peint
que v.	peignissiez	que v.	eussiez	peint
qu' ils	peignissent	qu' ils	eussent	peint

IMPÉRATIF

Présent	Passé	
peins	aie	peint
peignons	ayons	peint
peignez	ayez	peint

INFINITIF

Présent	Passé
peindre	avoir peint

PARTICIPE

Présent	Passé (composé)
peignant	ayant peint
	Passé
	peint

Conditionnel passé 2e forme : mêmes formes que le plus-que-parfait du subjonctif.
Forme surcomposée : *j'ai eu peint* (→ Grammaire du verbe, paragraphes 4, 56, 70).
Futur proche : *je vais peindre* (→ Grammaire du verbe, paragraphes 5, 62).

- Tous les verbes en **-eindre** (→ Liste des verbes irréguliers, p. 120 à 122) se conjuguent sur ce modèle.

INDICATIF

Présent		Passé composé		
je	joins	j'	ai	joint
tu	joins	tu	as	joint
elle	joint	elle	a	joint
nous	joignons	nous	avons	joint
vous	joignez	vous	avez	joint
ils	joignent	ils	ont	joint

Imparfait		Plus-que-parfait		
je	joignais	j'	avais	joint
tu	joignais	tu	avais	joint
elle	joignait	elle	avait	joint
nous	joignions	nous	avions	joint
vous	joigniez	vous	aviez	joint
ils	joignaient	ils	avaient	joint

Passé simple		Passé antérieur		
je	joignis	j'	eus	joint
tu	joignis	tu	eus	joint
elle	joignit	elle	eut	joint
nous	joignîmes	nous	eûmes	joint
vous	joignîtes	vous	eûtes	joint
ils	joignirent	ils	eurent	joint

Futur simple		Futur antérieur		
je	joindrai	j'	aurai	joint
tu	joindras	tu	auras	joint
elle	joindra	elle	aura	joint
nous	joindrons	nous	aurons	joint
vous	joindrez	vous	aurez	joint
ils	joindront	ils	auront	joint

Conditionnel présent		Conditionnel passé		
je	joindrais	j'	aurais	joint
tu	joindrais	tu	aurais	joint
elle	joindrait	elle	aurait	joint
nous	joindrions	nous	aurions	joint
vous	joindriez	vous	auriez	joint
ils	joindraient	ils	auraient	joint

SUBJONCTIF

Présent		Passé		
que je	joigne	que j'	aie	joint
que tu	joignes	que tu	aies	joint
qu' elle	joigne	qu' elle	ait	joint
que n.	joignions	que n.	ayons	joint
que v.	joigniez	que v.	ayez	joint
qu' ils	joignent	qu' ils	aient	joint

Imparfait		Plus-que-parfait		
que je	joignisse	que j'	eusse	joint
que tu	joignisses	que tu	eusses	joint
qu' elle	joignît	qu' elle	eût	joint
que n.	joignissions	que n.	eussions	joint
que v.	joignissiez	que v.	eussiez	joint
qu' ils	joignissent	qu' ils	eussent	joint

IMPÉRATIF

Présent	Passé	
joins	aie	joint
joignons	ayons	joint
joignez	ayez	joint

INFINITIF

Présent	Passé
joindre	avoir joint

PARTICIPE

Présent	Passé (composé)
joignant	ayant joint
	Passé
	joint

Conditionnel passé 2e forme : mêmes formes que le plus-que-parfait du subjonctif.
Forme surcomposée : *j'ai eu joint* (→ Grammaire du verbe, paragraphes 4, 56, 70).
Futur proche : *je vais joindre* (→ Grammaire du verbe, paragraphes 5, 62).

- Les composés de **joindre** (→ Liste des verbes irréguliers, p. 120 à 122) et les verbes archaïques **poindre** et **oindre** se conjuguent sur ce modèle.
- Au sens intransitif de « commencer à paraître », **poindre** s'emploie presque exclusivement à la 3e personne (*le jour point, il poindra, l'aube poindrait, elle a point*) et on a tendance à lui substituer dans ce sens le verbe régulier **pointer** : *le jour pointe.*
- **Oindre** est sorti de l'usage, sauf à l'infinitif, à l'indicatif imparfait (*oignait*) et au participe passé (*oint, oints, ointe, ointes*).

craindre

INDICATIF

Présent		Passé composé		
je	crains	j'	ai	craint
tu	crains	tu	as	craint
elle	craint	elle	a	craint
nous	craignons	nous	avons	craint
vous	craignez	vous	avez	craint
ils	craignent	ils	ont	craint

Imparfait		Plus-que-parfait		
je	craignais	j'	avais	craint
tu	craignais	tu	avais	craint
elle	craignait	elle	avait	craint
nous	craignions	nous	avions	craint
vous	craigniez	vous	aviez	craint
ils	craignaient	ils	avaient	craint

Passé simple		Passé antérieur		
je	craignis	j'	eus	craint
tu	craignis	tu	eus	craint
elle	craignit	elle	eut	craint
nous	craignîmes	nous	eûmes	craint
vous	craignîtes	vous	eûtes	craint
ils	craignirent	ils	eurent	craint

Futur simple		Futur antérieur		
je	craindrai	j'	aurai	craint
tu	craindras	tu	auras	craint
elle	craindra	elle	aura	craint
nous	craindrons	nous	aurons	craint
vous	craindrez	vous	aurez	craint
ils	craindront	ils	auront	craint

Conditionnel présent		Conditionnel passé		
je	craindrais	j'	aurais	craint
tu	craindrais	tu	aurais	craint
elle	craindrait	elle	aurait	craint
nous	craindrions	nous	aurions	craint
vous	craindriez	vous	auriez	craint
ils	craindraient	ils	auraient	craint

SUBJONCTIF

Présent		Passé		
que je	craigne	que j'	aie	craint
que tu	craignes	que tu	aies	craint
qu'elle	craigne	qu'elle	ait	craint
que n.	craignions	que n.	ayons	craint
que v.	craigniez	que v.	ayez	craint
qu'ils	craignent	qu'ils	aient	craint

Imparfait		Plus-que-parfait		
que je	craignisse	que j'	eusse	craint
que tu	craignisses	que tu	eusses	craint
qu'elle	craignît	qu'elle	eût	craint
que n.	craignissions	que n.	eussions	craint
que v.	craignissiez	que v.	eussiez	craint
qu'ils	craignissent	qu'ils	eussent	craint

IMPÉRATIF

Présent	Passé	
crains	aie	craint
craignons	ayons	craint
craignez	ayez	craint

INFINITIF

Présent	Passé
craindre	avoir craint

PARTICIPE

Présent	Passé (composé)
craignant	ayant craint
	Passé
	craint

Conditionnel passé 2e forme : mêmes formes que le plus-que-parfait du subjonctif.
Forme surcomposée : *j'ai eu craint* (→ Grammaire du verbe, paragraphes 4, 56, 70).
Futur proche : *je vais craindre* (→ Grammaire du verbe, paragraphes 5, 62).

- **Contraindre** et **plaindre** se conjuguent sur ce modèle.

INDICATIF

Présent		Passé composé		
je	vaincs	j'	ai	vaincu
tu	vaincs	tu	as	vaincu
elle	vainc	elle	a	vaincu
nous	vainquons	nous	avons	vaincu
vous	vainquez	vous	avez	vaincu
ils	vainquent	ils	ont	vaincu

Imparfait		Plus-que-parfait		
je	vainquais	j'	avais	vaincu
tu	vainquais	tu	avais	vaincu
elle	vainquait	elle	avait	vaincu
nous	vainquions	nous	avions	vaincu
vous	vainquiez	vous	aviez	vaincu
ils	vainquaient	ils	avaient	vaincu

Passé simple		Passé antérieur		
je	vainquis	j'	eus	vaincu
tu	vainquis	tu	eus	vaincu
elle	vainquit	elle	eut	vaincu
nous	vainquîmes	nous	eûmes	vaincu
vous	vainquîtes	vous	eûtes	vaincu
ils	vainquirent	ils	eurent	vaincu

Futur simple		Futur antérieur		
je	vaincrai	j'	aurai	vaincu
tu	vaincras	tu	auras	vaincu
elle	vaincra	elle	aura	vaincu
nous	vaincrons	nous	aurons	vaincu
vous	vaincrez	vous	aurez	vaincu
ils	vaincront	ils	auront	vaincu

Conditionnel présent		Conditionnel passé		
je	vaincrais	j'	aurais	vaincu
tu	vaincrais	tu	aurais	vaincu
elle	vaincrait	elle	aurait	vaincu
nous	vaincrions	nous	aurions	vaincu
vous	vaincriez	vous	auriez	vaincu
ils	vaincraient	ils	auraient	vaincu

SUBJONCTIF

Présent		Passé		
que je	vainque	que j'	aie	vaincu
que tu	vainques	que tu	aies	vaincu
qu'elle	vainque	qu'elle	ait	vaincu
que n.	vainquions	que n.	ayons	vaincu
que v.	vainquiez	que v.	ayez	vaincu
qu'ils	vainquent	qu'ils	aient	vaincu

Imparfait		Plus-que-parfait		
que je	vainquisse	que j'	eusse	vaincu
que tu	vainquisses	que tu	eusses	vaincu
qu'elle	vainquît	qu'elle	eût	vaincu
que n.	vainquissions	que n.	eussions	vaincu
que v.	vainquissiez	que v.	eussiez	vaincu
qu'ils	vainquissent	qu'ils	eussent	vaincu

IMPÉRATIF

Présent	Passé	
vaincs	aie	vaincu
vainquons	ayons	vaincu
vainquez	ayez	vaincu

INFINITIF

Présent	Passé
vaincre	avoir vaincu

PARTICIPE

Présent	Passé (composé)
vainquant	ayant vaincu
	Passé
	vaincu

Conditionnel passé 2e forme : mêmes formes que le plus-que-parfait du subjonctif.
Forme surcomposée : *j'ai eu vaincu* (→ Grammaire du verbe, paragraphes 4, 56, 70).
Futur proche : *je vais vaincre* (→ Grammaire du verbe, paragraphes 5, 62).

- Remarquer que **vaincre** ne prend pas de **t** final à la troisième personne du singulier du présent de l'indicatif : *il vainc.*
- Devant une voyelle (sauf **u**), le **c** se change en **qu** : *nous vainquons.*
- **Convaincre** se conjugue sur ce modèle.
- À la forme interrogative, on écrit *Vainc-t-il ? Convainc-t-il ?* (→ Grammaire du verbe, paragraphe 19).

152 verbes en -raire | traire

INDICATIF

Présent		Passé composé		
je	trais	j'	ai	trait
tu	trais	tu	as	trait
elle	trait	elle	a	trait
nous	trayons	nous	avons	trait
vous	trayez	vous	avez	trait
ils	traient	ils	ont	trait

Imparfait		Plus-que-parfait		
je	trayais	j'	avais	trait
tu	trayais	tu	avais	trait
elle	trayait	elle	avait	trait
nous	trayions	nous	avions	trait
vous	trayiez	vous	aviez	trait
ils	trayaient	ils	avaient	trait

Passé simple		Passé antérieur		
.		j'	eus	trait
.		tu	eus	trait
.		elle	eut	trait
.		nous	eûmes	trait
.		vous	eûtes	trait
.		ils	eurent	trait

Futur simple		Futur antérieur		
je	trairai	j'	aurai	trait
tu	trairas	tu	auras	trait
elle	traira	elle	aura	trait
nous	trairons	nous	aurons	trait
vous	trairez	vous	aurez	trait
ils	trairont	ils	auront	trait

Conditionnel présent		Conditionnel passé		
je	trairais	j'	aurais	trait
tu	trairais	tu	aurais	trait
elle	trairait	elle	aurait	trait
nous	trairions	nous	aurions	trait
vous	trairiez	vous	auriez	trait
ils	trairaient	ils	auraient	trait

SUBJONCTIF

Présent		Passé		
que je	traie	que j'	aie	trait
que tu	traies	que tu	aies	trait
qu' elle	traie	qu' elle	ait	trait
que n.	trayions	que n.	ayons	trait
que v.	trayiez	que v.	ayez	trait
qu' ils	traient	qu' ils	aient	trait

Imparfait		Plus-que-parfait		
.		que j'	eusse	trait
.		que tu	eusses	trait
.		qu' elle	eût	trait
.		que n.	eussions	trait
.		que v.	eussiez	trait
.		qu' ils	eussent	trait

IMPÉRATIF

Présent	Passé	
trais	aie	trait
trayons	ayons	trait
trayez	ayez	trait

INFINITIF

Présent	Passé
traire	avoir trait

PARTICIPE

Présent	Passé (composé)
trayant	ayant trait
	Passé
	trait

Conditionnel passé 2e forme : mêmes formes que le plus-que-parfait du subjonctif.
Forme surcomposée : *j'ai eu trait* (→ Grammaire du verbe, paragraphes 4, 56, 70).
Futur proche : *je vais traire* (→ Grammaire du verbe, paragraphes 5, 62).

- Les composés de **traire**, comme **extraire**, **distraire**, etc. (→ Liste des verbes irréguliers, p. 120 à 122), se conjuguent sur ce modèle.
- Les verbes **braire** et **raire** se conjuguent aussi sur ce modèle. Ils s'emploient surtout aux 3es personnes.
- Remarquer l'absence de passé simple et de subjonctif imparfait pour tous les verbes qui se conjuguent sur ce modèle.

INDICATIF

Présent		Passé composé		
je	fais	j'	ai	fait
tu	fais	tu	as	fait
elle	fait	elle	a	fait
nous	faisons	nous	avons	fait
vous	faites	vous	avez	fait
ils	font	ils	ont	fait

Imparfait		Plus-que-parfait		
je	faisais	j'	avais	fait
tu	faisais	tu	avais	fait
elle	faisait	elle	avait	fait
nous	faisions	nous	avions	fait
vous	faisiez	vous	aviez	fait
ils	faisaient	ils	avaient	fait

Passé simple		Passé antérieur		
je	fis	j'	eus	fait
tu	fis	tu	eus	fait
elle	fit	elle	eut	fait
nous	fîmes	nous	eûmes	fait
vous	fîtes	vous	eûtes	fait
ils	firent	ils	eurent	fait

Futur simple		Futur antérieur		
je	ferai	j'	aurai	fait
tu	feras	tu	auras	fait
elle	fera	elle	aura	fait
nous	ferons	nous	aurons	fait
vous	ferez	vous	aurez	fait
ils	feront	ils	auront	fait

Conditionnel présent		Conditionnel passé		
je	ferais	j'	aurais	fait
tu	ferais	tu	aurais	fait
elle	ferait	elle	aurait	fait
nous	ferions	nous	aurions	fait
vous	feriez	vous	auriez	fait
ils	feraient	ils	auraient	fait

SUBJONCTIF

Présent		Passé		
que je	fasse	que j'	aie	fait
que tu	fasses	que tu	aies	fait
qu'elle	fasse	qu'elle	ait	fait
que n.	fassions	que n.	ayons	fait
que v.	fassiez	que v.	ayez	fait
qu'ils	fassent	qu'ils	aient	fait

Imparfait		Plus-que-parfait		
que je	fisse	que j'	eusse	fait
que tu	fisses	que tu	eusses	fait
qu'elle	fît	qu'elle	eût	fait
que n.	fissions	que n.	eussions	fait
que v.	fissiez	que v.	eussiez	fait
qu'ils	fissent	qu'ils	eussent	fait

IMPÉRATIF

Présent	Passé	
fais	aie	fait
faisons	ayons	fait
faites	ayez	fait

INFINITIF

Présent	Passé
faire	avoir fait

PARTICIPE

Présent	Passé (composé)
faisant	ayant fait
	Passé
	fait

Conditionnel passé 2e forme : mêmes formes que le plus-que-parfait du subjonctif.
Forme surcomposée : *j'ai eu fait* (→ Grammaire du verbe, paragraphes 4, 56, 70).
Futur proche : *je vais faire* (→ Grammaire du verbe, paragraphes 5, 62).

- Les formes écrites **fai-** se prononcent **fe** [fə] dans les cas suivants : ***fai**sons* [fəzɔ̃] ; ***fai**sais*, ***fai**sait*, ***fai**saient* [fəzɛ] ; ***fai**sions* [fəzjɔ̃] ; ***fai**siez* [fəzje] ; ***fai**sant* [fəzɑ̃].
  En revanche, on a aligné sur la prononciation l'orthographe de *je **fe**rai…*, *je **fe**rais…*, écrits avec un **e**.
- Noter les 2es personnes du pluriel à l'indicatif présent et à l'impératif : *vous faites*, *faites*. Les formes fautives ⊗ *vous faisez* et ⊗ *faisez* sont des barbarismes.
- Les composés de **faire** se conjuguent sur ce modèle (→ Liste des verbes irréguliers, p. 120 à 122).

154 plaire

INDICATIF

Présent	/ VARIANTE	Passé composé		
je	plais	j'	ai	plu
tu	plais	tu	as	plu
elle	plaît / plait	elle	a	plu
nous	plaisons	nous	avons	plu
vous	plaisez	vous	avez	plu
ils	plaisent	ils	ont	plu

Imparfait		Plus-que-parfait		
je	plaisais	j'	avais	plu
tu	plaisais	tu	avais	plu
elle	plaisait	elle	avait	plu
nous	plaisions	nous	avions	plu
vous	plaisiez	vous	aviez	plu
ils	plaisaient	ils	avaient	plu

Passé simple		Passé antérieur		
je	plus	j'	eus	plu
tu	plus	tu	eus	plu
elle	plut	elle	eut	plu
nous	plûmes	nous	eûmes	plu
vous	plûtes	vous	eûtes	plu
ils	plurent	ils	eurent	plu

Futur simple		Futur antérieur		
je	plairai	j'	aurai	plu
tu	plairas	tu	auras	plu
elle	plaira	elle	aura	plu
nous	plairons	nous	aurons	plu
vous	plairez	vous	aurez	plu
ils	plairont	ils	auront	plu

Conditionnel présent		Conditionnel passé		
je	plairais	j'	aurais	plu
tu	plairais	tu	aurais	plu
elle	plairait	elle	aurait	plu
nous	plairions	nous	aurions	plu
vous	plairiez	vous	auriez	plu
ils	plairaient	ils	auraient	plu

SUBJONCTIF

Présent		Passé		
que je	plaise	que j'	aie	plu
que tu	plaises	que tu	aies	plu
qu'elle	plaise	qu'elle	ait	plu
que n.	plaisions	que n.	ayons	plu
que v.	plaisiez	que v.	ayez	plu
qu'ils	plaisent	qu'ils	aient	plu

Imparfait		Plus-que-parfait		
que je	plusse	que j'	eusse	plu
que tu	plusses	que tu	eusses	plu
qu'elle	plût	qu'elle	eût	plu
que n.	plussions	que n.	eussions	plu
que v.	plussiez	que v.	eussiez	plu
qu'ils	plussent	qu'ils	eussent	plu

IMPÉRATIF

Présent	Passé	
plais	aie	plu
plaisons	ayons	plu
plaisez	ayez	plu

INFINITIF

Présent	Passé
plaire	avoir plu

PARTICIPE

Présent	Passé (composé)
plaisant	ayant plu
	Passé
	plu

Conditionnel passé 2e forme : mêmes formes que le plus-que-parfait du subjonctif.
Forme surcomposée : *j'ai eu plu* (→ Grammaire du verbe, paragraphes 4, 56, 70).
Futur proche : *je vais plaire* (→ Grammaire du verbe, paragraphes 5, 62).

- **Complaire** et **déplaire** se conjuguent sur ce modèle.
- **Taire** se conjugue comme **plaire**, sauf pour l'accent circonflexe à l'indicatif présent.
- Traditionnellement, *plaît, déplaît* et *complaît* (3e personne du singulier de l'indicatif présent) prennent un accent circonflexe. Les rectifications orthographiques recommandent d'écrire *plait, déplait* et *complait* (sans accent), sur le modèle de *tait* et *fait*.
- Les participes passés *plu, complu, déplu* sont invariables, mais *tu* (de **taire**) varie : *ils se sont tus*.

INDICATIF

Présent	/ VARIANTE	Passé composé		
je parais		j'	ai	paru
tu parais		tu	as	paru
elle paraît	/ parait	elle	a	paru
nous paraissons		nous	avons	paru
vous paraissez		vous	avez	paru
ils paraissent		ils	ont	paru

Imparfait	Plus-que-parfait		
je paraissais	j'	avais	paru
tu paraissais	tu	avais	paru
elle paraissait	elle	avait	paru
nous paraissions	nous	avions	paru
vous paraissiez	vous	aviez	paru
ils paraissaient	ils	avaient	paru

Passé simple	Passé antérieur		
je parus	j'	eus	paru
tu parus	tu	eus	paru
elle parut	elle	eut	paru
nous parûmes	nous	eûmes	paru
vous parûtes	vous	eûtes	paru
ils parurent	ils	eurent	paru

Futur simple	/ VARIANTE	Futur antérieur		
je paraîtrai	/ paraitrai	j'	aurai	paru
tu paraîtras	/ paraitras	tu	auras	paru
elle paraîtra	/ paraitra	elle	aura	paru
nous paraîtrons	/ paraitrons	nous	aurons	paru
vous paraîtrez	/ paraitrez	vous	aurez	paru
ils paraîtront	/ paraitront	ils	auront	paru

Conditionnel présent	/ VARIANTE	Conditionnel passé		
je paraîtrais	/ paraitrais	j'	aurais	paru
tu paraîtrais	/ paraitrais	tu	aurais	paru
elle paraîtrait	/ paraitrait	elle	aurait	paru
nous paraîtrions	/ paraitrions	nous	aurions	paru
vous paraîtriez	/ paraitriez	vous	auriez	paru
ils paraîtraient	/ paraitraient	ils	auraient	paru

SUBJONCTIF

Présent		Passé		
que je	paraisse	que j'	aie	paru
que tu	paraisses	que tu	aies	paru
qu' elle	paraisse	qu' elle	ait	paru
que n.	paraissions	que n.	ayons	paru
que v.	paraissiez	que v.	ayez	paru
qu' ils	paraissent	qu' ils	aient	paru

Imparfait		Plus-que-parfait		
que je	parusse	que j'	eusse	paru
que tu	parusses	que tu	eusses	paru
qu' elle	parût	qu' elle	eût	paru
que n.	parussions	que n.	eussions	paru
que v.	parussiez	que v.	eussiez	paru
qu' ils	parussent	qu' ils	eussent	paru

IMPÉRATIF

Présent	Passé
parais	aie paru
paraissons	ayons paru
paraissez	ayez paru

INFINITIF

Présent / VARIANTE	Passé
paraître / paraitre	avoir paru

PARTICIPE

Présent	Passé (composé)
paraissant	ayant paru

Passé

paru

Conditionnel passé 2e forme : mêmes formes que le plus-que-parfait du subjonctif.
Forme surcomposée : *j'ai eu paru* (→ Grammaire du verbe, paragraphes 4, 56, 70).
Futur proche : *je vais paraître* ou *je vais paraitre* (→ Grammaire du verbe, paragraphes 5, 62).

- **Connaître** (ou **connaitre**) et ses composés ainsi que les composés de **paraître** (ou **paraitre**) se conjuguent sur ce modèle (→ Liste des verbes irréguliers, p. 120 à 122).
- Traditionnellement, tous les verbes en **-aître** prennent un accent circonflexe sur l'**i** qui précède le **t**. Les rectifications orthographiques recommandent une orthographe sans accent circonflexe sur l'**i** (*paraitre, il parait ; connaitre, elle connaitra*).

156 | naître/naitre

INDICATIF

Présent		/ VARIANTE	Passé composé		
je	nais		je	suis	né
tu	nais		tu	es	né
elle	naît	/ nait	elle	est	née
nous	naissons		nous	sommes	nés
vous	naissez		vous	êtes	nés
ils	naissent		ils	sont	nés

Imparfait		Plus-que-parfait		
je	naissais	j'	étais	né
tu	naissais	tu	étais	né
elle	naissait	elle	était	née
nous	naissions	nous	étions	nés
vous	naissiez	vous	étiez	nés
ils	naissaient	ils	étaient	nés

Passé simple		Passé antérieur		
je	naquis	je	fus	né
tu	naquis	tu	fus	né
elle	naquit	elle	fut	née
nous	naquîmes	nous	fûmes	nés
vous	naquîtes	vous	fûtes	nés
ils	naquirent	ils	furent	nés

Futur simple		/ VARIANTE	Futur antérieur		
je	naîtrai	/ naitrai	je	serai	né
tu	naîtras	/ naitras	tu	seras	né
elle	naîtra	/ naitra	elle	sera	née
nous	naîtrons	/ naitrons	nous	serons	nés
vous	naîtrez	/ naitrez	vous	serez	nés
ils	naîtront	/ naitront	ils	seront	nés

Conditionnel présent		/ VARIANTE	Conditionnel passé		
je	naîtrais	/ naitrais	je	serais	né
tu	naîtrais	/ naitrais	tu	serais	né
elle	naîtrait	/ naitrait	elle	serait	née
nous	naîtrions	/ naitrions	nous	serions	nés
vous	naîtriez	/ naitriez	vous	seriez	nés
ils	naîtraient	/ naitraient	ils	seraient	nés

SUBJONCTIF

Présent		Passé		
que je	naisse	que je	sois	né
que tu	naisses	que tu	sois	né
qu'elle	naisse	qu'elle	soit	née
que n.	naissions	que n.	soyons	nés
que v.	naissiez	que v.	soyez	nés
qu'ils	naissent	qu'ils	soient	nés

Imparfait		Plus-que-parfait		
que je	naquisse	que je	fusse	né
que tu	naquisses	que tu	fusses	né
qu'elle	naquît	qu'elle	fût	née
que n.	naquissions	que n.	fussions	nés
que v.	naquissiez	que v.	fussiez	nés
qu'ils	naquissent	qu'ils	fussent	nés

IMPÉRATIF

Présent	Passé	
nais	sois	né
naissons	soyons	nés
naissez	soyez	nés

INFINITIF

Présent	/ VARIANTE	Passé
naître	/ naitre	être né

PARTICIPE

Présent	Passé (composé)
naissant	étant né
	Passé
	né

Conditionnel passé 2ᵉ forme : mêmes formes que le plus-que-parfait du subjonctif.
Forme surcomposée : *j'ai été né* (→ Grammaire du verbe, paragraphes 4, 56, 70).
Futur proche : *je vais naître* ou *je vais naitre* (→ Grammaire du verbe, paragraphes 5, 62).

- **Renaître** (ou **renaitre**) se conjugue sur ce modèle. Ses temps composés et son participe passé sont peu usités.
- Remarquer l'emploi de l'auxiliaire **être** dans les temps composés.
- Traditionnellement, tous les verbes en **-aître** prennent un accent circonflexe sur l'**i** qui précède le **t**. Les rectifications orthographiques recommandent une orthographe sans accent circonflexe (*naitre*, *elle nait*, *elle naitra*…). L'accent est cependant conservé au subjonctif imparfait (*qu'elle naquît*) pour le distinguer du passé simple sans accent (*elle naquit*). On le conserve aussi au passé simple avec *nous* et *vous*, par uniformité de conjugaison avec tous les autres verbes français.

paître/paitre

INDICATIF

Présent	/ VARIANTE	Passé composé
je pais		.
tu pais		.
elle paît	/ pait	.
nous paissons		.
vous paissez		.
ils paissent		.

Imparfait	Plus-que-parfait
je paissais	.
tu paissais	.
elle paissait	.
nous paissions	.
vous paissiez	.
ils paissaient	.

Passé simple	Passé antérieur
.	.
.	.
.	.
.	.
.	.
.	.

Futur simple	/ VARIANTE	Futur antérieur
je paîtrai	/ paitrai	.
tu paîtras	/ paitras	.
elle paîtra	/ paitra	.
nous paîtrons	/ paitrons	.
vous paîtrez	/ paitrez	.
ils paîtront	/ paitront	.

Conditionnel présent	/ VARIANTE	Conditionnel passé
je paîtrais	/ paitrais	.
tu paîtrais	/ paitrais	.
elle paîtrait	/ paitrait	.
nous paîtrions	/ paitrions	.
vous paîtriez	/ paitriez	.
ils paîtraient	/ paitraient	.

SUBJONCTIF

Présent	Passé
que je paisse	.
que tu paisses	.
qu'elle paisse	.
que n. paissions	.
que v. paissiez	.
qu' ils paissent	.

Imparfait	Plus-que-parfait
.	.
.	.
.	.
.	.
.	.
.	.

IMPÉRATIF

Présent	Passé
pais	.
paissons	.
paissez	.

INFINITIF

Présent / VARIANTE	Passé
paître / paitre	.

PARTICIPE

Présent	Passé (composé)
paissant	.
	Passé
	pu

Futur proche : *je vais paître* ou *je vais paitre* (→ Grammaire du verbe, paragraphes 5, 62).

- Ce verbe n'a pas de temps composés ; il n'est employé qu'aux temps simples ci-dessus. Remarquer que le passé simple et le subjonctif imparfait n'existent pas.
- Le participe passé *pu*, invariable, n'est utilisé qu'en termes de fauconnerie.
- Traditionnellement, tous les verbes en **-aître** prennent un accent circonflexe sur l'**i** qui précède le **t**. Les rectifications orthographiques recommandent une orthographe sans accent circonflexe (*paitre, il pait, elle paitra*…).

158 repaître/repaitre

INDICATIF

Présent	/ VARIANTE	Passé composé
je repais		j' ai repu
tu repais		tu as repu
elle repaît	/ repait	elle a repu
nous repaissons		nous avons repu
vous repaissez		vous avez repu
ils repaissent		ils ont repu

Imparfait	Plus-que-parfait
je repaissais	j' avais repu
tu repaissais	tu avais repu
elle repaissait	elle avait repu
nous repaissions	nous avions repu
vous repaissiez	vous aviez repu
ils repaissaient	ils avaient repu

Passé simple	Passé antérieur
je repus	j' eus repu
tu repus	tu eus repu
elle reput	elle eut repu
nous repûmes	nous eûmes repu
vous repûtes	vous eûtes repu
ils repurent	ils eurent repu

Futur simple	/ VARIANTE	Futur antérieur
je repaîtrai	/ repaitrai	j' aurai repu
tu repaîtras	/ repaitras	tu auras repu
elle repaîtra	/ repaitra	elle aura repu
nous repaîtrons	/ repaitrons	nous aurons repu
vous repaîtrez	/ repaitrez	vous aurez repu
ils repaîtront	/ repaitront	ils auront repu

Conditionnel présent	/ VARIANTE	Conditionnel passé
je repaîtrais	/ repaitrais	j' aurais repu
tu repaîtrais	/ repaitrais	tu aurais repu
elle repaîtrait	/ repaitrait	elle aurait repu
nous repaîtrions	/ repaitrions	nous aurions repu
vous repaîtriez	/ repaitriez	vous auriez repu
ils repaîtraient	/ repaitraient	ils auraient repu

SUBJONCTIF

Présent	Passé
que je repaisse	que j' aie repu
que tu repaisses	que tu aies repu
qu' elle repaisse	qu' elle ait repu
que n. repaissions	que n. ayons repu
que v. repaissiez	que v. ayez repu
qu' ils repaissent	qu' ils aient repu

Imparfait	Plus-que-parfait
que je repusse	que j' eusse repu
que tu repusses	que tu eusses repu
qu' elle repût	qu' elle eût repu
que n. repussions	que n. eussions repu
que v. repussiez	que v. eussiez repu
qu' ils repussent	qu' ils eussent repu

IMPÉRATIF

Présent	Passé
repais	aie repu
repaissons	ayons repu
repaissez	ayez repu

INFINITIF

Présent / VARIANTE	Passé
repaître / repaitre	avoir repu

PARTICIPE

Présent	Passé (composé)
repaissant	ayant repu
	Passé
	repu

Conditionnel passé 2e forme : mêmes formes que le plus-que-parfait du subjonctif.
Forme surcomposée : *j'ai eu repu* (→ Grammaire du verbe, paragraphes 4, 56, 70).
Futur proche : *je vais repaître* ou *je vais repaitre* (→ Grammaire du verbe, paragraphes 5, 62).

- **Repaître** (ou **repaitre**) est vieilli ; l'usage moderne n'atteste que la forme pronominale : **se repaître** (ou **se repaitre**).
- Traditionnellement, tous les verbes en **-aître** prennent un accent circonflexe sur l'**i** qui précède le **t**. Les rectifications orthographiques recommandent une orthographe sans accent circonflexe (*repaitre, il repait, elle repaitra…*).

INDICATIF

Présent	/ VARIANTE	Passé composé
je décrois		j' ai décru
tu décrois		tu as décru
elle décroît	/ décroit	elle a décru
nous décroissons		nous avons décru
vous décroissez		vous avez décru
ils décroissent		ils ont décru

Imparfait	Plus-que-parfait
je décroissais	j' avais décru
tu décroissais	tu avais décru
elle décroissait	elle avait décru
nous décroissions	nous avions décru
vous décroissiez	vous aviez décru
ils décroissaient	ils avaient décru

Passé simple	Passé antérieur
je décrus	j' eus décru
tu décrus	tu eus décru
elle décrut	elle eut décru
nous décrûmes	nous eûmes décru
vous décrûtes	vous eûtes décru
ils décrurent	ils eurent décru

Futur simple	/ VARIANTE	Futur antérieur
je décroîtrai	/ décroitrai	j' aurai décru
tu décroîtras	/ décroitras	tu auras décru
elle décroîtra	/ décroitra	elle aura décru
nous décroîtrons	/ décroitrons	nous aurons décru
vous décroîtrez	/ décroitrez	vous aurez décru
ils décroîtront	/ décroitront	ils auront décru

Conditionnel présent	/ VARIANTE	Conditionnel passé
je décroîtrais	/ décroitrais	j' aurais décru
tu décroîtrais	/ décroitrais	tu aurais décru
elle décroîtrait	/ décroitrait	elle aurait décru
nous décroîtrions	/ décroitrions	nous aurions décru
vous décroîtriez	/ décroitriez	vous auriez décru
ils décroîtraient	/ décroitraient	ils auraient décru

SUBJONCTIF

Présent	Passé
que je décroisse	que j' aie décru
que tu décroisses	que tu aies décru
qu' elle décroisse	qu' elle ait décru
que n. décroissions	que n. ayons décru
que v. décroissiez	que v. ayez décru
qu' ils décroissent	qu' ils aient décru

Imparfait	Plus-que-parfait
que je décrusse	que j' eusse décru
que tu décrusses	que tu eusses décru
qu' elle décrût	qu' elle eût décru
que n. décrussions	que n. eussions décru
que v. décrussiez	que v. eussiez décru
qu' ils décrussent	qu' ils eussent décru

IMPÉRATIF

Présent	Passé
décrois	aie décru
décroissons	ayons décru
décroissez	ayez décru

INFINITIF

Présent / VARIANTE	Passé
décroître / décroitre	avoir décru

PARTICIPE

Présent	Passé (composé)
décroissant	ayant décru
	Passé
	décru

Conditionnel passé 2e forme : mêmes formes que le plus-que-parfait du subjonctif.
Forme surcomposée : *j'ai eu décru* (→ Grammaire du verbe, paragraphes 4, 56, 70).
Futur proche : *je vais décroître* ou *je vais décroitre* (→ Grammaire du verbe, paragraphes 5, 62).

- **Accroître** (ou **accroitre**) et **recroître** (ou **recroitre**) se conjuguent sur ce modèle.
- Traditionnellement, tous les verbes en **-oître** prennent un accent circonflexe sur l'**i** qui précède le **t**. Les rectifications orthographiques recommandent une orthographe sans accent circonflexe sur l'**i** (*accroitre, il accroit, elle recroitra...*).
- Traditionnellement, le participe passé de **recroître** (ou **recroitre**) prend un accent circonflexe sur l'**u**. On écrit donc *recrû*, mais *accru* et *décru*. Les rectifications orthographiques recommandent une orthographe sans accent circonflexe pour ce participe passé : *recru*.

160 croître/croitre

INDICATIF

Présent		Passé composé		
je	croîs	j'	ai	crû
tu	croîs	tu	as	crû
elle	croît	elle	a	crû
nous	croissons	nous	avons	crû
vous	croissez	vous	avez	crû
ils	croissent	ils	ont	crû

Imparfait		Plus-que-parfait		
je	croissais	j'	avais	crû
tu	croissais	tu	avais	crû
elle	croissait	elle	avait	crû
nous	croissions	nous	avions	crû
vous	croissiez	vous	aviez	crû
ils	croissaient	ils	avaient	crû

Passé simple		Passé antérieur		
je	crûs	j'	eus	crû
tu	crûs	tu	eus	crû
elle	crût	elle	eut	crû
nous	crûmes	nous	eûmes	crû
vous	crûtes	vous	eûtes	crû
ils	crûrent	ils	eurent	crû

Futur simple		/ VARIANTE	Futur antérieur		
je	croîtrai	/ croitrai	j'	aurai	crû
tu	croîtras	/ croitras	tu	auras	crû
elle	croîtra	/ croitra	elle	aura	crû
nous	croîtrons	/ croitrons	nous	aurons	crû
vous	croîtrez	/ croitrez	vous	aurez	crû
ils	croîtront	/ croitront	ils	auront	crû

Conditionnel présent		/ VARIANTE	Conditionnel passé		
je	croîtrais	/ croitrais	j'	aurais	crû
tu	croîtrais	/ croitrais	tu	aurais	crû
elle	croîtrait	/ croitrait	elle	aurait	crû
nous	croîtrions	/ croitrions	nous	aurions	crû
vous	croîtriez	/ croitriez	vous	auriez	crû
ils	croîtraient	/ croitraient	ils	auraient	crû

SUBJONCTIF

Présent		Passé		
que je	croisse	que j'	aie	crû
que tu	croisses	que tu	aies	crû
qu' elle	croisse	qu' elle	ait	crû
que n.	croissions	que n.	ayons	crû
que v.	croissiez	que v.	ayez	crû
qu' ils	croissent	qu' ils	aient	crû

Imparfait		Plus-que-parfait		
que je	crûsse	que j'	eusse	crû
que tu	crûsses	que tu	eusses	crû
qu' elle	crût	qu' elle	eût	crû
que n.	crûssions	que n.	eussions	crû
que v.	crûssiez	que v.	eussiez	crû
qu' ils	crûssent	qu' ils	eussent	crû

IMPÉRATIF

Présent	Passé	
croîs	aie	crû
croissons	ayons	crû
croissez	ayez	crû

INFINITIF

Présent	/ VARIANTE	Passé
croître	/ croitre	avoir crû

PARTICIPE

Présent	Passé (composé)
croissant	ayant crû
	Passé
	crû

Conditionnel passé 2ᵉ forme : mêmes formes que le plus-que-parfait du subjonctif.
Forme surcomposée : *j'ai eu crû* (→ Grammaire du verbe, paragraphes 4, 56, 70).
Futur proche : *je vais croître* ou *je vais croitre* (→ Grammaire du verbe, paragraphes 5, 62).

- Traditionnellement, le verbe **croître** prend un accent circonflexe sur l'**i** qui précède le **t** et aussi lorsqu'il y a confusion possible avec le verbe **croire** (*je croîs* = croissance ; *je crois* = croyance). Les rectifications orthographiques recommandent de n'utiliser l'accent circonflexe que lorsqu'il est nécessaire de distinguer ces deux verbes. Comme il n'y a pas de confusion possible entre **croitre** et **croire** à l'infinitif, ni au futur et au conditionnel, l'accent n'est plus considéré comme nécessaire pour ces formes.

INDICATIF

Présent		Passé composé		
je	crois	j'	ai	cru
tu	crois	tu	as	cru
elle	croit	elle	a	cru
nous	croyons	nous	avons	cru
vous	croyez	vous	avez	cru
ils	croient	ils	ont	cru

Imparfait		Plus-que-parfait		
je	croyais	j'	avais	cru
tu	croyais	tu	avais	cru
elle	croyait	elle	avait	cru
nous	croyions	nous	avions	cru
vous	croyiez	vous	aviez	cru
ils	croyaient	ils	avaient	cru

Passé simple		Passé antérieur		
je	crus	j'	eus	cru
tu	crus	tu	eus	cru
elle	crut	elle	eut	cru
nous	crûmes	nous	eûmes	cru
vous	crûtes	vous	eûtes	cru
ils	crurent	ils	eurent	cru

Futur simple		Futur antérieur		
je	croirai	j'	aurai	cru
tu	croiras	tu	auras	cru
elle	croira	elle	aura	cru
nous	croirons	nous	aurons	cru
vous	croirez	vous	aurez	cru
ils	croiront	ils	auront	cru

Conditionnel présent		Conditionnel passé		
je	croirais	j'	aurais	cru
tu	croirais	tu	aurais	cru
elle	croirait	elle	aurait	cru
nous	croirions	nous	aurions	cru
vous	croiriez	vous	auriez	cru
ils	croiraient	ils	auraient	cru

SUBJONCTIF

Présent		Passé		
que je	croie	que j'	aie	cru
que tu	croies	que tu	aies	cru
qu'elle	croie	qu'elle	ait	cru
que n.	croyions	que n.	ayons	cru
que v.	croyiez	que v.	ayez	cru
qu' ils	croient	qu' ils	aient	cru

Imparfait		Plus-que-parfait		
que je	crusse	que j'	eusse	cru
que tu	crusses	que tu	eusses	cru
qu'elle	crût	qu'elle	eût	cru
que n.	crussions	que n.	eussions	cru
que v.	crussiez	que v.	eussiez	cru
qu' ils	crussent	qu' ils	eussent	cru

IMPÉRATIF

Présent	Passé	
crois	aie	cru
croyons	ayons	cru
croyez	ayez	cru

INFINITIF

Présent	Passé
croire	avoir cru

PARTICIPE

Présent	Passé (composé)
croyant	ayant cru
	Passé
	cru

Conditionnel passé 2ᵉ forme : mêmes formes que le plus-que-parfait du subjonctif.
Forme surcomposée : *j'ai eu cru* (→ Grammaire du verbe, paragraphes 4, 56, 70).
Futur proche : *je vais croire* (→ Grammaire du verbe, paragraphes 5, 62).

- **Mécroire** se conjugue sur ce modèle.
- **Accroire** s'utilise uniquement à l'infinitif.

162 boire

INDICATIF

Présent		Passé composé		
je	bois	j'	ai	bu
tu	bois	tu	as	bu
elle	boit	elle	a	bu
nous	buvons	nous	avons	bu
vous	buvez	vous	avez	bu
ils	boivent	ils	ont	bu

Imparfait		Plus-que-parfait		
je	buvais	j'	avais	bu
tu	buvais	tu	avais	bu
elle	buvait	elle	avait	bu
nous	buvions	nous	avions	bu
vous	buviez	vous	aviez	bu
ils	buvaient	ils	avaient	bu

Passé simple		Passé antérieur		
je	bus	j'	eus	bu
tu	bus	tu	eus	bu
elle	but	elle	eut	bu
nous	bûmes	nous	eûmes	bu
vous	bûtes	vous	eûtes	bu
ils	burent	ils	eurent	bu

Futur simple		Futur antérieur		
je	boirai	j'	aurai	bu
tu	boiras	tu	auras	bu
elle	boira	elle	aura	bu
nous	boirons	nous	aurons	bu
vous	boirez	vous	aurez	bu
ils	boiront	ils	auront	bu

Conditionnel présent		Conditionnel passé		
je	boirais	j'	aurais	bu
tu	boirais	tu	aurais	bu
elle	boirait	elle	aurait	bu
nous	boirions	nous	aurions	bu
vous	boiriez	vous	auriez	bu
ils	boiraient	ils	auraient	bu

SUBJONCTIF

Présent		Passé		
que je	boive	que j'	aie	bu
que tu	boives	que tu	aies	bu
qu' elle	boive	qu' elle	ait	bu
que n.	buvions	que n.	ayons	bu
que v.	buviez	que v.	ayez	bu
qu' ils	boivent	qu' ils	aient	bu

Imparfait		Plus-que-parfait		
que je	busse	que j'	eusse	bu
que tu	busses	que tu	eusses	bu
qu' elle	bût	qu' elle	eût	bu
que n.	bussions	que n.	eussions	bu
que v.	bussiez	que v.	eussiez	bu
qu' ils	bussent	qu' ils	eussent	bu

IMPÉRATIF

Présent	Passé	
bois	aie	bu
buvons	ayons	bu
buvez	ayez	bu

INFINITIF

Présent	Passé
boire	avoir bu

PARTICIPE

Présent	Passé (composé)
buvant	ayant bu
	Passé
	bu

Conditionnel passé 2e forme : mêmes formes que le plus-que-parfait du subjonctif.
Forme surcomposée : *j'ai eu bu* (→ Grammaire du verbe, paragraphes 4, 56, 70).
Futur proche : *je vais boire* (→ Grammaire du verbe, paragraphes 5, 62).

- **S'emboire** (auxiliaire **être**) se conjugue sur ce modèle.

INDICATIF

Présent		Passé composé		
je	clos	j'	ai	clos
tu	clos	tu	as	clos
elle	clôt[1]	elle	a	clos
nous	*closons*	nous	avons	clos
vous	*closez*	vous	avez	clos
ils	closent	ils	ont	clos

Imparfait		Plus-que-parfait		
je	*closais*	j'	avais	clos
tu	*closais*	tu	avais	clos
elle	*closait*	elle	avait	clos
nous	*closions*	nous	avions	clos
vous	*closiez*	vous	aviez	clos
ils	*closaient*	ils	avaient	clos

Passé simple		Passé antérieur		
je	*closis*	j'	eus	clos
tu	*closis*	tu	eus	clos
elle	*closit*	elle	eut	clos
nous	*closîmes*	nous	eûmes	clos
vous	*closîtes*	vous	eûtes	clos
ils	*closirent*	ils	eurent	clos

Futur simple		Futur antérieur		
je	clorai	j'	aurai	clos
tu	cloras	tu	auras	clos
elle	clora	elle	aura	clos
nous	clorons	nous	aurons	clos
vous	clorez	vous	aurez	clos
ils	cloront	ils	auront	clos

Conditionnel présent		Conditionnel passé		
je	clorais	j'	aurais	clos
tu	clorais	tu	aurais	clos
elle	clorait	elle	aurait	clos
nous	clorions	nous	aurions	clos
vous	cloriez	vous	auriez	clos
ils	cloraient	ils	auraient	clos

SUBJONCTIF

Présent		Passé		
que je	close	que j'	aie	clos
que tu	closes	que tu	aies	clos
qu'elle	close	qu'elle	ait	clos
que n.	closions	que n.	ayons	clos
que v.	closiez	que v.	ayez	clos
qu' ils	closent	qu' ils	aient	clos

Imparfait		Plus-que-parfait		
que je	*closisse*	que j'	eusse	clos
que tu	*closisses*	que tu	eusses	clos
qu'elle	*closît*	qu'elle	eût	clos
que n.	*closissions*	que n.	eussions	clos
que v.	*closissiez*	que v.	eussiez	clos
qu' ils	*closissent*	qu' ils	eussent	clos

IMPÉRATIF

Présent	Passé	
clos	aie	clos
closons	ayons	clos
closez	ayez	clos

INFINITIF

Présent	Passé
clore	avoir clos

PARTICIPE

Présent	Passé (composé)
closant	ayant clos
	Passé
	clos

1. Certains verbes peuvent s'écrire sans accent circonflexe sur la lettre **o** à la 3e personne du singulier de l'indicatif présent, selon l'Académie française : *elle enclot, il éclot, il déclot.*

Conditionnel passé 2e forme : mêmes formes que le plus-que-parfait du subjonctif.
Forme surcomposée : *j'ai eu clos* (→ Grammaire du verbe, paragraphes 4, 56, 70).
Futur proche : *je vais clore* (→ Grammaire du verbe, paragraphes 5, 62).

- **Enclore** se conjugue sur ce modèle. On écrit *il enclôt* ou *il enclot.*
- **Éclore** s'utilise surtout à la 3e personne. On écrit *il éclôt* ou *il éclot.* L'auxiliaire **être** est possible.
- **Déclore** s'utilise surtout à l'infinitif et au participe passé. On écrit *il déclôt* ou *il déclot.*
- **Reclore**, comme **clore**, prend obligatoirement un accent circonflexe dans *il reclôt.*
- **Forclore** ne s'utilise qu'à l'infinitif et au participe passé (*forclos, forclose, forcloses*).
- Les formes en italique dans le tableau sont plus rares.

164 exclure

INDICATIF

Présent		Passé composé		
j'	exclus	j'	ai	exclu
tu	exclus	tu	as	exclu
elle	exclut	elle	a	exclu
nous	excluons	nous	avons	exclu
vous	excluez	vous	avez	exclu
ils	excluent	ils	ont	exclu

Imparfait		Plus-que-parfait		
j'	excluais	j'	avais	exclu
tu	excluais	tu	avais	exclu
elle	excluait	elle	avait	exclu
nous	excluions	nous	avions	exclu
vous	excluiez	vous	aviez	exclu
ils	excluaient	ils	avaient	exclu

Passé simple		Passé antérieur		
j'	exclus	j'	eus	exclu
tu	exclus	tu	eus	exclu
elle	exclut	elle	eut	exclu
nous	exclûmes	nous	eûmes	exclu
vous	exclûtes	vous	eûtes	exclu
ils	exclurent	ils	eurent	exclu

Futur simple		Futur antérieur		
j'	exclurai	j'	aurai	exclu
tu	excluras	tu	auras	exclu
elle	exclura	elle	aura	exclu
nous	exclurons	nous	aurons	exclu
vous	exclurez	vous	aurez	exclu
ils	excluront	ils	auront	exclu

Conditionnel présent		Conditionnel passé		
j'	exclurais	j'	aurais	exclu
tu	exclurais	tu	aurais	exclu
elle	exclurait	elle	aurait	exclu
nous	exclurions	nous	aurions	exclu
vous	excluriez	vous	auriez	exclu
ils	excluraient	ils	auraient	exclu

SUBJONCTIF

Présent		Passé		
que j'	exclue	que j'	aie	exclu
que tu	exclues	que tu	aies	exclu
qu' elle	exclue	qu' elle	ait	exclu
que n.	excluions	que n.	ayons	exclu
que v.	excluiez	que v.	ayez	exclu
qu' ils	excluent	qu' ils	aient	exclu

Imparfait		Plus-que-parfait		
que j'	exclusse	que j'	eusse	exclu
que tu	exclusses	que tu	eusses	exclu
qu' elle	exclût	qu' elle	eût	exclu
que n.	exclussions	que n.	eussions	exclu
que v.	exclussiez	que v.	eussiez	exclu
qu' ils	exclussent	qu' ils	eussent	exclu

IMPÉRATIF

Présent	Passé	
exclus	aie	exclu
excluons	ayons	exclu
excluez	ayez	exclu

INFINITIF

Présent	Passé
exclure	avoir exclu

PARTICIPE

Présent	Passé (composé)
excluant	ayant exclu
	Passé
	exclu

Conditionnel passé 2e forme : mêmes formes que le plus-que-parfait du subjonctif.
Forme surcomposée : *j'ai eu exclu* (→ Grammaire du verbe, paragraphes 4, 56, 70).
Futur proche : *je vais exclure* (→ Grammaire du verbe, paragraphes 5, 62).

- Noter l'opposition *exclu(e)/inclu**s**(e)*.
- **Conclure** se conjugue comme **exclure**. Son participe passé est *conclu* (féminin *conclue*).

INDICATIF

Présent		Passé composé		
j'	inclus	j'	ai	inclus
tu	inclus	tu	as	inclus
elle	inclut	elle	a	inclus
nous	incluons	nous	avons	inclus
vous	incluez	vous	avez	inclus
ils	incluent	ils	ont	inclus

Imparfait		Plus-que-parfait		
j'	incluais	j'	avais	inclus
tu	incluais	tu	avais	inclus
elle	incluait	elle	avait	inclus
nous	incluions	nous	avions	inclus
vous	incluiez	vous	aviez	inclus
ils	incluaient	ils	avaient	inclus

Passé simple		Passé antérieur		
j'	inclus	j'	eus	inclus
tu	inclus	tu	eus	inclus
elle	inclut	elle	eut	inclus
nous	inclûmes	nous	eûmes	inclus
vous	inclûtes	vous	eûtes	inclus
ils	inclurent	ils	eurent	inclus

Futur simple		Futur antérieur		
j'	inclurai	j'	aurai	inclus
tu	incluras	tu	auras	inclus
elle	inclura	elle	aura	inclus
nous	inclurons	nous	aurons	inclus
vous	inclurez	vous	aurez	inclus
ils	incluront	ils	auront	inclus

Conditionnel présent		Conditionnel passé		
j'	inclurais	j'	aurais	inclus
tu	inclurais	tu	aurais	inclus
elle	inclurait	elle	aurait	inclus
nous	inclurions	nous	aurions	inclus
vous	incluriez	vous	auriez	inclus
ils	incluraient	ils	auraient	inclus

SUBJONCTIF

Présent		Passé		
que j'	inclue	que j'	aie	inclus
que tu	inclues	que tu	aies	inclus
qu'elle	inclue	qu'elle	ait	inclus
que n.	incluions	que n.	ayons	inclus
que v.	incluiez	que v.	ayez	inclus
qu'ils	incluent	qu'ils	aient	inclus

Imparfait		Plus-que-parfait		
que j'	inclusse	que j'	eusse	inclus
que tu	inclusses	que tu	eusses	inclus
qu'elle	inclût	qu'elle	eût	inclus
que n.	inclussions	que n.	eussions	inclus
que v.	inclussiez	que v.	eussiez	inclus
qu'ils	inclussent	qu'ils	eussent	inclus

IMPÉRATIF

Présent	Passé	
inclus	aie	inclus
incluons	ayons	inclus
incluez	ayez	inclus

INFINITIF

Présent	Passé
inclure	avoir inclus

PARTICIPE

Présent	Passé (composé)
incluant	ayant inclus
	Passé
	inclus

Conditionnel passé 2e forme : mêmes formes que le plus-que-parfait du subjonctif.
Forme surcomposée : *j'ai eu inclus* (→ Grammaire du verbe, paragraphes 4, 56, 70).
Futur proche : *je vais inclure* (→ Grammaire du verbe, paragraphes 5, 62).

- Noter l'opposition *inclu**s**(e)/exclu(e)*.
- **Occlure** se conjugue sur ce modèle.
- **Reclure** se conjugue sur ce modèle. Il s'utilise presque exclusivement à l'infinitif et au participe passé.

166 absoudre

INDICATIF

Présent		Passé composé		/ VARIANTE
j'	absous	j'	ai	absous / t
tu	absous	tu	as	absous / t
elle	absout	elle	a	absous / t
nous	absolvons	nous	avons	absous / t
vous	absolvez	vous	avez	absous / t
ils	absolvent	ils	ont	absous / t

Imparfait		Plus-que-parfait		/ VARIANTE
j'	absolvais	j'	avais	absous / t
tu	absolvais	tu	avais	absous / t
elle	absolvait	elle	avait	absous / t
nous	absolvions	nous	avions	absous / t
vous	absolviez	vous	aviez	absous / t
ils	absolvaient	ils	avaient	absous / t

Passé simple		Passé antérieur		/ VARIANTE
j'	*absolus*	j'	eus	absous / t
tu	*absolus*	tu	eus	absous / t
elle	*absolut*	elle	eut	absous / t
nous	*absolûmes*	nous	eûmes	absous / t
vous	*absolûtes*	vous	eûtes	absous / t
ils	*absolurent*	ils	eurent	absous / t

Futur simple		Futur antérieur		/ VARIANTE
j'	absoudrai	j'	aurai	absous / t
tu	absoudras	tu	auras	absous / t
elle	absoudra	elle	aura	absous / t
nous	absoudrons	nous	aurons	absous / t
vous	absoudrez	vous	aurez	absous / t
ils	absoudront	ils	auront	absous / t

Conditionnel présent		Conditionnel passé		/ VARIANTE
j'	absoudrais	j'	aurais	absous / t
tu	absoudrais	tu	aurais	absous / t
elle	absoudrait	elle	aurait	absous / t
nous	absoudrions	nous	aurions	absous / t
vous	absoudriez	vous	auriez	absous / t
ils	absoudraient	ils	auraient	absous / t

SUBJONCTIF

Présent		Passé		/ VARIANTE
que j'	absolve	que j'	aie	absous / t
que tu	absolves	que tu	aies	absous / t
qu' elle	absolve	qu' elle	ait	absous / t
que n.	absolvions	que n.	ayons	absous / t
que v.	absolviez	que v.	ayez	absous / t
qu' ils	absolvent	qu' ils	aient	absous / t

Imparfait		Plus-que-parfait		/ VARIANTE
que j'	*absolusse*	que j'	eusse	absous / t
que tu	*absolusses*	que tu	eusses	absous / t
qu' elle	*absolût*	qu' elle	eût	absous / t
que n.	*absolussions*	que n.	eussions	absous / t
que v.	*absolussiez*	que v.	eussiez	absous / t
qu' ils	*absolussent*	qu' ils	eussent	absous / t

IMPÉRATIF

Présent	Passé		/ VARIANTE
absous	aie	absous	/ absout
absolvons	ayons	absous	/ absout
absolvez	ayez	absous	/ absout

INFINITIF

Présent	Passé	/ VARIANTE
absoudre	avoir absous	/ absout

PARTICIPE

Présent	Passé (composé)	/ VARIANTE
absolvant	ayant absous	/ absout
	Passé	**/ VARIANTE**
	absous	/ absout

Conditionnel passé 2ᵉ forme : mêmes formes que le plus-que-parfait du subjonctif.
Forme surcomposée : *j'ai eu absous/absout* (→ Grammaire du verbe, paragraphes 4, 56, 70).
Futur proche : *je vais absoudre* (→ *Grammaire du verbe, paragraphes 5, 62)*.

- **Absoudre** : *absous/absout* a éliminé un ancien participe passé, *absolu*, qui s'est conservé comme adjectif au sens de « complet, sans restriction ».
- **Dissoudre** se conjugue comme **absoudre**, y compris le participe passé *dissous/dissout*, distinct de l'ancien participe *dissolu*, qui a subsisté comme adjectif au sens de « corrompu, débauché ».
- Les participes passés *absous* et *dissous* ont été rectifiés en *absout* et *dissout* par cohérence avec leur féminin *absoute* et *dissoute*.
- Le passé simple et le subjonctif imparfait sont rares.

INDICATIF

Présent		Passé composé		
je	résous	j'	ai	résolu
tu	résous	tu	as	résolu
elle	résout	elle	a	résolu
nous	résolvons	nous	avons	résolu
vous	résolvez	vous	avez	résolu
ils	résolvent	ils	ont	résolu

Imparfait		Plus-que-parfait		
je	résolvais	j'	avais	résolu
tu	résolvais	tu	avais	résolu
elle	résolvait	elle	avait	résolu
nous	résolvions	nous	avions	résolu
vous	résolviez	vous	aviez	résolu
ils	résolvaient	ils	avaient	résolu

Passé simple		Passé antérieur		
je	résolus	j'	eus	résolu
tu	résolus	tu	eus	résolu
elle	résolut	elle	eut	résolu
nous	résolûmes	nous	eûmes	résolu
vous	résolûtes	vous	eûtes	résolu
ils	résolurent	ils	eurent	résolu

Futur simple		Futur antérieur		
je	résoudrai	j'	aurai	résolu
tu	résoudras	tu	auras	résolu
elle	résoudra	elle	aura	résolu
nous	résoudrons	nous	aurons	résolu
vous	résoudrez	vous	aurez	résolu
ils	résoudront	ils	auront	résolu

Conditionnel présent		Conditionnel passé		
je	résoudrais	j'	aurais	résolu
tu	résoudrais	tu	aurais	résolu
elle	résoudrait	elle	aurait	résolu
nous	résoudrions	nous	aurions	résolu
vous	résoudriez	vous	auriez	résolu
ils	résoudraient	ils	auraient	résolu

SUBJONCTIF

Présent		Passé		
que je	résolve	que j'	aie	résolu
que tu	résolves	que tu	aies	résolu
qu' elle	résolve	qu' elle	ait	résolu
que n.	résolvions	que n.	ayons	résolu
que v.	résolviez	que v.	ayez	résolu
qu' ils	résolvent	qu' ils	aient	résolu

Imparfait		Plus-que-parfait		
que je	résolusse	que j'	eusse	résolu
que tu	résolusses	que tu	eusses	résolu
qu' elle	résolût	qu' elle	eût	résolu
que n.	résolussions	que n.	eussions	résolu
que v.	résolussiez	que v.	eussiez	résolu
qu' ils	résolussent	qu' ils	eussent	résolu

IMPÉRATIF

Présent	Passé	
résous	aie	résolu
résolvons	ayons	résolu
résolvez	ayez	résolu

INFINITIF

Présent	Passé
résoudre	avoir résolu

PARTICIPE

Présent	Passé (composé)
résolvant	ayant résolu
	Passé
	résolu

Conditionnel passé 2e forme : mêmes formes que le plus-que-parfait du subjonctif.
Forme surcomposée : *j'ai eu résolu* (→ Grammaire du verbe, paragraphes 4, 56, 70).
Futur proche : *je vais résoudre* (→ Grammaire du verbe, paragraphes 5, 62).

- Le participe passé de **résoudre** est *résolu*. Il existe un ancien participe, *résous/résout(e)*, très rare et d'emploi restreint. Noter l'adjectif *résolu* signifiant « hardi ».

168 coudre

INDICATIF

Présent		Passé composé		
je	couds	j'	ai	cousu
tu	couds	tu	as	cousu
elle	coud	elle	a	cousu
nous	cousons	nous	avons	cousu
vous	cousez	vous	avez	cousu
ils	cousent	ils	ont	cousu

Imparfait		Plus-que-parfait		
je	cousais	j'	avais	cousu
tu	cousais	tu	avais	cousu
elle	cousait	elle	avait	cousu
nous	cousions	nous	avions	cousu
vous	cousiez	vous	aviez	cousu
ils	cousaient	ils	avaient	cousu

Passé simple		Passé antérieur		
je	cousis	j'	eus	cousu
tu	cousis	tu	eus	cousu
elle	cousit	elle	eut	cousu
nous	cousîmes	nous	eûmes	cousu
vous	cousîtes	vous	eûtes	cousu
ils	cousirent	ils	eurent	cousu

Futur simple		Futur antérieur		
je	coudrai	j'	aurai	cousu
tu	coudras	tu	auras	cousu
elle	coudra	elle	aura	cousu
nous	coudrons	nous	aurons	cousu
vous	coudrez	vous	aurez	cousu
ils	coudront	ils	auront	cousu

Conditionnel présent		Conditionnel passé		
je	coudrais	j'	aurais	cousu
tu	coudrais	tu	aurais	cousu
elle	coudrait	elle	aurait	cousu
nous	coudrions	nous	aurions	cousu
vous	coudriez	vous	auriez	cousu
ils	coudraient	ils	auraient	cousu

SUBJONCTIF

Présent		Passé		
que je	couse	que j'	aie	cousu
que tu	couses	que tu	aies	cousu
qu' elle	couse	qu' elle	ait	cousu
que n.	cousions	que n.	ayons	cousu
que v.	cousiez	que v.	ayez	cousu
qu' ils	cousent	qu' ils	aient	cousu

Imparfait		Plus-que-parfait		
que je	cousisse	que j'	eusse	cousu
que tu	cousisses	que tu	eusses	cousu
qu' elle	cousît	qu' elle	eût	cousu
que n.	cousissions	que n.	eussions	cousu
que v.	cousissiez	que v.	eussiez	cousu
qu' ils	cousissent	qu' ils	eussent	cousu

IMPÉRATIF

Présent	Passé	
couds	aie	cousu
cousons	ayons	cousu
cousez	ayez	cousu

INFINITIF

Présent	Passé
coudre	avoir cousu

PARTICIPE

Présent	Passé (composé)
cousant	ayant cousu
	Passé
	cousu

Conditionnel passé 2e forme : mêmes formes que le plus-que-parfait du subjonctif.
Forme surcomposée : *j'ai eu cousu* (→ Grammaire du verbe, paragraphes 4, 56, 70).
Futur proche : *je vais coudre* (→ Grammaire du verbe, paragraphes 5, 62).

- **Découdre** et **recoudre** se conjuguent sur ce modèle.

INDICATIF

Présent		Passé composé		
je	mouds	j'	ai	moulu
tu	mouds	tu	as	moulu
elle	moud	elle	a	moulu
nous	moulons	nous	avons	moulu
vous	moulez	vous	avez	moulu
ils	moulent	ils	ont	moulu

Imparfait		Plus-que-parfait		
je	moulais	j'	avais	moulu
tu	moulais	tu	avais	moulu
elle	moulait	elle	avait	moulu
nous	moulions	nous	avions	moulu
vous	mouliez	vous	aviez	moulu
ils	moulaient	ils	avaient	moulu

Passé simple		Passé antérieur		
je	moulus	j'	eus	moulu
tu	moulus	tu	eus	moulu
elle	moulut	elle	eut	moulu
nous	moulûmes	nous	eûmes	moulu
vous	moulûtes	vous	eûtes	moulu
ils	moulurent	ils	eurent	moulu

Futur simple		Futur antérieur		
je	moudrai	j'	aurai	moulu
tu	moudras	tu	auras	moulu
elle	moudra	elle	aura	moulu
nous	moudrons	nous	aurons	moulu
vous	moudrez	vous	aurez	moulu
ils	moudront	ils	auront	moulu

Conditionnel présent		Conditionnel passé		
je	moudrais	j'	aurais	moulu
tu	moudrais	tu	aurais	moulu
elle	moudrait	elle	aurait	moulu
nous	moudrions	nous	aurions	moulu
vous	moudriez	vous	auriez	moulu
ils	moudraient	ils	auraient	moulu

SUBJONCTIF

Présent		Passé		
que je	moule	que j'	aie	moulu
que tu	moules	que tu	aies	moulu
qu'elle	moule	qu'elle	ait	moulu
que n.	moulions	que n.	ayons	moulu
que v.	mouliez	que v.	ayez	moulu
qu'ils	moulent	qu'ils	aient	moulu

Imparfait		Plus-que-parfait		
que je	moulusse	que j'	eusse	moulu
que tu	moulusses	que tu	eusses	moulu
qu'elle	moulût	qu'elle	eût	moulu
que n.	moulussions	que n.	eussions	moulu
que v.	moulussiez	que v.	eussiez	moulu
qu'ils	moulussent	qu'ils	eussent	moulu

IMPÉRATIF

Présent	Passé	
mouds	aie	moulu
moulons	ayons	moulu
moulez	ayez	moulu

INFINITIF

Présent	Passé
moudre	avoir moulu

PARTICIPE

Présent	Passé (composé)
moulant	ayant moulu
	Passé
	moulu

Conditionnel passé 2e forme : mêmes formes que le plus-que-parfait du subjonctif.
Forme surcomposée : *j'ai eu moulu* (→ Grammaire du verbe, paragraphes 4, 56, 70).
Futur proche : *je vais moudre* (→ Grammaire du verbe, paragraphes 5, 62).

- **Émoudre** et **remoudre** se conjuguent sur ce modèle.

170 suivre

INDICATIF

Présent		Passé composé		
je	suis	j'	ai	suivi
tu	suis	tu	as	suivi
elle	suit	elle	a	suivi
nous	suivons	nous	avons	suivi
vous	suivez	vous	avez	suivi
ils	suivent	ils	ont	suivi

Imparfait		Plus-que-parfait		
je	suivais	j'	avais	suivi
tu	suivais	tu	avais	suivi
elle	suivait	elle	avait	suivi
nous	suivions	nous	avions	suivi
vous	suiviez	vous	aviez	suivi
ils	suivaient	ils	avaient	suivi

Passé simple		Passé antérieur		
je	suivis	j'	eus	suivi
tu	suivis	tu	eus	suivi
elle	suivit	elle	eut	suivi
nous	suivîmes	nous	eûmes	suivi
vous	suivîtes	vous	eûtes	suivi
ils	suivirent	ils	eurent	suivi

Futur simple		Futur antérieur		
je	suivrai	j'	aurai	suivi
tu	suivras	tu	auras	suivi
elle	suivra	elle	aura	suivi
nous	suivrons	nous	aurons	suivi
vous	suivrez	vous	aurez	suivi
ils	suivront	ils	auront	suivi

Conditionnel présent		Conditionnel passé		
je	suivrais	j'	aurais	suivi
tu	suivrais	tu	aurais	suivi
elle	suivrait	elle	aurait	suivi
nous	suivrions	nous	aurions	suivi
vous	suivriez	vous	auriez	suivi
ils	suivraient	ils	auraient	suivi

SUBJONCTIF

Présent		Passé		
que je	suive	que j'	aie	suivi
que tu	suives	que tu	aies	suivi
qu'elle	suive	qu'elle	ait	suivi
que n.	suivions	que n.	ayons	suivi
que v.	suiviez	que v.	ayez	suivi
qu' ils	suivent	qu' ils	aient	suivi

Imparfait		Plus-que-parfait		
que je	suivisse	que j'	eusse	suivi
que tu	suivisses	que tu	eusses	suivi
qu'elle	suivît	qu'elle	eût	suivi
que n.	suivissions	que n.	eussions	suivi
que v.	suivissiez	que v.	eussiez	suivi
qu' ils	suivissent	qu' ils	eussent	suivi

IMPÉRATIF

Présent	Passé	
suis	aie	suivi
suivons	ayons	suivi
suivez	ayez	suivi

INFINITIF

Présent	Passé
suivre	avoir suivi

PARTICIPE

Présent	Passé (composé)
suivant	ayant suivi
	Passé
	suivi

Conditionnel passé 2e forme : mêmes formes que le plus-que-parfait du subjonctif.
Forme surcomposée : *j'ai eu suivi* (→ Grammaire du verbe, paragraphes 4, 56, 70).
Futur proche : *je vais suivre* (→ Grammaire du verbe, paragraphes 5, 62).

- **S'ensuivre** (auxiliaire **être**) et **poursuivre** se conjuguent sur ce modèle.
- **S'ensuivre** s'utilise seulement à l'infinitif, au participe présent et aux 3es personnes de chaque temps (*il s'est ensuivi* ou *il s'en est ensuivi*, ou encore *il s'en est suivi*).

INDICATIF

Présent		Passé composé		
je	vis	j'	ai	vécu
tu	vis	tu	as	vécu
elle	vit	elle	a	vécu
nous	vivons	nous	avons	vécu
vous	vivez	vous	avez	vécu
ils	vivent	ils	ont	vécu

Imparfait		Plus-que-parfait		
je	vivais	j'	avais	vécu
tu	vivais	tu	avais	vécu
elle	vivait	elle	avait	vécu
nous	vivions	nous	avions	vécu
vous	viviez	vous	aviez	vécu
ils	vivaient	ils	avaient	vécu

Passé simple		Passé antérieur		
je	vécus	j'	eus	vécu
tu	vécus	tu	eus	vécu
elle	vécut	elle	eut	vécu
nous	vécûmes	nous	eûmes	vécu
vous	vécûtes	vous	eûtes	vécu
ils	vécurent	ils	eurent	vécu

Futur simple		Futur antérieur		
je	vivrai	j'	aurai	vécu
tu	vivras	tu	auras	vécu
elle	vivra	elle	aura	vécu
nous	vivrons	nous	aurons	vécu
vous	vivrez	vous	aurez	vécu
ils	vivront	ils	auront	vécu

Conditionnel présent		Conditionnel passé		
je	vivrais	j'	aurais	vécu
tu	vivrais	tu	aurais	vécu
elle	vivrait	elle	aurait	vécu
nous	vivrions	nous	aurions	vécu
vous	vivriez	vous	auriez	vécu
ils	vivraient	ils	auraient	vécu

SUBJONCTIF

Présent		Passé		
que je	vive	que j'	aie	vécu
que tu	vives	que tu	aies	vécu
qu'elle	vive	qu'elle	ait	vécu
que n.	vivions	que n.	ayons	vécu
que v.	viviez	que v.	ayez	vécu
qu' ils	vivent	qu' ils	aient	vécu

Imparfait		Plus-que-parfait		
que je	vécusse	que j'	eusse	vécu
que tu	vécusses	que tu	eusses	vécu
qu'elle	vécût	qu'elle	eût	vécu
que n.	vécussions	que n.	eussions	vécu
que v.	vécussiez	que v.	eussiez	vécu
qu' ils	vécussent	qu' ils	eussent	vécu

IMPÉRATIF

Présent	Passé
vis	aie vécu
vivons	ayons vécu
vivez	ayez vécu

INFINITIF

Présent	Passé
vivre	avoir vécu

PARTICIPE

Présent	Passé (composé)
vivant	ayant vécu

Passé

vécu

Conditionnel passé 2e forme : mêmes formes que le plus-que-parfait du subjonctif.
Forme surcomposée : *j'ai eu vécu* (→ Grammaire du verbe, paragraphes 4, 56, 70).
Futur proche : *je vais vivre (→ Grammaire du verbe, paragraphes 5, 62).*

- **Revivre** et **survivre** se conjuguent comme **vivre**.

172 lire

INDICATIF

Présent		Passé composé		
je	lis	j'	ai	lu
tu	lis	tu	as	lu
elle	lit	elle	a	lu
nous	lisons	nous	avons	lu
vous	lisez	vous	avez	lu
ils	lisent	ils	ont	lu

Imparfait		Plus-que-parfait		
je	lisais	j'	avais	lu
tu	lisais	tu	avais	lu
elle	lisait	elle	avait	lu
nous	lisions	nous	avions	lu
vous	lisiez	vous	aviez	lu
ils	lisaient	ils	avaient	lu

Passé simple		Passé antérieur		
je	lus	j'	eus	lu
tu	lus	tu	eus	lu
elle	lut	elle	eut	lu
nous	lûmes	nous	eûmes	lu
vous	lûtes	vous	eûtes	lu
ils	lurent	ils	eurent	lu

Futur simple		Futur antérieur		
je	lirai	j'	aurai	lu
tu	liras	tu	auras	lu
elle	lira	elle	aura	lu
nous	lirons	nous	aurons	lu
vous	lirez	vous	aurez	lu
ils	liront	ils	auront	lu

Conditionnel présent		Conditionnel passé		
je	lirais	j'	aurais	lu
tu	lirais	tu	aurais	lu
elle	lirait	elle	aurait	lu
nous	lirions	nous	aurions	lu
vous	liriez	vous	auriez	lu
ils	liraient	ils	auraient	lu

SUBJONCTIF

Présent		Passé		
que je	lise	que j'	aie	lu
que tu	lises	que tu	aies	lu
qu' elle	lise	qu' elle	ait	lu
que n.	lisions	que n.	ayons	lu
que v.	lisiez	que v.	ayez	lu
qu' ils	lisent	qu' ils	aient	lu

Imparfait		Plus-que-parfait		
que je	lusse	que j'	eusse	lu
que tu	lusses	que tu	eusses	lu
qu' elle	lût	qu' elle	eût	lu
que n.	lussions	que n.	eussions	lu
que v.	lussiez	que v.	eussiez	lu
qu' ils	lussent	qu' ils	eussent	lu

IMPÉRATIF

Présent	Passé	
lis	aie	lu
lisons	ayons	lu
lisez	ayez	lu

INFINITIF

Présent	Passé
lire	avoir lu

PARTICIPE

Présent	Passé (composé)
lisant	ayant lu
	Passé
	lu

Conditionnel passé 2e forme : mêmes formes que le plus-que-parfait du subjonctif.
Forme surcomposée : *j'ai eu lu* (→ Grammaire du verbe, paragraphes 4, 56, 70).
Futur proche : *je vais lire* (→ Grammaire du verbe, paragraphes 5, 62).

- **Élire**, **réélire** et **relire** se conjuguent sur ce modèle.

INDICATIF

Présent		Passé composé		
je	dis	j'	ai	dit
tu	dis	tu	as	dit
elle	dit	elle	a	dit
nous	disons	nous	avons	dit
vous	dites[1]	vous	avez	dit
ils	disent	ils	ont	dit

Imparfait		Plus-que-parfait		
je	disais	j'	avais	dit
tu	disais	tu	avais	dit
elle	disait	elle	avait	dit
nous	disions	nous	avions	dit
vous	disiez	vous	aviez	dit
ils	disaient	ils	avaient	dit

Passé simple		Passé antérieur		
je	dis	j'	eus	dit
tu	dis	tu	eus	dit
elle	dit	elle	eut	dit
nous	dîmes	nous	eûmes	dit
vous	dîtes	vous	eûtes	dit
ils	dirent	ils	eurent	dit

Futur simple		Futur antérieur		
je	dirai	j'	aurai	dit
tu	diras	tu	auras	dit
elle	dira	elle	aura	dit
nous	dirons	nous	aurons	dit
vous	direz	vous	aurez	dit
ils	diront	ils	auront	dit

Conditionnel présent		Conditionnel passé		
je	dirais	j'	aurais	dit
tu	dirais	tu	aurais	dit
elle	dirait	elle	aurait	dit
nous	dirions	nous	aurions	dit
vous	diriez	vous	auriez	dit
ils	diraient	ils	auraient	dit

SUBJONCTIF

Présent		Passé		
que je	dise	que j'	aie	dit
que tu	dises	que tu	aies	dit
qu'elle	dise	qu'elle	ait	dit
que n.	disions	que n.	ayons	dit
que v.	disiez	que v.	ayez	dit
qu' ils	disent	qu' ils	aient	dit

Imparfait		Plus-que-parfait		
que je	disse	que j'	eusse	dit
que tu	disses	que tu	eusses	dit
qu'elle	dît	qu'elle	eût	dit
que n.	dissions	que n.	eussions	dit
que v.	dissiez	que v.	eussiez	dit
qu' ils	dissent	qu' ils	eussent	dit

IMPÉRATIF

Présent	Passé
dis	aie dit
disons	ayons dit
dites[1]	ayez dit

INFINITIF

Présent	Passé
dire	avoir dit

PARTICIPE

Présent	Passé (composé)
disant	ayant dit
	Passé
	dit

1. **Contredire, dédire, interdire, médire** et **prédire** ont au présent de l'indicatif et de l'impératif les formes : (*vous*) *contredisez, dédisez, interdisez, médisez* et *prédisez* (contrairement à *dites* et *redites*).

Conditionnel passé 2e forme : mêmes formes que le plus-que-parfait du subjonctif.
Forme surcomposée : *j'ai eu dit* (→ Grammaire du verbe, paragraphes 4, 56, 70).
Futur proche : *je vais dire* (→ Grammaire du verbe, paragraphes 5, 62).

- **Redire** se conjugue sur ce modèle.
- **Contredire**, **dédire**, **interdire**, **médire** et **prédire** se conjuguent comme **dire**, à l'exception des formes citées à la note 1 ci-dessus. Quant à **maudire**, il se conjugue sur le modèle de **finir** : *nous maudissons, vous maudissez, ils maudissent, je maudissais*, etc., *maudissant*, sauf au participe passé : *maudit, maudite.*

174 rire

INDICATIF

Présent		Passé composé		
je	ris	j'	ai	ri
tu	ris	tu	as	ri
elle	rit	elle	a	ri
nous	rions	nous	avons	ri
vous	riez	vous	avez	ri
ils	rient	ils	ont	ri

Imparfait		Plus-que-parfait		
je	riais	j'	avais	ri
tu	riais	tu	avais	ri
elle	riait	elle	avait	ri
nous	riions	nous	avions	ri
vous	riiez	vous	aviez	ri
ils	riaient	ils	avaient	ri

Passé simple		Passé antérieur		
je	ris	j'	eus	ri
tu	ris	tu	eus	ri
elle	rit	elle	eut	ri
nous	rîmes	nous	eûmes	ri
vous	rîtes	vous	eûtes	ri
ils	rirent	ils	eurent	ri

Futur simple		Futur antérieur		
je	rirai	j'	aurai	ri
tu	riras	tu	auras	ri
elle	rira	elle	aura	ri
nous	rirons	nous	aurons	ri
vous	rirez	vous	aurez	ri
ils	riront	ils	auront	ri

Conditionnel présent		Conditionnel passé		
je	rirais	j'	aurais	ri
tu	rirais	tu	aurais	ri
elle	rirait	elle	aurait	ri
nous	ririons	nous	aurions	ri
vous	ririez	vous	auriez	ri
ils	riraient	ils	auraient	ri

SUBJONCTIF

Présent		Passé		
que je	rie	que j'	aie	ri
que tu	ries	que tu	aies	ri
qu'elle	rie	qu'elle	ait	ri
que n.	riions	que n.	ayons	ri
que v.	riiez	que v.	ayez	ri
qu'ils	rient	qu'ils	aient	ri

Imparfait *(rare)*		Plus-que-parfait		
que je	risse	que j'	eusse	ri
que tu	risses	que tu	eusses	ri
qu'elle	rît	qu'elle	eût	ri
que n.	rissions	que n.	eussions	ri
que v.	rissiez	que v.	eussiez	ri
qu'ils	rissent	qu'ils	eussent	ri

IMPÉRATIF

Présent	Passé	
ris	aie	ri
rions	ayons	ri
riez	ayez	ri

INFINITIF

Présent	Passé
rire	avoir ri

PARTICIPE

Présent	Passé (composé)
riant	ayant ri
	Passé
	ri

Conditionnel passé 2e forme : mêmes formes que le plus-que-parfait du subjonctif.
Forme surcomposée : *j'ai eu ri* (→ Grammaire du verbe, paragraphes 4, 56, 70).
Futur proche : *je vais rire* (→ Grammaire du verbe, paragraphes 5, 62).

- Remarquer les deux **i** consécutifs aux deux premières personnes du pluriel de l'imparfait de l'indicatif et du présent du subjonctif.
- **Sourire** se conjugue sur ce modèle.
- **Rire et sourire** ont un participe passé invariable, même à la forme pronominale : *ri, souri. Ils se sont ri des difficultés. Elles se sont souri.*

INDICATIF

Présent		Passé composé		
j'	écris	j'	ai	écrit
tu	écris	tu	as	écrit
elle	écrit	elle	a	écrit
nous	écrivons	nous	avons	écrit
vous	écrivez	vous	avez	écrit
ils	écrivent	ils	ont	écrit
Imparfait		**Plus-que-parfait**		
j'	écrivais	j'	avais	écrit
tu	écrivais	tu	avais	écrit
elle	écrivait	elle	avait	écrit
nous	écrivions	nous	avions	écrit
vous	écriviez	vous	aviez	écrit
ils	écrivaient	ils	avaient	écrit
Passé simple		**Passé antérieur**		
j'	écrivis	j'	eus	écrit
tu	écrivis	tu	eus	écrit
elle	écrivit	elle	eut	écrit
nous	écrivîmes	nous	eûmes	écrit
vous	écrivîtes	vous	eûtes	écrit
ils	écrivirent	ils	eurent	écrit
Futur simple		**Futur antérieur**		
j'	écrirai	j'	aurai	écrit
tu	écriras	tu	auras	écrit
elle	écrira	elle	aura	écrit
nous	écrirons	nous	aurons	écrit
vous	écrirez	vous	aurez	écrit
ils	écriront	ils	auront	écrit
Conditionnel présent		**Conditionnel passé**		
j'	écrirais	j'	aurais	écrit
tu	écrirais	tu	aurais	écrit
elle	écrirait	elle	aurait	écrit
nous	écririons	nous	aurions	écrit
vous	écririez	vous	auriez	écrit
ils	écriraient	ils	auraient	écrit

SUBJONCTIF

Présent		Passé		
que j'	écrive	que j'	aie	écrit
que tu	écrives	que tu	aies	écrit
qu'elle	écrive	qu'elle	ait	écrit
que n.	écrivions	que n.	ayons	écrit
que v.	écriviez	que v.	ayez	écrit
qu'ils	écrivent	qu'ils	aient	écrit
Imparfait		**Plus-que-parfait**		
que j'	écrivisse	que j'	eusse	écrit
que tu	écrivisses	que tu	eusses	écrit
qu'elle	écrivît	qu'elle	eût	écrit
que n.	écrivissions	que n.	eussions	écrit
que v.	écrivissiez	que v.	eussiez	écrit
qu'ils	écrivissent	qu'ils	eussent	écrit

IMPÉRATIF

Présent	Passé	
écris	aie	écrit
écrivons	ayons	écrit
écrivez	ayez	écrit

INFINITIF

Présent	Passé
écrire	avoir écrit

PARTICIPE

Présent	Passé (composé)
écrivant	ayant écrit
	Passé
	écrit

Conditionnel passé 2e forme : mêmes formes que le plus-que-parfait du subjonctif.
Forme surcomposée : *j'ai eu écrit* (→ Grammaire du verbe, paragraphes 4, 56, 70).
Futur proche : *je vais écrire* (→ Grammaire du verbe, paragraphes 5, 62).

- **Récrire**, **réécrire**, **décrire** et tous les composés en **-scrire** (→ Liste des verbes irréguliers, p. 120 à 122) se conjuguent sur ce modèle.

176 confire

INDICATIF

Présent		Passé composé		
je	confis	j'	ai	confit
tu	confis	tu	as	confit
elle	confit	elle	a	confit
nous	confisons	nous	avons	confit
vous	confisez	vous	avez	confit
ils	confisent	ils	ont	confit

Imparfait		Plus-que-parfait		
je	confisais	j'	avais	confit
tu	confisais	tu	avais	confit
elle	confisait	elle	avait	confit
nous	confisions	nous	avions	confit
vous	confisiez	vous	aviez	confit
ils	confisaient	ils	avaient	confit

Passé simple		Passé antérieur		
je	confis	j'	eus	confit
tu	confis	tu	eus	confit
elle	confit	elle	eut	confit
nous	confîmes	nous	eûmes	confit
vous	confîtes	vous	eûtes	confit
ils	confirent	ils	eurent	confit

Futur simple		Futur antérieur		
je	confirai	j'	aurai	confit
tu	confiras	tu	auras	confit
elle	confira	elle	aura	confit
nous	confirons	nous	aurons	confit
vous	confirez	vous	aurez	confit
ils	confiront	ils	auront	confit

Conditionnel présent		Conditionnel passé		
je	confirais	j'	aurais	confit
tu	confirais	tu	aurais	confit
elle	confirait	elle	aurait	confit
nous	confirions	nous	aurions	confit
vous	confiriez	vous	auriez	confit
ils	confiraient	ils	auraient	confit

SUBJONCTIF

Présent		Passé		
que je	confise	que j'	aie	confit
que tu	confises	que tu	aies	confit
qu' elle	confise	qu' elle	ait	confit
que n.	confisions	que n.	ayons	confit
que v.	confisiez	que v.	ayez	confit
qu' ils	confisent	qu' ils	aient	confit

Imparfait		Plus-que-parfait		
que je	confisse	que j'	eusse	confit
que tu	confisses	que tu	eusses	confit
qu' elle	confît	qu' elle	eût	confit
que n.	confissions	que n.	eussions	confit
que v.	confissiez	que v.	eussiez	confit
qu' ils	confissent	qu' ils	eussent	confit

IMPÉRATIF

Présent	Passé	
confis	aie	confit
confisons	ayons	confit
confisez	ayez	confit

INFINITIF

Présent	Passé
confire	avoir confit

PARTICIPE

Présent	Passé (composé)
confisant	ayant confit
	Passé
	confit[1, 2]

1. Le participe passé de **circoncire** se termine par **-s** : *circoncis, circoncise*.
2. Le participe passé de **suffire** se termine par **-i** : *suffi* (toujours invariable).

Conditionnel passé 2e forme : mêmes formes que le plus-que-parfait du subjonctif.
Forme surcomposée : *j'ai eu confit* (→ Grammaire du verbe, paragraphes 4, 56, 70).
Futur proche : *je vais confire* (→ Grammaire du verbe, paragraphes 5, 62).

- **Déconfire** se conjugue comme **confire**.
- **Circoncire** et **suffire** se conjuguent ainsi, sauf pour leur participe passé (→ notes 1 et 2 ci-dessus).
- **Frire** se conjugue comme **confire**. Il est employé uniquement au singulier du présent de l'indicatif et de l'impératif (*je fris, tu fris, il frit, fris*), au participe passé (*frit, frite*), aux temps composés formés avec l'auxiliaire **avoir** (*j'ai frit…*), et rarement au futur et au conditionnel (*je frirai…, je frirais…*). Aux temps et aux personnes où **frire** est défectif, on lui substitue la tournure **faire frire** : *ils font frire du poisson*.

INDICATIF

Présent		Passé composé		
je	cuis	j'	ai	cuit
tu	cuis	tu	as	cuit
elle	cuit	elle	a	cuit
nous	cuisons	nous	avons	cuit
vous	cuisez	vous	avez	cuit
ils	cuisent	ils	ont	cuit

Imparfait		Plus-que-parfait		
je	cuisais	j'	avais	cuit
tu	cuisais	tu	avais	cuit
elle	cuisait	elle	avait	cuit
nous	cuisions	nous	avions	cuit
vous	cuisiez	vous	aviez	cuit
ils	cuisaient	ils	avaient	cuit

Passé simple		Passé antérieur		
je	cuisis	j'	eus	cuit
tu	cuisis	tu	eus	cuit
elle	cuisit	elle	eut	cuit
nous	cuisîmes	nous	eûmes	cuit
vous	cuisîtes	vous	eûtes	cuit
ils	cuisirent	ils	eurent	cuit

Futur simple		Futur antérieur		
je	cuirai	j'	aurai	cuit
tu	cuiras	tu	auras	cuit
elle	cuira	elle	aura	cuit
nous	cuirons	nous	aurons	cuit
vous	cuirez	vous	aurez	cuit
ils	cuiront	ils	auront	cuit

Conditionnel présent		Conditionnel passé		
je	cuirais	j'	aurais	cuit
tu	cuirais	tu	aurais	cuit
elle	cuirait	elle	aurait	cuit
nous	cuirions	nous	aurions	cuit
vous	cuiriez	vous	auriez	cuit
ils	cuiraient	ils	auraient	cuit

SUBJONCTIF

Présent		Passé		
que je	cuise	que j'	aie	cuit
que tu	cuises	que tu	aies	cuit
qu'elle	cuise	qu'elle	ait	cuit
que n.	cuisions	que n.	ayons	cuit
que v.	cuisiez	que v.	ayez	cuit
qu' ils	cuisent	qu' ils	aient	cuit

Imparfait		Plus-que-parfait		
que je	cuisisse	que j'	eusse	cuit
que tu	cuisisses	que tu	eusses	cuit
qu'elle	cuisît	qu'elle	eût	cuit
que n.	cuisissions	que n.	eussions	cuit
que v.	cuisissiez	que v.	eussiez	cuit
qu' ils	cuisissent	qu' ils	eussent	cuit

IMPÉRATIF

Présent	Passé	
cuis	aie	cuit
cuisons	ayons	cuit
cuisez	ayez	cuit

INFINITIF

Présent	Passé
cuire	avoir cuit

PARTICIPE

Présent	Passé (composé)
cuisant	ayant cuit
	Passé
	cuit[1]

1. Le participe passé de **nuire** et celui de **entrenuire** se terminent par **-i** : *nui, entrenui.*

Conditionnel passé 2e forme : mêmes formes que le plus-que-parfait du subjonctif.
Forme surcomposée : *j'ai eu cuit* (→ Grammaire du verbe, paragraphes 4, 56, 70).
Futur proche : *je vais cuire* (→ Grammaire du verbe, paragraphes 5, 62).

- Les verbes en **-cuire**, en **-duire** et en **-truire** se conjuguent sur ce modèle (→ Liste des verbes irréguliers, p. 120 à 122).
- **Nuire** et **entrenuire** se conjuguent également sur ce modèle, sauf pour leur participe passé (→ note 1 ci-dessus). Noter que les participes passés *nui* et *entrenui* sont toujours invariables.

178 luire

INDICATIF

Présent			Passé composé		
je	luis		j'	ai	lui
tu	luis		tu	as	lui
elle	luit		elle	a	lui
nous	luisons		nous	avons	lui
vous	luisez		vous	avez	lui
ils	luisent		ils	ont	lui
Imparfait			**Plus-que-parfait**		
je	luisais		j'	avais	lui
tu	luisais		tu	avais	lui
elle	luisait		elle	avait	lui
nous	luisions		nous	avions	lui
vous	luisiez		vous	aviez	lui
ils	luisaient		ils	avaient	lui
Passé simple			**Passé antérieur**		
je	luis	/ *luisis*	j'	eus	lui
tu	luis	/ *luisis*	tu	eus	lui
elle	luit	/ *luisit*	elle	eut	lui
nous	luîmes	/ *luisîmes*	nous	eûmes	lui
vous	luîtes	/ *luisîtes*	vous	eûtes	lui
ils	luirent	/ *luisirent*	ils	eurent	lui
Futur simple			**Futur antérieur**		
je	luirai		j'	aurai	lui
tu	luiras		tu	auras	lui
elle	luira		elle	aura	lui
nous	luirons		nous	aurons	lui
vous	luirez		vous	aurez	lui
ils	luiront		ils	auront	lui
Conditionnel présent			**Conditionnel passé**		
je	luirais		j'	aurais	lui
tu	luirais		tu	aurais	lui
elle	luirait		elle	aurait	lui
nous	luirions		nous	aurions	lui
vous	luiriez		vous	auriez	lui
ils	luiraient		ils	auraient	lui

SUBJONCTIF

Présent		Passé		
que je	luise	que j'	aie	lui
que tu	luises	que tu	aies	lui
qu'elle	luise	qu' elle	ait	lui
que n.	luisions	que n.	ayons	lui
que v.	luisiez	que v.	ayez	lui
qu' ils	luisent	qu' ils	aient	lui
Imparfait		**Plus-que-parfait**		
que je	luisisse	que j'	eusse	lui
que tu	luisisses	que tu	eusses	lui
qu' elle	luisît	qu' elle	eût	lui
que n.	luisissions	que n.	eussions	lui
que v.	luisissiez	que v.	eussiez	lui
qu' ils	luisissent	qu' ils	eussent	lui

IMPÉRATIF

Présent	Passé	
luis	aie	lui
luisons	ayons	lui
luisez	ayez	lui

INFINITIF

Présent	Passé
luire	avoir lui

PARTICIPE

Présent	Passé (composé)
luisant	ayant lui
	Passé
	lui

Conditionnel passé 2e forme : mêmes formes que le plus-que-parfait du subjonctif.
Forme surcomposée : *j'ai eu lui* (→ Grammaire du verbe, paragraphes 4, 56, 70).
Futur proche : *je vais luire* (→ Grammaire du verbe, paragraphes 5, 62).

- **Reluire** se conjugue comme **luire**.
- Les participes passés *lui* et *relui* sont toujours invariables.
- Les formes en italique au passé simple (*je luisis… ils luisirent*) sont vieillies. Elles sont supplantées par les formes *je luis… ils luirent*.

• Abréviations utilisées

afr. : africain
belg. : belge
cond. : conditionnel
D : verbe défectif
I : intransitif
impers. : verbe impersonnel
impft : imparfait
ind. : indicatif
inf. : infinitif
P : construction pronominale du verbe
p. p. : participe passé
part. : participe
pers. : personnel
prés. : présent
québ. : québécois
sing. : singulier
subj. : subjonctif
T : transitif direct
Ti : transitif indirect

Les variantes orthographiques sont indiquées soit par des parenthèses ( ) qui encadrent une lettre ou un trait d'union facultatif, soit par une barre oblique suivie de la variante. Les prépositions (*à*, *de*, etc.) régies par certains verbes sont rappelées à titre indicatif. Pour une plus grande facilité d'utilisation, certaines abréviations sont répétées au bas de chaque double page. Des précisions complémentaires sont également données. Par exemple, à chaque double page, nous rappelons qu'un verbe de construction intransitive a un participe passé invariable (s'il est employé avec *avoir*).
Enfin, des indications de type sémantique figurent lorsque le verbe change de conjugaison, de construction ou d'auxiliaire en fonction de son sens. Par exemple, le verbe *demeurer* figure deux fois :

88 demeurer *(habiter)* .... I, *avoir*
88 demeurer *(continuer à être)* .... I, *être*

• Bibliographie

Outre le *Trésor de la Langue Française*, le *Littré*, le *Dictionnaire général de la langue française*, le *Grand Larousse* et le *Grand Robert*, les dictionnaires suivants ont été utilisés :

Antidote Prisme. Dictionnaire et conjugueur version 5 (logiciel), Druide informatique, 2005
Belgicismes. Inventaire des particularités lexicales du français en Belgique, Duculot, 1994
Dictionnaire de l'argot, Larousse, 1995
Dictionnaire du français non conventionnel, Jacques Cellard et Alain Rey, Hachette, 1991
Dictionnaire Franqus (français québécois – usage standard), Université de Sherbrooke, 2011
Inventaire des particularités du français en Afrique Noire, 2e édition, EDICEF-AUPELF, 1988
Multidictionnaire de la langue française, 5e édition, Marie-Éva de Villers, Québec Amérique, 2009

LISTE ALPHABÉTIQUE DES VERBES

Les numéros renvoient aux tableaux.
Les verbes modèles sont surlignés en gris.

a

88 abaisser ... T
88 abaisser (s') ... P
88 abandonner ... T
88 abandonner (s') ... P
106 abasourdir ... T
106 abâtardir ... T
106 abâtardir (s') ... P
146 abattre ... I, T
146 abattre (s') ... P
92 abcéder ... I
92 abcéder (s') ... P
88 abdiquer ... I, T
88 aberrer ... I
106 abêtir ... T
106 abêtir (s') ... P
88 abhorrer ... T
88 abîmer/abimer ... T
88 abîmer/abimer (s') ... P
88 abjurer ... I, T
88 ablater ... T
88 ablater (s') ... P
88 abloquer ... T
106 abolir ... T
88 abomber [afr.] ... I
88 abominer ... T
88 abonder ... I
88 abonner ... T
88 abonner (s') ... P
106 abonnir ... T
106 abonnir (s') ... P
88 aborder ... I, T
88 aborder (s') ... P
88 aboucher ... T
88 aboucher (s') ... P
88 abouler ... I, T
88 abouler (s') ... P
88 abouter ... T
106 aboutir à ... I, Ti
103 aboyer ... I, T
88 abraser ... T
88 abraser (s') ... P
100 abréger ... T
100 abréger (s') ... P
88 abreuver ... T
88 abreuver (s') ... P
88 abricoter ... T
101 abrier [québ.] ... I
101 abrier (s') [québ.] ... P
88 abriter ... T
88 abriter (s') ... P
90 abroger ... T
106 abrutir ... T
106 abrutir (s') ... P
88 absenter [afr.] ... T
88 absenter (s') ... P
88 absorber ... T
88 absorber (s') ... P
166 absoudre ... T
109 abstenir (s') ... P
152 abstraire ... T, D
152 abstraire (s') ... P, D
88 abuser de ... T, Ti
88 abuser (s') ... P
88 acagnarder (s') ... P
88 accabler ... T
88 accaparer ... T
88 accastiller ... T
92 accéder à ... Ti
92 accélérer ... I, T
92 accélérer (s') ... P
88 accentuer ... T
88 accentuer (s') ... P
88 accepter de ... T, Ti
88 accepter (s') ... P
88 accessoiriser ... T
88 accidenter ... T
88 acclamer ... T
88 acclimater ... T
88 acclimater (s') ... P
88 accointer (s') ... P
88 accoler ... T
88 accoler (s') ... P
88 accommoder ... T
88 accommoder (s') ... P
88 accompagner ... T
88 accompagner (s') ... P
106 accomplir ... T
106 accomplir (s') ... P
88 accorder ... T
88 accorder (s') ... P
88 accorer ... T
88 accoster ... T
88 accoster (s') ... P
88 accoter ... T
88 accoter (s') ... P
88 accoucher de ... I, T, Ti
88 accouder (s') ... P
88 accouer ... T
88 accoupler ... T
88 accoupler (s') ... P
106 accourcir ... I, T
119 accourir ... I, *être* (ou *avoir*)
88 accoutrer ... T
88 accoutrer (s') ... P
88 accoutumer ... T
88 accoutumer (s') ... P
88 accréditer ... T
88 accréditer (s') ... P
88 accrocher ... I, T
88 accrocher (s') ... P
161 accroire ... T, D
seulement à l'infinitif
159 accroître/accroitre à ... T, Ti
159 accroître/accroitre (s') ... P
106 accroupir (s') ... P
114 accueillir ... T
88 acculer ... T
88 acculturer ... T
88 accumuler ... I, T
88 accumuler (s') ... P
88 accuser ... T
88 accuser (s') ... P
88 acenser ... T
92 acérer ... T
101 acétifier ... T
88 acétyler ... T
88 achalander ... T
88 achaler [québ.] ... T
88 acharner ... T
88 acharner (s') ... P
88 acheminer ... T
88 acheminer (s') ... P
95 acheter ... I, T
95 acheter (s') ... P
91 achever ... T
91 achever (s') ... P
88 achopper à, sur ... Ti
88 achopper (s') à ... P
88 achromatiser ... T
101 acidifier ... T
101 acidifier (s') ... P
88 aciduler ... T
92 aciérer ... T
93 aciseler ... T
88 acoquiner (s') ... P
110 acquérir ... T
110 acquérir (s') ... P
89 acquiescer à ... I, Ti
88 acquitter ... T
88 acquitter (s') ... P
88 acter ... T

88	actionner	T
88	activer	I, T
88	activer (s')	P
88	actualiser	T
88	adapter	T
88	adapter (s')	P
88	additionner	T
88	additionner (s')	P
92	adhérer à	Ti
173	adire (s') belg.	P
88	adirer	T, D
	seulement à l'infinitif et au part. passé *adiré*	
88	adjectiver	T
88	adjectiviser	T
149	adjoindre	T
149	adjoindre (s')	P
90	adjuger	T
90	adjuger (s')	P
88	adjurer	T
147	admettre	T
88	administrer	T
88	administrer (s')	P
88	admirer	T
88	admirer (s')	P
88	admonester	T
88	adoniser (s')	P
88	adonner	I
88	adonner (s')	P
88	adopter	T
88	adorer	T
88	adorer (s')	P
88	adosser	T
88	adosser (s')	P
88	adouber	I, T
106	adoucir	T
106	adoucir (s')	P
88	adresser	T
88	adresser (s')	P
88	adsorber	T
88	aduler	T
92	adultérer	T
109	advenir	I, *être*, D
	seulement à l'infinitif et aux 3es personnes	
88	adverbialiser	T
92	aérer	T
92	aérer (s')	P
88	affabuler	I, T
106	affadir	T
106	affadir (s')	P
106	affaiblir	T
106	affaiblir (s')	P
88	affairer (s')	P
88	affaisser	T
88	affaisser (s')	P
88	affaler	T
88	affaler (s')	P
88	affamer	T
90	afféager	T
88	affecter	T
88	affecter (s')	P
88	affectionner	T
92	afférer	I
88	affermer	T
106	affermir	T
106	affermir (s')	P
88	afficher	T
88	afficher (s')	P
88	affiler	T
101	affilier	T
101	affilier (s')	P
88	affiner	T
88	affiner (s')	P
88	affirmer	T
88	affirmer (s')	P
88	affleurer	I, T
90	affliger	T
90	affliger (s')	P
88	afflouer	T
88	affluer	I
88	affoler	T
88	affoler (s')	P
90	affouager	T
88	affouiller	T
88	affourcher	T
90	affourrager	T
106	affranchir	T
106	affranchir (s')	P
92	affréter	T
88	affriander	T
88	affricher	T
88	affrioler	T
88	affriter	T
88	affronter	T
88	affronter (s')	P
88	affruiter	I, T
88	affubler	T
88	affubler (s')	P
88	affurer	T
88	affûter/affuter	T
88	africaniser	T
88	africaniser (s')	P
89	agacer	T
89	agacer (s')	P
89	agencer	T
89	agencer (s')	P
88	agenouiller (s')	P
92	agglomérer	T
92	agglomérer (s')	P
88	agglutiner	T
88	agglutiner (s')	P
88	aggraver	T
88	aggraver (s')	P
88	agioter	I
106	agir	I
106	agir (s')	P, impers. :
	il s'agit de…	
88	agiter	T
88	agiter (s')	P
97	agneler	I
106	agonir	T
88	agoniser	I
88	agrafer	T
106	agrandir	T
106	agrandir (s')	P
99	agréer à	T, Ti
100	agréger	T
100	agréger (s')	P
88	agrémenter	T
88	agresser	T
88	agricher	T
88	agriffer (s')	P
88	agripper	T
88	agripper (s')	P
106	aguerrir	T
106	aguerrir (s')	P
88	aguicher	T
88	ahaner	I
88	aheurter (s')	P
106	ahurir	T
88	aicher	T
88	aider à, de	T, Ti
88	aider (s')	P

T : transitif direct (p. p. variable) — **Ti** : transitif indirect (p. p. invariable) — **I** : intransitif (p. p. invariable) — **P** : construction pronominale (auxiliaire *être*) — **impers.** : verbe impersonnel — **D** : verbe défectif — ***être*** : se conjugue avec l'auxiliaire *être* — ***être*** ou ***avoir*** : verbe se conjuguant avec l'un ou l'autre de ces auxiliaires, selon le cas (→ paragraphe 18)

106	aigrir	I, T
106	aigrir (s')	P
88	aiguiller	T
98	aiguilleter	T
88	aiguillonner	T
88	aiguiser	T
88	aiguiser (s')	P
88	ailler	T
88	aimanter	T
88	aimanter (s')	P
88	aimer	T
88	aimer (s')	P
88	airer	I
88	ajointer	T
88	ajourer	T
88	ajourner	T
88	ajouter à	T, Ti
88	ajouter (s')	P
88	ajuster	T
88	ajuster (s')	P
88	alambiquer	T
106	alanguir	T
106	alanguir (s')	P
88	alarmer	T
88	alarmer (s')	P
88	alcaliniser	T
88	alcaliser	T
88	alcooliser	T
88	alcooliser (s')	P
106	alentir	T
88	alerter	T
92	aléser	T
88	aleviner	T
92	aliéner	T
92	aliéner (s')	P
88	aligner	T
88	aligner (s')	P
88	alimenter	T
88	alimenter (s')	P
88	aliter	T
88	aliter (s')	P
88	allaiter	I, T
92	allécher	T
100	alléger	T
106	allégir	T
88	allégoriser	T
92	alléguer	T
108	aller	I, *être*
108	aller (s'en)	P
101	allier	T
101	allier (s')	P
90	allonger	I, T
90	allonger (s')	P
88	allouer	T
88	allumer	T
88	allumer (s')	P
88	alluvionner	I
106	alourdir	T
106	alourdir (s')	P
88	alpaguer	T
88	alphabétiser	T
92	altérer	T
92	altérer (s')	P
88	alterner	I, T
88	aluminer	T
88	aluner	T
106	alunir	I
88	amadouer	T
106	amaigrir	T
106	amaigrir (s')	P
88	amalgamer	T
88	amalgamer (s')	P
88	amancher [québ.]	T
88	amancher (s') [québ.]	P
88	amariner	T
88	amariner (s')	P
88	amarrer	T
88	amarrer (s')	P
88	amasser	I, T
88	amasser (s')	P
106	amatir	T
89	ambiancer [afr.]	I
101	ambifier (s') [afr.]	P
88	ambitionner	T
88	ambler	I
88	ambrer	T
88	améliorer	T
88	améliorer (s')	P
90	aménager	T
88	amender	T
88	amender (s')	P
91	amener	T
91	amener (s')	P
88	amenuiser	T
88	amenuiser (s')	P
88	américaniser	T
88	américaniser (s')	P
106	amerrir	I
106	ameublir	T
88	ameuter	T
88	ameuter (s')	P
88	amidonner	T
88	amignoter	T
106	amincir	I, T
106	amincir (s')	P
88	aminer [belg.]	I
101	amnistier	T
88	amocher	T
88	amocher (s')	P
101	amodier	T
106	amoindrir	T
106	amoindrir (s')	P
106	amollir	T
106	amollir (s')	P
97	amonceler	T
97	amonceler (s')	P
89	amorcer	I, T
89	amorcer (s')	P
89	amordancer	T
106	amortir	T
106	amortir (s')	P
88	amouracher (s')	P
88	amourer [afr.]	T
101	amplifier	T
101	amplifier (s')	P
88	amputer	T
106	amuïr (s')	P
88	amurer	T
88	amuser	T
88	amuser (s')	P
101	analgésier	T
88	analyser	T
88	analyser (s')	P
88	anastomoser	T
88	anastomoser (s')	P
88	anathématiser	T
88	ancrer	T
88	ancrer (s')	P
106	anéantir	T
106	anéantir (s')	P
101	anémier	T
101	anesthésier	T
88	anglaiser	T
88	angliciser	T
88	angliciser (s')	P
88	angoisser	I, T
88	angoisser (s')	P
92	anhéler	I
88	animaliser	T
88	animer	T
88	animer (s')	P
88	aniser	T
88	ankyloser	T

88 ankyloser (s') .... P
97 anneler .... T
88 annexer .... T
88 annexer (s') .... P
88 annihiler .... T
88 annihiler (s') .... P
89 annoncer .... T
89 annoncer (s') .... P
88 annoter .... T
88 annualiser .... T
88 annuler .... T
88 annuler (s') .... P
106 anoblir .... T
106 anoblir (s') .... P
88 anodiser .... T
88 ânonner .... I, T
106 anordir I
88 antéposer .... T
88 anticiper .... I, T
88 antidater .... T
88 aoûter/aouter .... T
88 apaiser .... T
88 apaiser (s') .... P
90 apanager .... T
88 apatamer afr. I
125 apercevoir .... T
125 apercevoir (s') .... P
88 apeurer .... T
88 apiquer .... T
103 apitoyer .... T
103 apitoyer (s') .... P
106 aplanir .... T
106 aplanir (s') .... P
106 aplatir .... T
106 aplatir (s') .... P
88 aplomber québ. .... T
88 aplomber (s') québ. .... P
101 apostasier I
88 aposter .... T
88 apostiller .... T
88 apostropher .... T
88 apostropher (s') .... P
88 appairer .... T
155 apparaître/apparaitre I
être (ou *avoir*)
88 appareiller .... I, T
88 appareiller (s') .... P
88 apparenter .... T
88 apparenter (s') .... P
101 apparier .... T
101 apparier (s') .... P
apparoir .... I, D
seulement à l'infinitif
et à la 3e pers. du sing.
de l'ind. prés. : *il appert*
109 appartenir à .... Ti
109 appartenir (s') .... P
88 appâter .... T
106 appauvrir .... T
106 appauvrir (s') .... P
94 appeler à .... T, Ti
94 appeler (s') .... P
143 appendre .... T
appert .... → apparoir
88 appertiser .... T
106 appesantir .... T
106 appesantir (s') .... P
92 appéter .... T
106 applaudir à .... I, T, Ti
106 applaudir (s') .... P
88 appliquer .... T
88 appliquer (s') .... P
88 appointer .... T
88 appointer (s') .... P
106 appointir .... T
88 apponter I
88 apporter .... T
88 apposer .... T
101 apprécier .... T
101 apprécier (s') .... P
88 appréhender .... T
144 apprendre .... T
144 apprendre (s') .... P
88 apprêter .... T
88 apprêter (s') .... P
88 apprivoiser .... T
88 apprivoiser (s') .... P
88 approcher de .... I, T, Ti
88 approcher (s') .... P
106 approfondir .... T
106 approfondir (s') .... P
101 approprier .... T
101 approprier (s') .... P
88 approuver .... T
88 approuver (s') .... P
88 approvisionner .... T
88 approvisionner (s') .... P
104 appuyer .... I, T
104 appuyer (s') .... P
88 apurer .... T
90 aquiger I
88 arabiser .... T
88 araser .... T
88 arbitrer .... T
88 arborer .... T
88 arboriser I
88 arc(-)bouter .... T
88 arc(-)bouter (s') .... P
88 archaïser I
88 architecturer .... T
88 archiver .... T
88 arçonner .... T
88 ardoiser .... T
88 argenter .... T
88 argenter (s') .... P
88 argotiser I
88 argougner .... T
88 arguer/argüer de .... T, Ti
88 argumenter I
88 ariser .... T
88 armer .... T
88 armer (s') .... P
101 armorier .... T
88 arnaquer .... T
88 aromatiser .... T
100 arpéger .... I, T
88 arpenter .... T
88 arpigner .... T
88 arquebuser .... T
89 arquepincer .... T
88 arquer .... I, T
88 arquer (s') .... P
88 arracher .... T
88 arracher (s') .... P
88 arraisonner .... T
90 arranger .... T
90 arranger (s') .... P
88 arrenter .... T
90 arrérager I
90 arrérager (s') .... P
88 arrêter .... I, T
88 arrêter (s') .... P
92 arriérer .... T
88 arrimer .... T

T : transitif direct (p. p. variable) — **Ti** : transitif indirect (p. p. invariable) — **I** : intransitif (p. p. invariable) — **P** : construction pronominale (auxiliaire *être*) — **impers.** : verbe impersonnel — **D** : verbe défectif — ***être*** : se conjugue avec l'auxiliaire *être* — ***être*** ou ***avoir*** : verbe se conjuguant avec l'un ou l'autre de ces auxiliaires, selon le cas (→ paragraphe 18)

Modèle	Verbe	Type
88	arriser	T
88	arriver	I, *être*
90	arroger (s')	P
106	arrondir	T
106	arrondir (s')	P
88	arroser	T
88	arroser (s')	P
88	arsouiller (s')	P
88	articuler	I, T
88	articuler (s')	P
88	artiller	I
88	ascensionner	T
88	aseptiser	T
88	aspecter	T
90	asperger	T
90	asperger (s')	P
88	asphalter	T
101	asphyxier	I, T
101	asphyxier (s')	P
88	aspirer à	T, Ti
106	assagir	T
106	assagir (s')	P
115	assaillir	T
106	assainir	T
88	assaisonner	T
88	assarmenter	T
88	assassiner	T
	assavoir seulement à l'infinitif	T, D
92	assécher	I, T
92	assécher (s')	P
88	assembler	T
88	assembler (s')	P
91	assener	T
92	asséner	T
137	ass(e)oir	T
137	ass(e)oir (s')	P
88	assermenter	T
106	asservir	T
106	asservir (s')	P
88	assibiler	T
88	assibiler (s')	P
100	assiéger	T
88	assigner	T
88	assimiler	T
88	assimiler (s')	P
88	assister à	T, Ti
101	associer	T
101	associer (s')	P
88	assoiffer	T
137	assoir/asseoir	T
137	assoir/asseoir (s')	P
88	assoler	T
106	assombrir	T
106	assombrir (s')	P
88	assommer	T
88	assommer (s')	P
88	assoner	I
106	assortir	T
106	assortir (s')	P
106	assoupir	T
106	assoupir (s')	P
106	assouplir	T
106	assouplir (s')	P
106	assourdir	I, T
106	assourdir (s')	P
106	assouvir	T
106	assouvir (s')	P
106	assujettir	T
106	assujettir (s')	P
88	assumer	I, T
88	assumer (s')	P
88	assurer	I, T
88	assurer (s')	P
88	asticoter	T
88	astiquer	T
148	astreindre	T
148	astreindre (s')	P
103	atermoyer	I
88	atomiser	T
88	atomiser (s')	P
88	atriquer	T
101	atrophier	T
101	atrophier (s')	P
88	attabler	T
88	attabler (s')	P
88	attacher	I, T
88	attacher (s')	P
88	attaquer	T
88	attaquer (s')	P
88	attarder (s')	P
148	atteindre à	T, Ti
97	atteler	I, T
97	atteler (s')	P
143	attendre	I, T
143	attendre (s')	P
106	attendrir	T
106	attendrir (s')	P
88	attenter à	I, Ti
88	atténuer	T
88	atténuer (s')	P
88	atterrer	T
106	atterrir	I
88	attester	T
106	attiédir	T
106	attiédir (s')	P
88	attifer	T
88	attifer (s')	P
90	attiger	I, T
88	attirer	T
88	attirer (s')	P
88	attiser	T
88	attitrer	T
88	attraper	T
88	attraper (s')	P
88	attribuer	T
88	attribuer (s')	P
88	at(t)riquer	T
88	attrister	T
88	attrister (s')	P
88	attrouper	T
88	attrouper (s')	P
88	auditionner	I, T
88	augmenter	I, T
88	augmenter (s')	P
88	augurer	I, T
88	auner	T
88	auréoler	T
88	auréoler (s')	P
101	aurifier	T
88	ausculter	T
101	authentifier	T
88	authentiquer	T
88	autocensurer (s')	P
90	autocorriger	T
90	autocorriger (s')	P
88	autodéterminer (s')	P
177	autodétruire (s')	P
89	autofinancer	T
89	autofinancer (s')	P
88	autoflageller (s')	P
101	autographier	T
88	autoguider (s')	P
88	automatiser	T
88	autoproclamer (s')	P
101	autopsier	T
88	autoriser	T
88	autoriser (s')	P
88	autosuggestionner (s')	P
88	autotomiser (s')	P
106	avachir	I, T
106	avachir (s')	P
88	avaler	T

N°	Verbe	Construction
88	avaliser	T
89	avancer	I, T
89	avancer (s')	P
90	avantager	T
101	avarier	T
101	avarier (s')	P
148	aveindre	T
88	aventurer	T
88	aventurer (s')	P
92	avérer	T
92	avérer (s')	P
106	avertir	T
88	aveugler	T
88	aveugler (s')	P
106	aveulir	T
106	aveulir (s')	P
106	avilir	T
106	avilir (s')	P
88	aviner	T
88	avironner québ.	I
88	aviser	I, T
88	aviser (s')	P
88	avitailler	T
88	avitailler (s')	P
88	aviver	T
88	avocasser	T
88	avoiner	T
85	avoir	T
88	avoisiner	T
88	avoisiner (s')	P
88	avorter	I, T
88	avouer	T
88	avouer (s')	P
103	avoyer	T
88	axer	T
88	axiomatiser	T
88	azimuter	T
88	azimuther	T
88	azurer	T
	b	
93	babeler belg.	I
88	babiller	I
88	bâcher	T
88	bachoter	I
88	bâcler	I, T
88	bader	T
88	badigeonner	T
88	badigeonner (se)	P
88	badiner	I
88	baffer	T
88	bafouer	T
88	bafouiller	I, T
88	bâfrer	I, T
88	bagarrer	I
88	bagarrer (se)	P
88	bagot(t)er	I
88	bagouler	I
88	baguenauder	I
88	baguenauder (se)	P
88	baguer	T
88	baigner	I, T
88	baigner (se)	P
88	bailler *(la bailler belle)*	T
88	bâiller *(bâiller d'ennui)*	I
88	bâillonner	T
88	baiser	I, T
88	baisser	I, T
88	baisser (se)	P
88	balader	T
88	balader (se)	P
88	balafrer	T
89	balancer	I, T
89	balancer (se)	P
88	balanstiquer	T
102	balayer	T
101	balbutier	I, T
88	baleiner	T
88	baligander belg.	I
88	baliser	I, T
88	balkaniser	T
88	balkaniser (se)	P
88	ballaster	T
88	baller	I
88	ballonner	T
88	ballot(t)er	I, T
88	bal(l)uchonner	T
88	bal(l)uchonner (se)	P
88	balter belg.	T
88	bambocher	I
88	banaliser	T
88	banaliser (se)	P
88	bananer	T
88	bancher	T
88	bander	I, T
88	bander (se)	P
88	banner	T
106	bannir	T
88	banquer	I
98	banqueter	I
88	baptiser	T
88	baquer belg.	T
88	baquer (se)	P
98	baqueter	T
88	baragouiner	I, T
88	baraquer	I, T
88	baratiner	I, T
88	baratter	T
88	barber	T
88	barber (se)	P
101	barbifier	T
101	barbifier (se)	P
88	barboter	I, T
88	barbouiller	T
88	barder	I, T, impers : *ça barde*
92	baréter	I
88	barguigner	I
88	barioler	T
88	barjaquer	I
88	barloquer belg.	I
88	baronner	T
88	barouder	I
88	barrer	I, T
88	barrer (se)	P
88	barricader	T
88	barricader (se)	P
106	barrir	I
88	basaner	T
88	basculer	I, T
88	baser	T
88	baser (se)	P
88	bassiner	T
88	baster	I
88	bastillonner	T
88	bastionner	T
88	bastonner	T
88	bastonner (se)	P
88	batailler	I
88	batailler (se)	P
97	bateler	I
88	bâter	T
88	batifoler	I
106	bâtir	T

T : transitif direct (p. p. variable) — **Ti** : transitif indirect (p. p. invariable) — **I** : intransitif (p. p. invariable) — **P** : construction pronominale (auxiliaire *être*) — **impers.** : verbe impersonnel — **D** : verbe défectif — ***être*** : se conjugue avec l'auxiliaire *être* — ***être* ou *avoir*** : verbe se conjuguant avec l'un ou l'autre de ces auxiliaires, selon le cas (→ paragraphe 18)

106 bâtir (se) ... P
88 bâtonner ... T
146 battre en ... I, T, Ti
146 battre (se) ... P
90 bauger (se) ... P
88 bavarder ... I
88 bavasser ... I
88 baver ... I
88 bavocher ... I
88 bayer (aux corneilles) ... I
88 bazarder ... T
101 béatifier ... T
92 bécher ... I, T
92 bécher (se) ... P
88 bêcher ... I, T
98 bêcheveter ... T
88 bécoter ... T
88 bécoter (se) ... P
88 becquer ... T
98 becqueter ... T
88 becter ... T, D
employé surtout à l'infinitif et au participe passé
88 bedonner ... I
99 béer ... I, D
surtout à l'infinitif, à l'ind. imparfait, au part. présent (*béant*) et dans l'expression *bouche bée*
88 bégaler ... T
102 bégayer ... I, T
92 béguer afr. ... I
95 bégueter/bègueter ... I
88 bêler ... I
88 beloter afr. ... I
88 bémoliser ... T
101 bénéficier de ... Ti
106 bénir ... T
participe passé *béni, e, is, ies,* à ne pas confondre avec l'adjectif : *eau bénite*
88 benner belg. ... T
92 béquer ... T
98 béqueter/bèqueter ... T
88 béquiller ... I, T
89 bercer ... T
89 bercer (se) ... P
88 berdeller belg. ... I, T
88 berlurer ... I
88 berlurer (se) ... P
88 berner ... T
88 besogner ... I
101 bêtifier ... I, T
101 bêtifier (se) ... P
88 bêtiser ... I
88 bétonner ... I, T
88 beugler ... I, T
88 beurrer ... T
88 beurrer (se) ... P
88 biaiser ... I, T
88 bibarder ... I
88 bibeloter ... I
88 biberonner ... I
88 bicher ... I
88 bichonner ... T
88 bichonner (se) ... P
88 bichoter ... I, impers. : *ça bichote*
88 bider (se) ... P
88 bidonner ... I
88 bidonner (se) ... P
88 bidouiller ... T
109 bienvenir ... I, D
seulement à l'infinitif
88 biffer ... T
88 biffetonner ... I
88 bifurquer ... I
88 bigarrer ... T
88 bigler ... I, T
88 biglouser ... I
88 bigophoner ... I
88 bigorner ... T
88 bigorner (se) ... P
88 bigrer afr. ... I
88 bilaner afr. ... I
88 biler (se) ... P
88 billebauder ... I
88 biller ... I
88 billonner ... T
88 biloquer ... T
88 biloter (se) ... P
88 biner ... I, T
88 biologiser ... T
88 biquer belg. ... I
98 biqueter ... I
88 biscuiter ... T
88 biseauter ... T
88 bisegmenter ... T
88 biser ... I, T
88 bisquer ... I
88 bisser ... T
88 bistourner ... T
88 bistrer ... T
88 biter ... T
88 bitonner ... I
88 bitter ... T
88 bitumer ... T
88 bituminer ... T
88 bit(t)urer (se) ... P
88 bivouaquer ... I
88 bizuter ... T
88 blablater ... I
88 blackbouler ... T
88 blaguer ... I
88 blairer ... T
88 blâmer ... T
88 blâmer (se) ... P
106 blanchir ... I, T
106 blanchir (se) ... P
88 blaser ... T
88 blaser (se) ... P
88 blasonner ... T
92 blasphémer ... I, T
92 blatérer ... I
88 bleffer belg. ... I
106 blêmir ... I
92 bléser ... I
88 blesser ... T
88 blesser (se) ... P
106 blettir ... I
106 bleuir ... I, T
88 bleuter ... T
88 blinder ... I, T
88 blinder (se) ... P
88 blinquer belg. ... I, T
88 blobloter ... I
88 bloguer ... I
106 blondir ... I, T
103 blondoyer ... I
88 bloquer ... T
88 bloquer (se) ... P
106 blottir (se) ... P
88 blouser ... I, T
88 blouser (se) ... P
88 bluffer ... I, T
88 bluter ... T
88 blutiner ... I
88 bobiner ... T
88 bocarder ... T
88 boetter ... T
162 boire ... I, T
162 boire (se) ... P

N°	Verbe	Construction
88	boiser	T
88	boiter	I
88	boitiller	I
88	bolcheviser	T
88	bombarder	T
88	bomber	I, T
88	bonder	T
88	bondériser	T
106	bondir	I
88	bondonner	T
101	bonifier	T
101	bonifier (se)	P
88	bonimenter	I
106	bonir	T
98	bonneter	I, T
106	bonnir	T
88	boquillonner	I
88	bordéliser	T
88	border	T
88	bordurer	T
88	borgnoter	T
88	borner	T
88	borner (se)	P
103	bornoyer	I, T
97	bosseler	T
88	bosser	I, T
88	bossuer	T
88	bostonner	I
88	botaniser	I
97	botteler	T
88	botter	I, T
88	botter (se)	P
88	bottiner	I, T
88	boubouler	I
88	boucaner	I, T
88	boucharder	T
88	boucher	T
88	boucher (se)	P
88	bouchonner	I, T
88	bouchonner (se)	P
88	boucler	I, T
88	boucler (se)	P
88	bouder	I, T
88	bouder (se)	P
88	boudiner	T
88	bouffer	I, T
88	bouffer (se)	P
106	bouffir	I, T
88	bouffonner	I
90	bouger	I, T
90	bouger (se)	P
88	bougonner	I, T
117	bouillir	I, T
88	bouillonner	I, T
88	bouillotter	I
90	boulanger	I, T
88	bouler	I, T
88	bouleverser	T
88	bouliner	T
88	boulocher	I
88	boulonner	I, T
88	boulot(t)er	I, T
88	boumer	I
	impers. : *ça boume*	
88	bouquiner	I, T
88	bourder	I
88	bourdonner	I
88	bourgeonner	I
88	bourlinguer	I
88	bourrasser [québ.]	I, T
97	bourreler	T
88	bourrer	I, T
88	bourrer (se)	P
88	boursicoter	I
88	boursouf(f)ler	T
88	boursouf(f)ler (se)	P
88	bousculer	T
88	bousculer (se)	P
88	bousiller	I, T
88	boustifailler	I
88	bouteiller [afr.]	T
88	bouter	T
88	boutonner	I, T
88	boutonner (se)	P
88	bouturer	T
88	boxer	I, T
88	boxonner	I
88	boyauter (se)	P
88	boycotter	T
88	braconner	I, T
88	brader	T
88	brailler	I, T
88	brailler (se) [afr.]	P
152	braire	I, T, D
88	braiser	T
88	bramer	I
88	brancarder	T
88	brancher	I, T
88	brancher (se)	P
88	brandiller	I, T
106	brandir	T
88	branler	I, T
88	branlocher	T
88	braquer	I, T
88	braquer (se)	P
88	braser	T
88	brasiller	I
88	brasser	T
88	brasser (se)	P
102	brasseyer	T
88	braver	T
102	brayer	T
88	bredouiller	I, T
88	brêler	T
88	breller	T
88	brésiller	I, T
88	brésiller (se)	P
97	bretteler	T
88	bretter	T
98	breveter	T
88	bricoler	I, T
88	brider	T
90	bridger	I
88	briefer	T
88	briffer	I, T
88	brigander	I, T
88	briguer	T
88	brillanter	T
88	brillantiner	T
88	briller	I
88	brimbaler	I, T
88	brimer	T
88	bringuebaler	I, T
88	brinquebal(l)er	I, T
88	briocher	T
88	briquer	T
98	briqueter	T
88	briser	I, T
88	briser (se)	P
88	broadcaster	T
88	brocanter	I, T
88	brocarder	T
88	brocher	T
98	brocheter	T

T : transitif direct (p. p. variable) — **Ti** : transitif indirect (p. p. invariable) — **I** : intransitif (p. p. invariable) — **P** : construction pronominale (auxiliaire *être*) — **impers.** : verbe impersonnel — **D** : verbe défectif — ***être*** : se conjugue avec l'auxiliaire *être* — ***être*** ou ***avoir*** : verbe se conjuguant avec l'un ou l'autre de ces auxiliaires, selon le cas (→ paragraphe 18)

88 broder .... I, T
88 broncher I
88 bronzer .... I, T
88 bronzer (se) .... P
88 broquanter I
88 broquer belg. I
88 brosser .... I, T
88 brosser (se) .... P
88 brouetter .... T
88 brouillasser .... impers.: *il brouillasse*
88 brouiller .... T
88 brouiller (se) .... P
88 brouillonner .... I, T
88 brouter .... I, T
103 broyer .... T
88 bruiner .... impers.: *il bruine*
106 bruire I
surtout au part. présent (*bruissant*), aux 3es personnes de l'ind. présent et imparfait (*il bruit/ils bruissent, il bruissait/ils bruissaient*), au subj. présent (*qu'il bruisse/qu'ils bruissent*). Part. passé invariable (*brui*)
88 bruisser I
88 bruiter .... T
88 brûler/bruler .... I, T
88 brûler/bruler (se) .... P
88 brumasser I
impers.: *il brumasse*
88 brumer I
impers.: *il brume*
88 bruncher I
106 brunir .... I, T
106 brunir (se) .... P
88 brusquer .... T
88 brutaliser .... T
88 bûcher/bucher .... I, T
92 budgéter .... T
88 budgétiser .... T
98 buffeter .... T
88 buller I
88 bureaucratiser .... T
88 bureaucratiser (se) .... P
88 buriner .... T
88 buser afr. .... T
88 buter .... I, T
88 buter (se) .... P
88 butiner .... I, T
88 butter .... T
88 buvoter I

C

88 cabaler I
88 cabaner .... T
88 cabiner afr. I
88 câbler .... T
88 cabosser .... T
88 caboter I
88 cabotiner I
88 cabrer .... T
88 cabrer (se) .... P
88 cabrioler I
88 cacaber I
88 cacarder I
88 cacher .... T
88 cacher (se) .... P
98 cacheter .... T
88 cachetonner I
88 cadancher I
88 cadastrer .... T
88 cadeauter afr. .... T
88 cadenasser .... T
89 cadencer .... T
88 cadoter afr. .... T
88 cadrer .... I, T
88 cafarder .... I, T
98 cafeter .... I, T
88 cafouiller I
88 cafter .... I, T
88 cagnarder I
88 cagner I
88 caguer I
88 cahoter .... I, T
88 caillebotter .... T
88 cailler .... I, T
88 cailler (se) .... P
98 cailleter I
88 caillouter .... T
88 caïmanter afr. .... T
88 cajoler .... T
88 calaminer (se) .... P
88 calamistrer .... T
88 calancher I
88 calandrer .... T
89 calcer .... T
88 calciner .... T
88 calculer .... I, T
89, 91 calecer .... T
88 caler .... I, T
88 caler (se) .... P
95 caleter I
95 caleter (se) .... P
88 calfater .... T
88 calfeutrer .... T
88 calfeutrer (se) .... P
88 calibrer .... T
88 câliner .... T
101 calligraphier .... T
88 calmer .... T
88 calmer (se) .... P
106 calmir I
101 calomnier .... T
90 calorifuger .... T
88 calotter .... T
88 calquer .... T
88 calter I
88 calter (se) .... P
88 cambrer .... T
88 cambrer (se) .... P
88 cambrioler .... T
88 cambuter .... I, T
88 cameloter I
92 camembérer afr. I
88 camer (se) .... P
88 camionner .... T
88 camoufler .... T
88 camoufler (se) .... P
88 camper .... I, T
88 camper (se) .... P
88 canaliser .... T
88 canarder .... I, T
88 cancaner I
88 cancériser .... T
106 candir (se) .... P
88 caner I
97 canneler .... T
88 canner .... I, T
88 cannibaliser .... T
88 cannibaliser (se) .... P
88 canoniser .... T
88 canonner .... T
88 canoter I
88 cantiner I
88 cantonner .... I, T
88 cantonner (se) .... P
88 canuler .... T
88 caoutchouter .... T
88 capahuter .... T
88 caparaçonner .... T

88 caparaçonner (se) ... P
99 capéer ... I
97 capeler ... T
102 capeyer ... I
88 capitaliser ... I, T
88 capitonner ... T
88 capitonner (se) ... P
88 capituler ... I
88 caponner ... I
88 caporaliser ... T
88 capoter ... I, T
88 capsuler ... T
88 capter ... T
88 captiver ... T
88 captiver (se) ... P
88 capturer ... T
88 capuchonner ... T
88 caquer ... T
95, 98 caqueter ... I
88 caracoler ... I
88 caractériser ... T
88 caractériser (se) ... P
88 caramboler ... I, T
88 caramboler (se) ... P
88 caraméliser ... I, T
88 caraméliser (se) ... P
88 carapater (se) ... P
88 carbonater ... T
88 carboniser ... T
88 carburer ... I, T
88 carcailler ... I
88 carder ... T
89 carencer ... T
92 caréner ... I, T
88 carer ... T
88 caresser ... T
88 caresser (se) ... P
88 carguer ... T
88 caricaturer ... T
101 carier ... T
101 carier (se) ... P
88 carillonner ... I, T
88 carmer ... T
88 carminer ... T
98 carneter ... I
101 carnifier (se) ... P
88 carotter ... I, T
88 caroubler ... T
97 carreler ... T
88 carrer ... T
88 carrer (se) ... P
88 carrosser ... T
103 carroyer ... T
88 carter ... T
101 cartographier ... T
88 cartonner ... I, T
88 cartoucher afr. ... I
88 cascader ... I
101 caséifier ... T
88 casemater ... T
88 caser ... T
88 caser (se) ... P
88 caserner ... T
88 casquer ... I, T
88 casse-croûter/
casse-crouter ... I
88 casser ... I, T
88 casser (se) ... P
88 castagner ... I, T
88 castagner (se) ... P
88 castrer ... T
88 cataloguer ... T
88 catalyser ... T
88 catapulter ... T
88 catastropher ... T
88 catcher ... I
88 catéchiser ... T
88 catégoriser ... T
88 catiner québ. ... I, T
106 catir ... T
88 cauchemarder ... I
88 causer ... I, T
88 cautériser ... T
88 cautionner ... T
88 cavacher afr. ... I
88 cavalcader ... I
88 cavaler ... I, T
88 cavaler (se) ... P
88 caver ... I, T
88 caver (se) ... P
88 caviarder ... T
92 céder à ... I, T, Ti
88 cégotter afr. ... T
148 ceindre ... T
148 ceindre (se) ... P
88 ceinturer ... T
92 célébrer ... T
93 celer ... T
88 cémenter ... T
88 cendrer ... T
88 censurer ... T
88 center afr. ... T
88 centraliser ... T
88 centrer ... I, T
90 centrifuger ... T
88 centupler ... I, T
88 cercler ... T
88 cerner ... T
101 certifier ... T
88 césariser ... T
88 cesser de ... I, T, Ti
88 chabler ... T
88 chagriner ... T
88 chagriner (se) ... P
88 chahuter ... I, T
88 chaîner/chainer ... T
90 challenger ... T
chaloir ... D
surtout à la 3e personne du sing. de l'ind. présent (*peu lui chaut*)
88 chalouper ... I
88 chamailler (se) ... P
88 chamarrer ... T
88 chambarder ... T
88 chambouler ... T
88 chambranler québ. ... I
88 chambrer ... T
88 chameauser afr. ... I
88 chamoiser ... T
88 champagniser ... T
91 champlever ... T
97 chanceler ... I
88 chancetiquer ... I
106 chancir ... I
106 chancir (se) ... P
88 chanfreiner ... T
90 changer de ... I, T, Ti
90 changer (se) ... P
88 chansonner ... T
88 chanstiquer ... I, T
88 chanter ... I, T
88 chantonner ... I, T
88 chantourner ... T

T : transitif direct (p. p. variable) — **Ti** : transitif indirect (p. p. invariable) — **I** : intransitif (p. p. invariable) — **P** : construction pronominale (auxiliaire *être*) — **impers.** : verbe impersonnel — **D** : verbe défectif — ***être*** : se conjugue avec l'auxiliaire *être* — ***être* ou *avoir*** : verbe se conjuguant avec l'un ou l'autre de ces auxiliaires, selon le cas (→ paragraphe 18)

88	chaparder	I, T
88	chapeauter	T
97	chapeler	T
88	chaperonner	T
88	chapitrer	T
88	chaponner	T
88	chaptaliser	T
88	charbonner	I, T
88	charcuter	T
88	charcuter (se)	P
90	charger	I, T
90	charger (se)	P
88	chariboter	I
88	charlater [afr.]	I
88	charmer	I, T
88	charpenter	T
101	charrier	I, T
88	charrioter	T
103	charroyer	T
88	chartériser	T
88	chasser	I, T
88	châtaigner	I
88	châtaigner (se)	P
101	châtier	T
101	châtier (se)	P
88	chatonner	I
88	chatouiller	T
103	chatoyer	I
88	châtrer	T
88	chauffer	I, T
88	chauffer (se)	P
88	chauler	T
88	chaumer	I, T
88	chausser	I, T
88	chausser (se)	P
	chaut	→ chaloir
106	chauvir	I
88	chavirer	I, T
88	chawer [afr.]	I
88	ch(e)linguer	I
88	cheminer	I
88	chemiser	T
88	chercher	I, T
88	chercher (se)	P
92	chérer	I
106	chérir	T
88	cherrer	I
88	chevaler	T
88	chevaucher	I, T
88	chevaucher (se)	P
88	cheviller	T
98	chevreter	I
88	chevretter	I
88	chevronner	T
88	chevroter	I
88	chiader	T
88	chialer	I
88	chicaner sur	I, T, Ti
88	chicaner (se)	P
88	chicorer (se)	P
88	chicorner (se)	P
88	chicoter	I
88	chicotter [afr.]	T
88	chienner	I
101	chier	I, T
88	chiffonner	I, T
88	chiffonner (se)	P
88	chiffrer	I, T
88	chiffrer (se)	P
88	chigner	I
88	chimer	T
88	chiner	T
88	chinoiser	I
88	chiper	T
88	chipoter	I
88	chiquer	I, T
98	chiqueter	T
101	chirographier	T
88	chlinguer	I
88	chlorer	T
88	chloroformer	T
88	chlorurer	T
88	chocotter	I
88	chofer	T
140	choir	I, *avoir* (ou *être*)
106	choisir	T
88	chômer	I, T
88	choper	T
88	chopiner	I
88	chopper	I
88	choquer	T
88	choquer (se)	P
101	chorégraphier	I, T
88	choser [afr.]	I, T
101	chosifier	T
88	chouchouter	T
88	choufer	T
88	chougner	I
88	chouiner	I
88	chouraver	T
88	chourer	T
88	chouriner	T
103	choyer	T
88	christianiser	T
88	chromer	T
88	chroniquer	I
92	chronométrer	T
88	chroumer	I, T
88	chuchoter	I, T
88	chuinter	I
88	chuter	I
88	cibler	T
88	cicatriser	I, T
88	cicatriser (se)	P
88	cigler	T
88	ciller	I
88	cimenter	T
88	cimenter (se)	P
101	cinématographier	T
88	cingler	I, T
88	cingler (se)	P
88	cintrer	T
176	circoncire	T
175	circonscrire	T
175	circonscrire (se)	P
101	circonstancier	T
109	circonvenir	T
88	circuler	I
88	cirer	T
88	cisailler	T
93	ciseler	T
88	citer	T
88	civiliser	T
88	civiliser (se)	P
88	clabauder	I
88	claboter	I, T
88	clacher [belg.]	T
88	claironner	I, T
88	clairsemer	T
88	clairsemer (se)	P
89, 91	clamecer	I
88	clamer	T
88	clamper	T
88	clamser	I
88	claper	T
106	clapir	I
106	clapir (se)	P
88	clapoter	I
88	clapper	I
88	clapser	I
88	claquemurer	T
88	claquemurer (se)	P
88	claquer	I, T

88 claquer (se) ... P
98 claqueter ... I
101 clarifier ... T
101 clarifier (se) ... P
88 classer ... T
88 classer (se) ... P
101 classifier ... T
88 claudiquer ... I
88 claustrer ... T
88 claustrer (se) ... P
88 clavarder québ. ... I
88 claver ... T
98 claveter ... T
88 clavetter ... T
88 clayonner ... T
92 cléber ... I
88 clicher ... T
88 clienter afr. ... T
88 cligner de ... I, T, Ti
88 clignoter ... I
88 climatiser ... T
88 cliquer ... I
98 cliqueter ... I
88 cliquoter belg. ... I
88 clisser ... T
88 cliver ... T
88 cliver (se) ... P
88 clochardiser ... T
88 clochardiser (se) ... P
88 clocher ... I
88 cloisonner ... T
88 cloîtrer/cloitrer ... T
88 cloîtrer/cloitrer (se) ... P
88 cloner ... T
88 cloper belg. ... I
88 clopiner ... I
88 cloquer ... I, T
163 clore ... T
88 clôturer ... I, T
88 clouer ... T
88 clouter ... T
88 coacher ... T
88 coaguler ... I, T
88 coaguler (se) ... P
88 coaliser ... T
88 coaliser (se) ... P
88 coasser ... I
88 cocaliser afr. (se) ... P

88 cocher ... T
88 côcher ... T
88 cochonner ... I, T
88 coconner ... I, T
88 cocot(t)er ... I
101 cocufier ... T
88 codécider ... T
88 coder ... I, T
101 codifier ... T
90 codiriger ... T
88 coéditer ... T
88 coexister ... I
88 coffrer ... T
89 cofinancer ... T
92 cogérer ... T
88 cogiter ... I, T
88 cogner sur ... T, Ti
88 cogner (se) ... P
88 cognoter ... I
88 cohabiter ... I
88 cohériter ... I
88 coiffer ... T
88 coiffer (se) ... P
89 coincer ... T
89 coincer (se) ... P
88 coïncider ... I
88 coïter ... I
101 cokéfier ... T
88 cokser afr. ... T
88 collaborer à ... I, Ti
88 collapser ... I
88 collationner ... I, T
88 collecter ... T
88 collecter (se) ... P
88 collectionner ... T
88 collectiviser ... T
88 coller à ... I, T, Ti
88 coller (se) ... P
88 colletailler (se) ... P
98 colleter ... T
98 colleter (se) ... P
90 colliger ... T
88 colloquer ... T
88 colmater ... T
88 coloniser ... T
88 colorer ... T
88 colorer (se) ... P
101 colorier ... T

88 coloriser ... T
88 colporter ... T
88 coltiner ... T
88 coltiner (se) ... P
146 combattre pour, contre, avec ... I, T, Ti
88 combiner ... T
88 combiner (se) ... P
88 combler ... T
88 commander à ... I, T, Ti
88 commander (se) ... P
88 commanditer ... T
88 commémorer ... T
89 commencer à, de ... I, T, Ti
89 commencer (se) ... P
88 commenter ... T
89 commercer ... I
88 commercialiser ... T
92 commérer ... I
147 commettre ... T
147 commettre (se) ... P
88 commissionner ... T
88 commotionner ... T
88 commuer ... T
88 communaliser ... T
101 communier ... I
88 communiquer ... I, T
88 communiquer (se) ... P
88 commuter ... I, T
88 compacter ... T
155 comparaître/comparaitre ... I
88 comparer ... T
88 comparer (se) ... P
comparoir ... I, D
seulement à l'infinitif (*être assigné à comparoir*) et au part. présent (*comparant*)
88 compartimenter ... T
88 compasser ... T
106 compatir à ... Ti
88 compenser ... T
88 compenser (se) ... P
92 compéter ... I
88 compétitionner québ. ... I
88 compiler ... T
88 compisser ... T

T: transitif direct (p. p. variable) — **Ti**: transitif indirect (p. p. invariable) — **I**: intransitif (p. p. invariable) — **P**: construction pronominale (auxiliaire *être*) — **impers.**: verbe impersonnel — **D**: verbe défectif — ***être***: se conjugue avec l'auxiliaire *être* — ***être* ou *avoir***: verbe se conjuguant avec l'un ou l'autre de ces auxiliaires, selon le cas (→ paragraphe 18)

154 complaire à .... Ti
154 complaire (se) .... P
p. p. invariable
92 compléter .... T
92 compléter (se) .... P
88 complexer .... T
88 complexer (se) .... P
101 complexifier .... T
101 complexifier (se) .... P
88 complimenter .... T
88 compliquer .... T
88 compliquer (se) .... P
88 comploter contre.... I, T, Ti
88 comporter .... T
88 comporter (se) .... P
88 composer .... I, T
88 composer (se) .... P
88 composter .... T
144 comprendre .... T
144 comprendre (se) .... P
88 compresser .... T
88 comprimer .... T
147 compromettre .... I, T
147 compromettre (se) .... P
88 comptabiliser .... T
88 compter .... I, T
88 compter (se) .... P
88 compulser .... T
88 computer .... T
88 concasser .... T
92 concéder .... T
92 concélébrer .... T
88 concentrer .... T
88 concentrer (se) .... P
88 conceptualiser .... I, T
88 concerner .... T
ne s'emploie qu'aux 3es pers. à la forme active et à toutes les personnes à la forme passive
88 concerter .... I, T
88 concerter (se) .... P
125 concevoir .... T
125 concevoir (se) .... P
101 concilier .... T
101 concilier (se) .... P
164 conclure à .... I, T, Ti
164 conclure (se) .... P
88 concocter .... T
88 concorder I
119 concourir à .... I, Ti
92 concréter .... T
88 concrétiser .... T
88 concrétiser (se) .... P
89 concurrencer .... T
88 condamner .... T
88 condenser .... T
88 condenser (se) .... P
143 condescendre à .... Ti
88 conditionner .... T
177 conduire .... T
177 conduire (se) .... P
88 confectionner .... T
88 confectionner (se) .... P
92 confédérer .... T
92 conférer à .... I, T, Ti
88 confesser .... T
88 confesser (se) .... P
89 confiancer afr. .... T
101 confier .... T
101 confier (se) .... P
88 configurer .... T
88 confiner à .... Ti
88 confiner (se) .... P
176 confire .... T
176 confire (se) .... P
88 confirmer .... T
88 confisquer .... T
88 confiturer afr. .... T
88 confluer I
143 confondre .... T
143 confondre (se) .... P
88 conformer .... T
88 conformer (se) .... P
88 conforter .... T
88 conforter (se) .... P
88 confronter .... T
101 congédier .... T
93 congeler .... T
93 congeler (se) .... P
88 congestionner .... T
88 congestionner (se) .... P
92 conglomérer .... T
92 conglomérer (se) .... P
88 conglutiner .... T
88 congratuler .... T
88 congratuler (se) .... P
99 congréer .... T
106 cônir .... T
88 conjecturer .... I, T
149 conjoindre .... T
88 conjuguer .... T
88 conjuguer (se) .... P
88 conjurer .... T
88 conjurer (se) .... P
155 connaître/connaitre ...... T
155 connaître/connaitre (se) .. P
88 connecter .... T
88 con(n)obler .... T
88 connoter .... T
88 conobrer.................. T
110 conquérir .... T
110 conquérir (se) .... P
88 consacrer .... T
88 consacrer (se) .... P
88 conscientiser .... T
88 conseiller .... T
111 consentir à .... T, Ti
88 conserver .... T
88 conserver (se) .... P
92 considérer .... T
92 considérer (se) .... P
88 consigner .... T
88 consister I
88 consoler .... I, T
88 consoler (se) .... P
88 consolider .... T
88 consolider (se) .... P
88 consommer .... I, T
88 consommer (se) .... P
88 consoner I
88 conspirer contre..... I, T, Ti
88 conspuer .... T
88 constater .... T
88 consteller .... T
88 consterner .... T
88 constiper .... I, T
88 constituer .... T
88 constituer (se) .... P
88 constitutionnaliser .... T
177 construire .... I, T
177 construire (se) .... P
88 consulter .... I, T
88 consulter (se) .... P
88 consumer .... T
88 consumer (se) .... P
88 contacter .... T
88 contagionner .... T
88 contaminer .... T
88 contempler .... T
88 contempler (se) .... P
88 conteneuriser .... T
109 contenir .... T

N°	Verbe	Construction
109	contenir (se)	P
88	contenter	T
88	contenter (se)	P
88	conter	T
88	contester	I, T
88	contextualiser	T
88	contingenter	T
88	continuer à, de	I, T, Ti
88	continuer (se)	P
88	contorsionner	T
88	contorsionner (se)	P
88	contourner	T
88	contracter	T
88	contracter (se)	P
88	contractualiser	T
88	contracturer	T
150	contraindre	T
150	contraindre (se)	P
101	contrarier	T
101	contrarier (se)	P
88	contraster	I, T
88	contr(e-)attaquer	I
89	contrebalancer	T
89	contrebalancer (s'en)	P
146	contrebattre	T
88	contrebouter	T
88	contrebraquer	T
88	contrebuter	T
88	contrecarrer	T
88	contrecoller	T
173	contredire	T
173	contredire (se)	P
153	contrefaire	T
88	contreficher (se)	P
145	contrefoutre (se)	P
88	contr(e-)indiquer	T
88	contremander	T
88	contre(-)manifester	I
88	contremarquer	T
88	contre(-)miner	T
88	contre(-)murer	T
88	contre(-)passer	T
88	contreplaquer	T
88	contrer	I, T
88	contre(-)sceller	T
88	contresigner	T
88	contre(-)tirer	T
109	contrevenir à	Ti
88	contribuer à	Ti
88	contrister	T
88	contrôler	T
88	contrôler (se)	P
88	controuver	T
88	controverser	I, T
88	contusionner	T
151	convaincre	T
151	convaincre (se)	P
109	convenir à	I, Ti, *avoir*
109	convenir de	Ti, *avoir* (ou *être*)
109	convenir (se)	P, *être* p. p. invariable
88	conventionner	T
90	converger	I
88	converser	I
106	convertir	T
106	convertir (se)	P
101	convier	T
88	convivialiser	I, T
88	convoiter	I, T
88	convoler	I
88	convoquer	T
103	convoyer	T
88	convulser	T
88	convulser (se)	P
88	convulsionner	T
92	coopérer à	I, Ti
88	coopter	T
88	coordonner	T
88	copermuter	T
101	copier	I, T
88	copier-coller	T
88	copiner	I
92	coposséder	T
88	coprésider	T
177	coproduire	T
88	copuler	I
88	coquer	T
98	coqueter	I
88	coquiller	I
88	coraniser afr.	T
97	cordeler	T
88	corder	T
88	cordonner	T
88	cornancher	T
88	cornancher (se)	P
88	cornaquer	T
88	corner	I, T
88	correctionnaliser	T
92	corréler	T
143	correspondre à	I, Ti
143	correspondre (se)	P
90	corriger	T
90	corriger (se)	P
88	corroborer	T
88	corroder	T
145	corrompre	T
145	corrompre (se)	P
103	corroyer	T
88	corser	T
88	corser (se)	P
95	corseter	T
88	cosigner	T
88	cosmétiquer	T
88	cosser	I
88	costumer	T
88	costumer (se)	P
88	coter	I, T
106	cotir	T
88	cotiser	I
88	cotiser (se)	P
88	cotonner	I, T
88	cotonner (se)	P
103	côtoyer	T
103	côtoyer (se)	P
88	couchailler	I
88	coucher	I, T
88	coucher (se)	P
88	coucouner	I, T
88	couder	T
103	coudoyer	T
168	**coudre**	T
88	couiller afr.	T
88	couillonner	T
88	couiner	I
88	couler	I, T
88	couler (se)	P
88	coulisser	I, T
88	coupailler	T
88	coupeller	T
88	couper à	I, T, Ti
88	couper (se)	P
88	couper-coller	T
88	coupler	T

T : transitif direct (p. p. variable) — **Ti** : transitif indirect (p. p. invariable) — **I** : intransitif (p. p. invariable) — **P** : construction pronominale (auxiliaire *être*) — **impers.** : verbe impersonnel — **D** : verbe défectif — ***être*** : se conjugue avec l'auxiliaire *être* — ***être*** ou ***avoir*** : verbe se conjuguant avec l'un ou l'autre de ces auxiliaires, selon le cas (→ paragraphe 18)

N°	Verbe	Emploi
88	courailler	I
88	courbat(t)urer part. passé moderne *courbat(t)uré, ée, és, ées,* qui remplace l'ancien *courbat(t)u, ue, us, ues* devenu aujourd'hui adj.	T
88	courber	I, T
88	courber (se)	P
119	**courir**	I, T
88	couronner	T
88	couronner (se)	P
	courre seulement à l'infinitif (*chasse à courre*)	T, D
89	courroucer	T
89	courroucer (se)	P
88	courser	T
88	courtauder	T
88	court-circuiter	T
88	courtiser	T
88	cousiner	I
88	couteauner afr.	T
88	coûter/couter à	I, T, Ti
88	coutoner afr.	T
103	coutoyer afr.	T
88	couturer	T
88	couver	I, T
113	**couvrir**	T
113	couvrir (se)	P
88	coxer	T
88	cracher	I, T
88	crachiner	impers.: *il crachine*
88	crachoter	I
88	crachouiller	I, T
88	crailler	I
150	**craindre**	I, T
88	cramer	I, T
88	cramponner	T
88	cramponner (se)	P
88	crampser	I
88	cramser	I
88	craner	T
88	crâner	I
88	cranter	T
88	crapahuter	I
88	crapaüter	I
88	crapoter	I
88	crapuler	I
97	craqueler	T
97	craqueler (se)	P
88	craquer	I, T
98	craqueter	I
88	crasher (se)	P
88	crasser	T
88	cravacher	I, T
88	cravater	T
88	cravater (se) afr.	P
88	crawler	I
88	crayonner	T
92	crécher	I
88	crédibiliser	T
88	créditer	T
99	**créer**	T
99	créer (se)	P
92	crémer	I
97	créneler/crèneler	T
92	créner	T
88	créoliser	T
88	créoliser (se)	P
88	créosoter	T
88	crêper	T
88	crêper (se)	P
106	crépir	T
88	crépiter	I
97	crételer/crèteler	I
88	crétiniser	T
88	creuser	I, T
88	creuser (se)	P
88	crevasser	T
88	crevasser (se)	P
91	crever	I, T
91	crever (se)	P
88	criailler	I
88	cribler	T
101	**crier**	I, T
88	criminaliser	T
88	criquer	I
88	criquer (se)	P
88	criser	I
88	crisper	T
88	crisper (se)	P
88	crisser	I
88	cristalliser	I, T
88	cristalliser (se)	P
88	criticailler	I, T
88	critiquer	T
88	croasser	I
88	crocher	I, T
95	crocheter	T
161	**croire** à, en	I, T, Ti
161	croire (se)	P
88	croiser	I, T
88	croiser (se)	P
160	**croître/croitre**	I
88	croller belg.	I
106	crônir	I
88	croquer	I, T
88	crosser	T
88	crotter	I, T
88	crotter (se)	P
88	crouler	I
106	crounir	I
88	croupionner	I
106	croupir	I
88	croustiller	I
88	croûter/crouter	I, T
88	croûtonner/croutonner (se)	P
101	crucifier	T
88	crypter	T
101	cryptographier	T
88	cuber	I, T
114	**cueillir**	T
88	cuirasser	T
88	cuirasser (se)	P
177	**cuire**	I, T
88	cuisiner	I, T
88	cuiter (se)	P
88	cuivrer	T
88	culbuter	I, T
88	culer	I, T
88	culminer	I
88	culotter	T
88	culotter (se)	P
88	culpabiliser	I, T
88	cultiver	T
88	cultiver (se)	P
88	cumuler	T
88	curer	T
88	curer (se)	P
98	cureter	T
97	cuveler	T
88	cuver	I, T
88	cyanoser	T
88	cylindrer	T

d

N°	Verbe	Emploi
101	dactylographier	T
88	daguer	T
88	daigner (+ inf.)	T
88	daller	T

88	damasquiner	T
88	damasser	T
88	damer	I, T
88	damner	I, T
88	damner (se)	P
88	dandiner	T
88	dandiner (se)	P
88	danser	I, T
88	dansot(t)er	I
88	darder	I, T
88	darder (se)	P
88	dater	I, T
88	dauber	I, T
88	déactiver	T
88	dealer	T
88	déambuler	I
88	déambuler (se) [afr.]	P
88	débâcher	I, T
88	débâcler	I, T
88	débagouler	I, T
88	débâillonner	T
88	déballer	I, T
88	déballonner (se)	P
88	débalourder	T
88	débanaliser	T
88	débander	I, T
88	débander (se)	P
88	débaptiser	T
88	débarboter [afr.]	T
88	débarbouiller	T
88	débarbouiller (se)	P
88	débarder	T
88	débarquer	I, T
88	débarrasser	I, T
88	débarrasser (se)	P
88	débarrer	T
88	débâter	T
106	débâtir	T
146	débattre	T
146	débattre (se)	P
88	débaucher	T
88	débaucher (se)	P
98	débecqueter	T
98	débecqueter (se)	P
88	débecter	T
88	débecter (se)	P
98	débéqueter/débèqueter	T
98	débéqueter/ débèqueter (se)	P
88	débiliter	T
88	débillarder	T
88	débiner	T
88	débiner (se)	P
88	débiter	T
92	déblatérer	I
102	déblayer	T
106	débleuir	T
88	débloquer	I, T
88	débobiner	T
88	déboguer	T
88	déboiser	T
88	déboîter/déboiter	I, T
88	déboîter/déboiter (se)	P
88	débonder	T
88	débonder (se)	P
88	déborder	I, T
88	déborder (se)	P
97	débosseler	T
88	débotter	T
88	débotter (se)	P
88	déboucher	I, T
88	déboucler	T
88	débouder	I, T
88	débouder (se)	P
117	débouillir	T
88	débouler	I, T
88	déboulonner	T
88	débouquer	I
88	débourber	T
88	débourrer	I, T
88	débourser	T
88	déboussoler	T
88	débouter	T
88	déboutonner	T
88	déboutonner (se)	P
88	débraguetter	T
88	débraguetter (se)	P
88	débrailler (se)	P
88	débrancher	T
88	débrancher (se)	P
102	débrayer	I, T
88	débrider	I, T
88	débriefer	T
88	débrocher	T
88	débrôler [belg.]	T
88	débrouiller	T
88	débrouiller (se)	P
88	débroussailler	T
88	débrousser [afr.]	T
88	débucher	I, T
88	débudgétiser	T
88	débuller	T
88	débureaucratiser	T
88	débusquer	T
88	débuter	I
98	décacheter	T
88	décadenasser	T
88	décadrer	T
88	décaféiner	T
88	décaisser	T
88	décalaminer	T
88	décalcariser [belg.]	T
101	décalcifier	T
101	décalcifier (se)	P
88	décaler	T
88	décalotter	T
88	décalquer	T
88	décamper	I
88	décaniller	I
88	décanter	I, T
88	décanter (se)	P
97	décapeler	T
88	décaper	T
88	décapitaliser	T
88	décapiter	T
88	décapoter	T
88	décapsuler	T
88	décapuchonner	T
88	décarburer	T
88	décarcasser	T
88	décarcasser (se)	P
88	décarpiller	T
97	décarreler	T
88	décarrer	I
88	décartonner	T
106	décatir	T
106	décatir (se)	P
88	décauser [belg.]	T
88	décavaillonner	T
88	décaver	T
88	décaver (se)	P
92	décéder	I, *être*
93	déceler	T
92	décélérer	I

T : transitif direct (p. p. variable) — **Ti** : transitif indirect (p. p. invariable) — **I** : intransitif (p. p. invariable) — **P** : construction pronominale (auxiliaire *être*) — **impers.** : verbe impersonnel — **D** : verbe défectif — ***être*** : se conjugue avec l'auxiliaire *être* — ***être*** ou ***avoir*** : verbe se conjuguant avec l'un ou l'autre de ces auxiliaires, selon le cas (→ paragraphe 18)

88 décentraliser T
88 décentraliser (se) P
88 décentrer T
88 décentrer (se) P
88 décercler T
92 décérébrer T
88 décerner T
97 décerveler T
88 décesser T
125 décevoir T
88 déchagriner T
88 déchaîner/déchainer T
88 déchaîner/déchainer (se) P
88 déchanter I
88 déchaper T
88 déchaperonner T
90 décharger I, T
90 décharger (se) P
88 décharner T
88 déchaumer T
88 déchausser I, T
88 déchausser (se) P
92 décher T
97 décheveler T
88 déchevêtrer T
88 décheviller T
88 déchiffonner T
88 déchiffrer I, T
98 déchiqueter T
88 déchirer T
88 déchirer (se) P
88 déchlorurer T
142 déchoir de I, Ti, D
88 déchristianiser T
88 déchristianiser (se) P
88 déchromer T
88 décider de T, Ti
88 décider (se) P
88 déciller T
88 déciller (se) P
88 décimaliser T
88 décimer T
88 décintrer T
88 déclamer I, T
88 déclarer T
88 déclarer (se) P
88 déclasser T
98 déclaveter T
88 déclencher I
88 déclencher (se) P
88 décléricaliser T
88 décliner I, T
88 décliner (se) P
98 décliqueter T
88 décloisonner T
163 déclore T, D
88 déclouer T
88 décocher T
88 décoder T
88 décoffrer T
88 décoiffer T
88 décoiffer (se) P
89 décoincer T
92 décolérer I
88 décoller I, T
88 décoller (se) P
98 décolleter T
98 décolleter (se) P
88 décoloniser T
88 décolorer T
88 décolorer (se) P
88 décommander T
88 décommander (se) P
147 décommettre T
88 décommuniser T
88 décompacter T
88 décompenser I
88 décomplexer T
88 décomposer T
88 décomposer (se) P
88 décompresser I, T
88 décomprimer T
88 décompter I, T
88 déconcentrer T
88 déconcentrer (se) P
88 déconcerter T
88 déconcubiner (se) P
88 déconditionner T
176 déconfire T
93 décongeler T
88 décongestionner T
88 déconnecter T
88 déconner I
88 déconseiller T
92 déconsidérer T
92 déconsidérer (se) P
88 déconsigner T
88 déconstiper T
177 déconstruire T
88 décontaminer T
89 décontenancer T
89 décontenancer (se) P
88 décontracter T
88 décontracter (se) P
89 décorcer [afr.] T
88 décorder T
88 décorder (se) P
88 décorer I, T
88 décorner T
88 décortiquer T
88 décoter I, T
88 découcher I
168 découdre T
168 découdre (se) P
88 découler de I, Ti
88 découper T
88 découper (se) P
88 découpler T
90 décourager T
90 décourager (se) P
88 découronner T
113 découvrir T
113 découvrir (se) P
88 décrambuter I, T
88 décramponner T
88 décrapouiller T
88 décrapouiller (se) P
88 décrasser T
88 décrasser (se) P
88 décrédibiliser T
88 décréditer T
88 décréditer (se) P
88 décrêper T
106 décrépir T
106 décrépir (se) P
88 décrépiter I, T
92 décréter T
88 décreuser T
101 décrier T
88 décriminaliser T
175 décrire T
88 décrisper T
88 décrisper (se) P
88 décrocher I, T
88 décrocher (se) P
88 décroiser T
159 décroître/décroitre I
88 décrotter T
88 décroûter/décrouter T
88 décruer T
88 décruser T
88 décrypter T
177 décuire T

88 décuivrer … T
88 déculasser … T
88 déculotter … T
88 déculotter (se) … P
88 déculpabiliser … T
88 décupler … I, T
88 décuver … T
88 dédaigner de … T, Ti
89 dédicacer … T
101 dédier … T
173 dédire … T
173 dédire (se) … P
90 dédommager … T
90 dédommager (se) … P
88 dédorer … T
88 dédouaner … T
88 dédouaner (se) … P
88 dédoubler … T
88 dédoubler (se) … P
88 dédramatiser … I, T
177 déduire … T
177 déduire (se) … P
115 défaillir … I
153 défaire … T
153 défaire (se) … P
88 défalquer … T
88 défarder … T
88 défarguer … T
88 défatiguer … I, T
88 défatiguer (se) … P
88 défaucher … T
88 défaufiler … T
88 défausser … T
88 défausser (se) … P
88 défavoriser … T
143 défendre … T
143 défendre (se) … P
88 défenestrer … T
88 défenestrer (se) … P
92 déféquer … I, T
92 déférer à … T, Ti
88 déferler … I, T
88 déferrer … T
88 déferriser … T
88 défeuiller … T
88 défeutrer … T
88 défibrer … T
97 déficeler … T

88 déficher … T
101 défier … T
101 défier (se) … P
90 défiger … T
88 défigurer … T
88 défigurer (se) … P
88 défiler … I, T
88 défiler (se) … P
106 définir … T
106 définir (se) … P
88 défiscaliser … T
88 déflagrer … I
88 déflaquer … I
106 défléchir … I, T
106 défleurir … I, T
88 défloquer … T
88 déflorer … T
101 défolier … T
89 défoncer … T
89 défoncer (se) … P
89 déforcer afr. … T
88 déformer … T
88 déformer (se) … P
88 défouler … T
88 défouler (se) … P
88 défourailler … I, T
88 défourner … T
88 défourrer … T
88 défragmenter … T
106 défraîchir/défraichir … T
106 défraîchir/défraichir (se) … P
88 défranciser … T
102 défrayer … T
88 défretter … T
88 défricher … T
88 défringuer … T
88 défringuer (se) … P
88 défriper … T
88 défriser … T
88 défroisser … T
88 défroisser (se) … P
89 défroncer … T
88 défroquer … I, T
88 défroquer (se) … P
88 défruiter … T
88 défrusquer … T
88 défusionner québ. … T
90 dégager … I, T

90 dégager (se) … P
88 dégainer … T
88 dégalonner … T
88 déganter … T
88 déganter (se) … P
106 dégarnir … T
106 dégarnir (se) … P
88 dégasoliner … T
106 dégauchir … T
88 dégazer … I, T
88 dégazoliner … T
88 dégazonner … T
93 dégeler … I, T
93 dégeler (se) … P
92 dégénérer … I
92 dégénérer (se) afr. … P
88 dégermer … T
88 dégingander … T
88 dégingander (se) … P
88 dégîter/dégiter … T
88 dégivrer … T
89 déglacer … T
88 déglinguer … T
88 déglinguer (se) … P
88 dégluer … T
106 déglutir … I, T
88 dégobiller … I, T
88 dégoiser … I, T
88 dégommer … T
88 dégonder … T
88 dégonfler … I, T
88 dégonfler (se) … P
90 dégorger … I, T
90 dégorger (se) … P
88 dégot(t)er … I, T
88 dégoudronner … T
88 dégouliner … I
88 dégoupiller … T
106 dégourdir … T
106 dégourdir (se) … P
88 dégourer … T
88 dégourrer … T
88 dégoûter/dégouter … T
88 dégoûter/dégouter (se) … P
88 dégoutter … I, T
88 dégrader … T
88 dégrader (se) … P
88 dégrafer … T

T : transitif direct (p. p. variable) — **Ti** : transitif indirect (p. p. invariable) — **I** : intransitif (p. p. invariable) — **P** : construction pronominale (auxiliaire *être*) — **impers.** : verbe impersonnel — **D** : verbe défectif — ***être*** : se conjugue avec l'auxiliaire *être* — ***être* ou *avoir*** : verbe se conjuguant avec l'un ou l'autre de ces auxiliaires, selon le cas (→ paragraphe 18)

88 dégrafer (se) … P
88 dégraisser … T
97 dégraveler … T
103 dégravoyer … T
99 dégréer … T
92 dégréner … I, T
91 dégrever … T
88 dégringoler … I, T
88 dégripper … T
88 dégriser … T
88 dégriser (se) … P
88 dégrosser … T
106 dégrossir … T
106 dégrossir (se) … P
88 dégrouiller (se) … P
88 dégrouper … T
106 déguerpir … I, T
88 dégueulasser … T
88 dégueuler … I, T
88 déguiser … T
88 déguiser (se) … P
88 dégurgiter … T
88 déguster … T
88 déhaler … T
88 déhaler (se) … P
88 déhancher … T
88 déhancher (se) … P
88 déharder … T
88 déharnacher … T
88 déharnacher (se) … P
88 déhotter … I, T
88 déhouiller … T
101 déifier … T
88 déjanter … T
90 déjauger … I
106 déjaunir … T
96 déjeter … T
96 déjeter (se) … P
88 déjeuner … I
88 déjouer … T
88 déjucher … I, T
90 déjuger (se) … P
88 délabialiser … T
88 délabialiser (se) … P
88 délabrer … T
88 délabrer (se) … P
88 délabyrinther … T
89 délacer … T
88 délainer … T
88 délaisser … T
88 délaiter … T
88 délarder … T
88 délasser … I, T
88 délasser (se) … P
88 délatter … T
88 délatter (se) … P
88 délaver … T
102 délayer … T
88 déléaturer … T
88 délecter … T
88 délecter (se) … P
88 délégitimer … T
92 déléguer … T
88 délester … T
88 délester (se) … P
92 délibérer de … I, Ti
101 délier … T
101 délier (se) … P
101 délignifier … T
88 délimiter … T
99 délinéer … T
88 délirer … I
88 délisser … I, T
88 déliter … T
88 déliter (se) … P
88 délivrer … T
88 délivrer (se) … P
88 délocaliser … T
88 délocaliser (se) … P
90 déloger … I, T
88 déloquer … T
88 déloquer (se) … P
88 délover … T
88 délurer … T
88 délustrer … T
88 déluter … T
88 démaçonner … T
88 démagnétiser … T
106 démaigrir … I, T
88 démailler … T
88 démailler (se) … P
88 démailloter … T
88 démancher … T
88 démancher (se) … P
88 demander … T
88 demander (se) … P
90 démanger … I, T
93 démanteler … T
88 démantibuler … T
88 démantibuler (se) … P
88 démaquer (se) … P
88 démaquiller … T
88 démaquiller (se) … P
88 démarabouter [afr.] … T
88 démarcher … T
101 démarier … T
101 démarier (se) … P
88 démarquer … T
88 démarquer (se) … P
88 démarrer … I, T
88 démascler … T
88 démasquer … T
88 démasquer (se) … P
88 démastiquer … T
88 démâter … I, T
88 dématérialiser … T
88 démazouter … T
88 démédicaliser … T
88 démêler … T
88 démêler (se) … P
88 démembrer … T
90 déménager … T, *avoir*
90 déménager … I, *avoir* (ou *être*)
91 démener (se) … P
111 démentir … T
111 démentir (se) … P
88 démerder (se) … P
90 démerger [belg.] … T
88 démériter … I
88 déméthaniser … T
147 démettre … T
147 démettre (se) … P
88 démeubler … T
88 demeurer (*habiter*) … I, *avoir*
88 demeurer (*continuer à être*) … I, *être*
88 démieller … T
88 démilitariser … T
88 déminer … T
88 déminéraliser … T
88 démissionner de … I, Ti
88 démobiliser … I, T
88 démobiliser (se) … P
88 démocratiser … I
88 démocratiser (se) … P
88 démoder … T
88 démoder (se) … P
88 démoduler … T
106 démolir … T
88 démonétiser … T
88 démonter … T
88 démonter (se) … P
88 démontrer … T

88 démontrer (se) .... P
88 démoraliser .... T
88 démoraliser (se) .... P
143 démordre de .... Ti
88 démotiver .... T
88 démotiver (se) .... P
98 démoucheter .... T
88 démouler .... T
88 démouscailler (se) .... P
88 démoustiquer .... T
101 démultiplier .... T
106 démunir .... T
106 démunir (se) .... P
88 démurer .... T
90 démurger .... I, T
97 démuseler .... T
101 démystifier .... T
101 démythifier .... T
88 dénasaliser .... T
88 dénationaliser .... T
88 dénatter .... T
88 dénaturaliser .... T
88 dénaturer .... T
88 dénaturer (se) .... P
101 dénazifier .... T
88 dénébuler .... T
88 dénébuliser .... T
90 déneiger .... T
88 dénerver .... T
88 déniaiser .... T
88 déniaiser (se) .... P
88 dénicher .... I, T
97 dénickeler .... T
88 dénicotiniser .... T
101 dénier .... T
88 dénigrer .... T
88 dénitrer .... T
101 dénitrifier .... T
97 déniveler .... T
88 dénombrer .... T
88 dénommer .... T
89 dénoncer .... T
89 dénoncer (se) .... P
88 dénoter .... I, T
88 dénouer .... T
88 dénouer (se) .... P
88 dénoyauter .... T
103 dénoyer .... T

101 densifier .... T
97 denteler .... T
88 dénucléariser .... T
88 dénuder .... T
88 dénuder (se) .... P
88 dénuer (se) .... P
88 dépagnoter (se) .... P
88 dépailler .... T
88 dépailler (se) .... P
97 dépaisseler .... T
88 dépalisser .... T
88 dépanner .... T
98 dépaqueter .... T
98 dépaqueter (se) .... P
88 déparaffiner .... T
88 déparasiter .... T
88 dépareiller .... T
88 déparer .... T
101 déparier .... T
88 déparler I
90 départager .... T
88 départementaliser .... T
111 départir .... T
111 départir (se) .... P
88 dépasser .... I, T
88 dépasser (se) .... P
88 dépassionner .... T
88 dépatouiller (se) .... P
101 dépatrier .... T
101 dépatrier (se) .... P
88 dépaver .... T
88 dépayser .... T
89, 91 dépecer .... T
88 dépêcher .... T
88 dépêcher (se) .... P
88 dépeigner .... T
148 dépeindre .... T
88 dépelotonner .... T
88 dépénaliser .... T
143 dépendre de .... T, Ti
88 dépenser .... T
88 dépenser (se) .... P
106 dépérir I
88 dépersonnaliser .... T
88 dépersonnaliser (se) .... P
88 dépêtrer .... T
88 dépêtrer (se) .... P
88 dépeupler .... T

88 dépeupler (se) .... P
88 déphaser .... T
88 déphosphorer .... T
88 dépiauter .... T
88 dépigmenter afr. .... T
88 dépiler .... I, T
88 dépingler .... T
88 dépiquer .... T
88 dépister .... T
88 dépiter .... T
88 dépiter (se) .... P
89 déplacer .... T
89 déplacer (se) .... P
88 déplafonner .... T
154 déplaire à .... Ti
154 déplaire (se) .... P
p. p. invariable
88 déplaner I
88 déplanquer .... T
88 déplanquer (se) .... P
88 déplanter .... T
88 déplâtrer .... T
101 déplier .... T
101 déplier (se) .... P
88 déplisser .... T
88 déplisser (se) .... P
88 déplomber .... T
88 déplorer .... T
103 déployer .... T
103 déployer (se) .... P
88 déplumer .... T
88 déplumer (se) .... P
88 dépocher .... T
88 dépoétiser .... T
88 dépoiler (se) .... P
88 dépointer .... T
88 dépolariser .... T
106 dépolir .... T
106 dépolir (se) .... P
88 dépolitiser .... T
88 dépolitiser (se) .... P
88 dépolluer .... T
88 dépolymériser .... T
88 dépontiller I
88 déporter .... T
88 déporter (se) .... P
88 déposer .... I, T
88 déposer (se) .... P

T : transitif direct (p. p. variable) — **Ti** : transitif indirect (p. p. invariable) — **I** : intransitif (p. p. invariable) — **P** : construction pronominale (auxiliaire *être*) — **impers.** : verbe impersonnel — **D** : verbe défectif — ***être*** : se conjugue avec l'auxiliaire *être* — ***être*** ou ***avoir*** : verbe se conjuguant avec l'un ou l'autre de ces auxiliaires, selon le cas (→ paragraphe 18)

92	déposséder	T
88	dépoter	T
88	dépoudrer	T
88	dépouiller	T
88	dépouiller (se)	P
127	dépourvoir	T
127	dépourvoir (se)	P
92	dépoussiérer	T
88	dépraver	T
101	déprécier	T
101	déprécier (se)	P
144	déprendre (se)	P
88	dépressuriser	T
88	déprimer	I, T
88	déprimer (se)	P
88	dépriser	T
88	déprogrammer	T
88	déprolétariser	T
88	dépropaniser	T
100	déprotéger	T
97	dépuceler	T
88	dépulper	T
88	dépurer	T
88	députer	T
101	déqualifier	T
88	déquiller	T
88	déraciner	T
88	dérader	I
90	dérager	I
106	déraidir	T
106	déraidir (se)	P
88	dérailler	I
88	déraisonner	I
88	déramer	I, T
90	déranger	T
90	déranger (se)	P
88	déraper	I
88	déraser	T
88	dérater	T
88	dératiser	T
102	dérayer	I, T
88	déréaliser	T
89	déréférencer	T
88	déréglementer/ dérèglementer	T
92	dérégler	T
92	dérégler (se)	P
88	déresponsabiliser	T
88	dérésumenter	T
88	dérider	T
88	dérider (se)	P
88	dériver de	I, T, Ti
98	dériveter	T
88	dérober	T
88	dérober (se)	P
88	dérocher	I, T
88	déroder	T
90	déroger à	Ti
106	dérondir	T
106	dérougir	I
88	dérouiller	I, T
88	dérouiller (se)	P
88	dérouler	T
88	dérouler (se)	P
88	dérouter	T
88	dérouter (se)	P
88	désabonner	T
88	désabonner (se)	P
88	désabuser	T
88	désaccentuer	T
88	désacclimater	T
88	désaccorder	T
88	désaccorder (se)	P
88	désaccoupler	T
88	désaccoutumer	T
88	désaccoutumer (se)	P
101	désacidifier	T
92	désaciérer	T
88	désacraliser	T
88	désactiver	T
88	désadapter	T
88	désadapter (se)	P
92	désaérer	T
88	désaffecter	T
88	désaffectionner (se)	P
101	désaffilier	T
89	désagencer	T
88	désagrafer	T
100	désagréger	T
100	désagréger (se)	P
88	désaimanter	T
88	désaisonnaliser	T
88	désajuster	T
92	désaliéner	T
88	désaligner	T
88	désalper	I
92	désaltérer	T
92	désaltérer (se)	P
88	désamarrer	T
88	désambiguïser	T
88	désâmer (se) québ.	P
88	désamianter	T
88	désamidonner	T
88	désaminer	T
89	désamorcer	T
89	désamorcer (se)	P
88	désannexer	T
88	désaper	T
88	désaper (se)	P
101	désapparier	T
88	désappointer	T
144	désapprendre	T
88	désapprouver	I, T
88	désapprovisionner	T
88	désarçonner	T
88	désargenter	T
88	désargenter (se)	P
88	désarmer	I, T
88	désarmer (se)	P
88	désarrimer	T
88	désarticuler	T
88	désarticuler (se)	P
88	désassembler	T
88	désassimiler	T
106	désassortir	T
88	désatomiser	T
90	désavantager	T
88	désaveugler	T
88	désavouer	T
88	désaxer	T
88	desceller	T
88	desceller (se)	P
143	descendre	T, *avoir*
143	descendre	I, *être* (ou *avoir*)
88	déséchouer	T
88	désectoriser	T
88	désembobiner	T
88	désembourber	T
88	désembourgeoiser	T
88	désembourgeoiser (se)	P
88	désembouteiller	T
102	désembrayer	T
88	désembuer	T
88	désemmancher	T
88	désemparer	I, T
91	désempeser	T
106	désemplir	I, T
106	désemplir (se)	P
88	désemprisonner	T
88	désencadrer	T
88	désencarter	T
88	désenchaîner/ désenchainer	T

88 désenchanter T
88 désenclaver T
88 désenclaver (se) P
88 désencombrer T
88 désencombrer (se) P
88 désencrasser T
88 désendetter (se) P
88 désénerver T
88 désénerver (se) P
88 désenfiler T
88 désenflammer T
88 désenfler I, T
88 désenfler (se) P
88 désenfumer T
90 désengager T
90 désengager (se) P
88 désengluer T
88 désengluer (se) P
90 désengorger T
106 désengourdir T
91 désengrener T
88 désenivrer I, T
89 désenlacer T
106 désenlaidir I, T
104 désennuyer I, T
104 désennuyer (se) P
102 désenrayer T
88 désenrhumer T
88 désenrouer T
88 désensabler T
88 désensibiliser T
88 désensibiliser (se) P
97 désensorceler T
88 désentoiler T
88 désentortiller T
88 désentraver T
88 désenvaser T
88 désenvelopper T
88 désenvenimer T
88 désenverguer T
88 désenvoûter/désenvouter T
106 désépaissir T
88 déséquilibrer T
88 déséquiper T
88 déséquiper (se) P
88 déserter I, T
88 déserter (se) P
92 désespérer I, T
92 désespérer (se) P
106 désétablir T
88 désétamer T
88 désétatiser T
88 désexciter T
88 désexciter (se) P
88 désexualiser T
88 déshabiller T
88 déshabiller (se) P
88 déshabituer T
88 déshabituer (se) P
88 désherber T
88 déshériter T
88 déshonorer T
88 déshonorer (se) P
88 déshuiler T
88 déshumaniser T
88 déshumaniser (se) P
101 déshumidifier T
88 déshydrater T
88 déshydrater (se) P
92 déshydrogéner T
92 déshypothéquer T
88 désigner T
88 désillusionner T
92 désincarcérer T
92 désincarcérer (se) P
88 désincarner T
88 désincarner (se) P
88 désincorporer T
88 désincruster T
88 désinculper T
88 désindexer T
88 désindustrialiser T
88 désindustrialiser (se) P
88 désinfecter T
88 désinformer T
88 désinhiber T
175 désinscrire T
175 désinscrire (se) P
88 désinsectiser T
88 désinstaller T
92 désintégrer T
92 désintégrer (se) P
88 désintéresser T
88 désintéresser (se) P
88 désintoxiquer T
88 désintoxiquer (se) P
106 désinvestir I, T
88 désinviter T
88 désirer T
88 désister (se) P
106 désobéir à I, Ti accepte la forme passive
90 désobliger T
88 désobstruer T
88 désoccuper T
88 désocialiser T
88 désodoriser T
88 désoler T
88 désoler (se) P
88 désolidariser T
88 désolidariser (se) P
88 désoperculer T
88 désopiler T
88 désopiler (se) P
88 désorber T
88 désorbiter T
88 désorbiter (se) P
88 désordonner T
88 désorganiser T
88 désorganiser (se) P
88 désorienter T
88 désorienter (se) P
88 désosser T
88 désosser (se) P
88 désouffler québ. T
88 désoxyder T
92 désoxygéner T
88 desquamer I, T
88 dessabler T
106 dessaisir T
106 dessaisir (se) P
88 dessaler I, T
88 dessaler (se) P
88 dessangler T
88 dessangler (se) P
88 dess(a)ouler I, T
88 dess(a)ouler (se) P
88 dessaper T
88 dessaper (se) P
92 dessécher T
92 dessécher (se) P
88 desseller T

T : transitif direct (p. p. variable) — **Ti** : transitif indirect (p. p. invariable) — **I** : intransitif (p. p. invariable) — **P** : construction pronominale (auxiliaire *être*) — **impers.** : verbe impersonnel — **D** : verbe défectif — ***être*** : se conjugue avec l'auxiliaire *être* — ***être* ou *avoir*** : verbe se conjuguant avec l'un ou l'autre de ces auxiliaires, selon le cas (→ paragraphe 18)

Modèle	Verbe	Construction
97	dessemeler	T
88	desserrer	T
88	desserrer (se)	P
106	dessertir	T
121	desservir	T
121	desservir (se)	P
88	dessiller	T
88	dessiller (se)	P
88	dessiner	T
88	dessiner (se)	P
88	dessoler	T
88	dessouder	T
88	dessouder (se)	P
88	dessouffler [québ.]	T
88	dessoûler/dessouler	I, T
88	dessoûler/ dessouler (se)	P
88	dessuinter	T
88	déstabiliser	T
88	destiner	T
88	destiner (se)	P
88	destituer	T
88	destocker	I, T
88	déstresser	I, T
88	déstresser (se)	P
88	déstructurer	T
88	déstructurer (se)	P
88	désulfiter	T
88	désulfurer	T
106	désunir	T
106	désunir (se)	P
88	désynchroniser	T
88	détacher	T
88	détacher (se)	P
88	détailler	T
88	détaler	I
88	détaller	T
88	détapisser	T
88	détartrer	T
88	détaxer	T
88	détecter	T
148	déteindre	I, T
97	dételer	I, T
143	détendre	T
143	détendre (se)	P
109	détenir	T
90	déterger	T
88	détériorer	T
88	détériorer (se)	P
88	déterminer	T
88	déterminer (se)	P
88	déterrer	T
88	détester	T
88	détester (se)	P
88	détirer	T
88	détirer (se)	P
88	détisser	T
88	détoner	I
97	détonneler	T
88	détonner	I
143	détordre	T
88	détortiller	T
88	détourer	T
88	détourner	T
88	détourner (se)	P
88	détoxiquer	T
88	détracter	T
88	détrancher	I
88	détransposer	T
88	détraquer	T
88	détraquer (se)	P
88	détremper	T
88	détresser	T
88	détricoter	T
88	détromper	T
88	détromper (se)	P
88	détroncher	I
88	détrôner	T
88	détroquer	T
88	détrousser	T
177	détruire	T
177	détruire (se)	P
88	dévaler	I, T
88	dévaliser	T
88	dévaloriser	T
88	dévaloriser (se)	P
88	dévaluer	T
88	dévaluer (se)	P
89	devancer	T
88	dévaser	T
88	dévaster	T
88	développer	T
88	développer (se)	P
109	devenir	I, *être*
88	déventer	T
106	déverdir	I
88	dévergonder (se)	P
88	déverguer	T
106	dévernir	T
88	déverrouiller	T
88	déverser	T
88	déverser (se)	P
112	dévêtir	T
112	dévêtir (se)	P
88	dévider	T
88	dévider (se)	P
101	dévier	I, T
88	deviner	T
88	deviner (se)	P
88	dévirer	I, T
88	dévirginiser	T
88	déviriliser	T
88	déviroler	T
90	dévisager	T
88	deviser	I
88	dévisser	I, T
88	dévitaliser	T
101	dévitrifier	T
88	dévoiler	T
88	dévoiler (se)	P
129	devoir	T
129	devoir (se)	P
88	dévolter	T
88	dévorer	I, T
88	dévorer (se)	P
88	dévouer	T
88	dévouer (se)	P
103	dévoyer	T
103	dévoyer (se)	P
88	dézinguer	T
88	diaboliser	T
88	diagnostiquer	T
88	dialectaliser	T
88	dialectiser	T
88	dialoguer	I, T
88	dialyser	T
88	diamanter	T
88	diaphragmer	I, T
88	diaprer	T
88	dicter	T
88	diéséliser	T
92	diéser	T
88	diffamer	T
101	différencier	T
101	différencier (se)	P
92	différer	I, T
88	difformer	T
88	diffracter	T
88	diffuser	T
88	diffuser (se)	P
92	digérer	I, T
92	digérer (se)	P
88	digitaliser	T

88 digresser I
92 dilacérer ..... T
88 dilapider ..... T
88 dilater ..... T
88 dilater (se) ..... P
88 diligenter ..... T
88 diluer ..... T
88 diluer (se) ..... P
88 dimensionner ..... T
88 diminuer ..... I, T
88 diminuer (se) ..... P
88 dindonner ..... T
88 dîner/diner I
88 dinguer I
88 diphtonguer ..... T
88 diplômer ..... T
173 dire ..... T
173 dire (se) ..... P
90 diriger ..... T
90 diriger (se) ..... P
88 discerner ..... T
88 discipliner ..... T
88 discompter ..... T
88 discontinuer ..... T, I, D
surtout à l'infinitif
109 disconvenir de ..... I, Ti
être ou *avoir*
88 discorder I
88 discounter ..... T
119 discourir I
88 discréditer ..... T
88 discréditer (se) ..... P
88 discriminer ..... T
88 disculper ..... T
88 disculper (se) ..... P
88 discuputer [afr.] I
88 discursiviser ..... T
88 discutailler ..... I, T
88 discuter ..... I, T
88 discuter (se) ..... P
101 disgracier ..... T
149 disjoindre ..... T
149 disjoindre (se) ..... P
88 disjoncter ..... I, T
88 disloquer ..... T
88 disloquer (se) ..... P
155 disparaître/disparaitre I
avoir (ou *être*)

88 dispatcher ..... T
88 dispenser ..... T
88 dispenser (se) ..... P
88 disperser ..... T
88 disperser (se) ..... P
88 disposer de ..... T, Ti
88 disposer (se) ..... P
88 disproportionner ..... T
88 disputailler I
88 disputer sur ..... T, Ti
88 disputer (se) ..... P
101 disqualifier ..... T
101 disqualifier (se) ..... P
88 disséminer ..... T
88 disséminer (se) ..... P
92 disséquer ..... T
88 disserter I
88 dissimuler ..... T
88 dissimuler (se) ..... P
88 dissiper ..... T
88 dissiper (se) ..... P
101 dissocier ..... T
101 dissocier (se) ..... P
88 dissoner I
166 dissoudre ..... T
166 dissoudre (se) ..... P
88 dissuader ..... T
89 distancer ..... T
89 distancer (se) ..... P
101 distancier ..... T
101 distancier (se) ..... P
143 distendre ..... T
143 distendre (se) ..... P
88 distiller ..... I, T
88 distinguer ..... I, T
88 distinguer (se) ..... P
143 distordre ..... T
143 distordre (se) ..... P
152 distraire ..... I, T, D
152 distraire (se) ..... P, D
88 distribuer ..... T
88 distribuer (se) ..... P
88 divaguer I
90 diverger I
101 diversifier ..... T
101 diversifier (se) ..... P
106 divertir ..... T
106 divertir (se) ..... P

88 diviniser ..... T
88 diviser ..... T
88 diviser (se) ..... P
89 divorcer I
88 divulguer ..... T
88 divulguer (se) ..... P
88 djibser [afr.] I
88 documenter ..... T
88 documenter (se) ..... P
88 dodeliner I
88 dogmatiser I
88 doguer [belg.] ..... I, T
88 doigter ..... I, T
88 doler ..... T
88 domestiquer ..... T
101 domicilier ..... T
88 dominer ..... I, T
88 dominer (se) ..... P
88 dompter ..... T
88 donner ..... I, T
88 donner (se) ..... P
88 doper ..... T
88 doper (se) ..... P
88 dorer ..... T
88 dorer (se) ..... P
88 dorloter ..... T
88 dorloter (se) ..... P
118 dormir I
88 doser ..... T
88 doter ..... T
88 doter (se) ..... P
88 double(-)cliquer ..... I, T
88 doubler ..... I, T
88 doubler (se) ..... P
88 doublonner I
88 doucher ..... T
88 doucher (se) ..... P
106 doucir ..... T
88 douer ..... T
surtout à l'infinitif, au part. passé et aux temps composés
88 douiller I
88 douter de ..... I, Ti
88 douter (se) ..... P
88 dracher [belg.] ..... impers.: *il drache*
101 dragéifier ..... T

T : transitif direct (p. p. variable) — **Ti** : transitif indirect (p. p. invariable) — **I** : intransitif (p. p. invariable) — **P** : construction pronominale (auxiliaire *être*) — **impers.** : verbe impersonnel — **D** : verbe défectif — ***être*** : se conjugue avec l'auxiliaire *être* — ***être* ou *avoir*** : verbe se conjuguant avec l'un ou l'autre de ces auxiliaires, selon le cas (→ paragraphe 18)

88 drageonner I
88 draguer .... I, T
88 drainer ....T
88 dramatiser .... I, T
93 drapeler ....T
88 draper ....T
88 draper (se) ....P
88 draver québ. .... I, T
102 drayer ....T
88 dresser ....T
88 dresser (se) ....P
88 dribbler .... I, T
88 driller ....T
88 driver .... I, T
88 droguer .... I, T
88 droguer (se) ....P
88 droper .... I, T
88 drosser ....T
101 dulcifier ....T
88 duper ....T
88 duper (se) ....P
88 duplexer ....T
88 dupliquer ....T
106 durcir .... I, T
106 durcir (se) ....P
88 durer I
98 duveter (se) ....P
88 dynamiser ....T
88 dynamiter ....T

e

106 ébahir ....T
106 ébahir (s') ....P
88 ébarber ....T
146 ébattre (s') ....P
106 ébaubir (s') ....P
88 ébaucher ....T
88 ébaucher (s') ....P
106 ébaudir ....T
106 ébaudir (s') ....P
88 ébavurer ....T
88 éberluer ....T
97 ébiseler ....T
106 éblouir .... I, T
88 éborgner ....T
88 éborgner (s') ....P
88 ébosser ....T
88 ébouer ....T
88 ébouillanter ....T
88 ébouillanter (s') ....P
88 ébouler .... I, T
88 ébouler (s') ....P
98 ébouqueter ....T
88 ébourgeonner ....T
88 ébouriffer ....T
88 ébourrer ....T
88 ébouter ....T
88 ébouzer ....T
88 ébraiser ....T
88 ébrancher ....T
88 ébranler ....T
88 ébranler (s') ....P
88 ébraser ....T
92 ébrécher ....T
92 ébrécher (s') ....P
88 ébrouer (s') ....P
88 ébruiter ....T
88 ébruiter (s') ....P
88 ébruter ....T
88 écacher ....T
88 écaffer ....T
88 écailler ....T
88 écailler (s') ....P
88 écaler ....T
88 écaler (s') ....P
88 écanguer ....T
88 écarquiller ....T
93 écarteler ....T
88 écarter .... I, T
88 écarter (s') ....P
88 échafauder .... I, T
88 échalasser ....T
106 échampir ....T
88 échancrer ....T
88 échanfreiner ....T
90 échanger ....T
90 échanger (s') ....P
88 échantillonner ....T
88 échapper à, de ...... I, T, Ti
avoir
88 échapper (dit/fait par mégarde) à Ti
avoir (ou *être*)
88 échapper (s') .... P, *être*
88 échardonner ....T
88 écharner ....T
88 écharper ....T
88 écharper (s') ....P
88 échauder ....T
88 échauder (s') ....P
88 échauffer ....T
88 échauffer (s') ....P
88 échauler ....T
88 échaumer ....T
88 échelonner ....T
88 échelonner (s') ....P
88 écheniller ....T
97 écheveler ....T
88 échiner ....T
88 échiner (s') ....P
141 échoir .... I, D, *être* (ou *avoir*)
88 échopper ....T
88 échouer .... I, T
88 échouer (s') ....P
88 écimer ....T
88 éclabousser ....T
88 éclabousser (s') ....P
106 éclaircir ....T
106 éclaircir (s') ....P
88 éclairer .... I, T
88 éclairer (s') ....P
88 éclater .... I, T
88 éclater (s') ....P
88 éclipser ....T
88 éclipser (s') ....P
88 éclisser ....T
88 écloper ....T
163 éclore ...... I, *avoir* (ou *être*)
88 écluser ....T
88 écobuer ....T
88 écœurer .... I, T
88 écœurer (s') québ. ....P
98 écolleter ....T
177 éconduire ....T
88 économiser .... I, T
88 écoper .... I, T
89 écorcer ....T
88 écorcher ....T
88 écorcher (s') ....P
88 écorer ....T
88 écorner ....T
88 écornifler ....T
88 écosser ....T
88 écouler ....T
88 écouler (s') ....P
88 écourter ....T
88 écouter .... I, T
88 écouter (s') ....P
88 écouvillonner ....T
88 écrabouiller ....T
88 écraser .... I, T
88 écraser (s') ....P
92 écrémer ....T
88 écrêter ....T

101 écrier (s') P
175 écrire à I, T, Ti
175 écrire (s') P
88 écrivailler I
88 écrivasser T
88 écrouer T
106 écrouir T
88 écrouler (s') P
88 écroûter/écrouter T
88 écuisser T
88 éculer T
88 écumer I, T
88 écurer T
88 écussonner T
88 édenter T
88 édicter T
101 édifier I, T
88 éditer T
88 éditionner T
88 édulcorer T
88 éduquer T
88 éfaufiler T
89 effacer I, T
89 effacer (s') P
88 effaner T
88 effarer T
88 effarer (s') P
88 effaroucher T
88 effaroucher (s') P
88 effectuer T
88 effectuer (s') P
88 efféminer T
88 effeuiller T
88 effeuiller (s') P
88 effiler T
88 effiler (s') P
88 effilocher T
88 effilocher (s') P
88 efflanquer T
88 efflanquer (s') P
88 effleurer T
106 effleurir I
88 effluver I
88 effondrer T
88 effondrer (s') P
89 efforcer (s') P
90 effranger T
90 effranger (s') P
102 effrayer T
102 effrayer (s') P
88 effriter T
88 effriter (s') P
88 égailler (s') P
88 égaler T
88 égaliser I, T
88 égarer T
88 égarer (s') P
102 égayer T
102 égayer (s') P
88 égnaffer T
90 égorger T
90 égorger (s') P
88 égosiller (s') P
88 égoutter I, T
88 égoutter (s') P
88 égrainer T
88 égrainer (s') P
88 égrapper T
88 égratigner T
88 égratigner (s') P
91 égrener T
91 égrener (s') P
88 égriser T
90 égruger T
88 égueuler T
88 éjaculer T
88 éjarrer T
88 éjecter T
88 éjecter (s') P
88 éjointer T
88 élaborer T
88 élaborer (s') P
88 élaguer T
89 élancer I, T
89 élancer (s') P
106 élargir I, T
106 élargir (s') P
101 électrifier T
88 électriser T
88 électrocuter T
88 électrocuter (s') P
88 électrolyser T
88 électroniser T
106 élégir T
91 élever T
91 élever (s') P
88 élider T
88 élider (s') P
88 élimer T
88 éliminer I, T
88 éliminer (s') P
88 élinguer T
172 élire T
88 éloigner T
88 éloigner (s') P
90 élonger T
88 élucider T
88 élucubrer T
88 éluder T
88 éluer T
101 émacier T
101 émacier (s') P
88 émailler T
88 émanciper T
88 émanciper (s') P
88 émaner de Ti
90 émarger I, T
88 émasculer T
88 emballer T
88 emballer (s') P
88 emballotter T
88 emballuchonner T
88 embaquer (s') P
88 embarbouiller T
88 embarbouiller (s') P
88 embarder T
88 embarder (s') P
88 embarquer I, T
88 embarquer (s') P
88 embarrasser T
88 embarrasser (s') P
88 embarrer I, T
88 embarrer (s') P
88 embastiller T
88 embastionner T
146 embat(t)re T
88 embaucher I, T
88 embaucher (s') P
88 embaumer I, T
88 embecquer T
88 embéguiner (s') P
106 embellir I, T
106 embellir (s') P
88 emberlificoter T

T : transitif direct (p. p. variable) — **Ti** : transitif indirect (p. p. invariable) — **I** : intransitif (p. p. invariable) — **P** : construction pronominale (auxiliaire *être*) — **impers.** : verbe impersonnel — **D** : verbe défectif — ***être*** : se conjugue avec l'auxiliaire *être* — ***être*** ou ***avoir*** : verbe se conjuguant avec l'un ou l'autre de ces auxiliaires, selon le cas (→ paragraphe 18)

88 emberlificoter (s') ... P
88 embêter ... T
88 embêter (s') ... P
88 embidonner ... T
88 embistrouiller ... T
88 emblaver ... T
88 embobeliner ... T
88 embobiner ... T
162 emboire (s') ... P
88 emboîter/emboiter ... T
88 emboîter/emboiter (s') ... P
88 embosser ... T
88 embosser (s') ... P
97 embotteler ... T
88 emboucaner ... I
88 emboucher ... T
88 embouer ... I, T
88 embouquer ... I, T
88 embourber ... T
88 embourber (s') ... P
88 embourgeoiser ... T
88 embourgeoiser (s') ... P
88 embourrmaner ... T
88 embourrer ... T
88 embourrer (s') ... P
88 embouteiller ... T
88 embouter ... T
106 emboutir ... T
98 embouveter ... T
88 embrancher ... T
88 embrancher (s') ... P
88 embraquer ... T
88 embraser ... T
88 embraser (s') ... P
88 embrasser ... T
88 embrasser (s') ... P
102 embrayer ... I, T
93 embreler ... T
91 embrever ... T
88 embrigader ... T
88 embrigader (s') ... P
88 embringuer ... T
88 embringuer (s') ... P
88 embrocher ... T
88 embroncher ... T
88 embrouiller ... T
88 embrouiller (s') ... P
88 embroussailler ... T
88 embroussailler (s') ... P
88 embrumer ... T
106 embrunir ... T
88 embuer ... T
88 embuer (s') ... P
88 embusquer ... T
88 embusquer (s') ... P
92 émécher ... T
90 émerger ... I
88 émerillonner ... T
88 émeriser ... T
88 émerveiller ... T
88 émerveiller (s') ... P
147 émettre ... I, T
101 émier ... T
88 émietter ... T
88 émietter (s') ... P
88 émigrer ... I
89 émincer ... T
88 emmagasiner ... T
88 emmailloter ... T
88 emmailloter (s') ... P
88 emmancher ... T
88 emmancher (s') ... P
97 emmanteler ... T
90 emmarger ... T
88 emmêler ... T
88 emmêler (s') ... P
90 emménager ... I, T
91 emmener ... T
88 emmerder ... T
88 emmerder (s') ... P
92 emmétrer ... T
88 emmieller ... T
88 emmitonner ... T
88 emmitoufler ... T
88 emmitoufler (s') ... P
88 emmortaiser ... T
88 emmouscailler ... T
88 emmurer ... T
97 emmuseler ... T
88 émonder ... T
88 émorfiler ... T
88 émotionner ... T
88 émotter ... T
88 émoucher ... T
95 émoucheter ... T
169 émoudre ... T
88 émousser ... T
88 émousser (s') ... P
88 émoustiller ... T
131 émouvoir ... I, T
131 émouvoir (s') ... P
88 empaffer ... T
88 empailler ... T
88 empaler ... T
88 empaler (s') ... P
88 empalmer ... T
88 empanacher ... T
88 empanner ... I
88 empapa(h)outer ... T
88 empapilloter ... T
98 empaqueter ... T
88 emparer (s') ... P
88 emparquer ... T
88 empâter ... T
88 empâter (s') ... P
88 empatter ... T
88 empaumer ... T
88 empêcher ... T
88 empêcher (s') ... P
88 empeigner ... T
88 empêner ... I, T
97 empenneler ... I
88 empenner ... T
88 empercher ... T
88 emperler ... T
91 empeser ... T
88 empester ... I, T
88 empêtrer ... T
88 empêtrer (s') ... P
100 empiéger ... T
88 empierrer ... T
92 empiéter ... I
88 empiffrer (s') ... P
88 empiler ... T
88 empiler (s') ... P
88 empirer ... I, T, employé surtout aux 3es pers.
88 empirer (s') [afr.] ... P
88 emplafonner ... T
88 emplafonner (s') ... P
88 emplâtrer ... T
106 emplir ... I, T
106 emplir (s') ... P
103 employer ... T
103 employer (s') ... P
88 emplumer ... T
88 empocher ... T
88 empoigner ... T
88 empoigner (s') ... P
88 empoisonner ... T
88 empoisonner (s') ... P
88 empoisser ... T
88 empoissonner ... T

N°	Verbe	Construction
88	emporter	T
88	emporter (s')	P
88	empoter	T
88	empourprer	T
88	empourprer (s')	P
92	empoussiérer	T
92	empoussiérer (s')	P
148	empreindre	T
148	empreindre (s')	P
88	empresser (s')	P
88	emprésurer	T
88	emprisonner	T
88	emprunter	I, T
106	empuantir	T
88	émuler	T
101	émulsifier	T
88	émulsionner	T
88	enamourer (s')	P
88	énamourer (s')	P
88	encabaner	T
88	encadrer	T
88	encadrer (s')	P
90	encager	T
88	encagouler	T
88	encaisser	T
88	encanailler	T
88	encanailler (s')	P
88	encanter [québ.]	T
88	encaper	T
88	encapsuler	T
88	encapuchonner	T
88	encapuchonner (s')	P
88	encaquer	T
88	encarrer	I
88	encarter	T
88	encartonner	T
88	encartoucher	T
88	encaserner	T
93	encasteler (s')	P
88	encastrer	T
88	encastrer (s')	P
88	encaustiquer	T
88	encaver	T
148	enceindre	T
88	enceinter [afr.]	T
88	encenser	I, T
88	encercler	T
88	enchaîner/enchainer	I, T
88	enchaîner/enchainer (s')	P
97	enchanteler	T
88	enchanter	T
88	enchanter (s')	P
88	enchaperonner	T
88	encharner	T
88	enchâsser	T
88	enchâsser (s')	P
88	enchatonner	T
88	enchausser	T
88	enchemiser	T
106	enchérir	I
88	enchetarder	T
88	enchevaucher	T
88	enchevêtrer	T
88	enchevêtrer (s')	P
91	enchifrener	T
88	enchtiber	T
88	enchtourber	T
88	encirer	T
88	enclaver	T
88	enclaver (s')	P
88	enclencher	T
88	enclencher (s')	P
98	encliqueter	T
88	encloîtrer/encloitrer	T
88	encloquer	T
163	enclore	T
88	enclouer	T
88	encocher	T
88	encoder	T
88	encoffrer	T
88	encoller	T
88	encombrer	T
88	encombrer (s')	P
88	encorder	T
88	encorder (s')	P
88	encorner	T
90	encourager	T
119	encourir	T
88	encrasser	T
88	encrasser (s')	P
88	encrêper	T
88	encrer	I, T
88	encrister	T
88	encroumer (s')	P
88	encroûter/encrouter	T
88	encroûter/encrouter (s')	P
88	encuver	T
88	endauber	T
88	endenter	T
88	endetter	T
88	endetter (s')	P
88	endeuiller	T
88	endêver surtout à l'infinitif	I, D
88	endiabler	I, T
88	endiguer	T
88	endimancher	T
88	endimancher (s')	P
88	endivisionner	T
88	endoctriner	T
106	endolorir	T
90	endommager	T
118	endormir	T
118	endormir (s')	P
88	endosser	T
177	enduire	I, T
177	enduire (s')	P
106	endurcir	T
106	endurcir (s')	P
88	endurer	T
88	énerver	T
88	énerver (s')	P
88	enfaîter/enfaiter	T
88	enfanter	I, T
90	enfarger [québ.]	T
90	enfarger (s') [québ.]	P
88	enfermer	T
88	enfermer (s')	P
88	enferrer	T
88	enferrer (s')	P
88	enficher	T
88	enfieller	T
92	enfiévrer	T
92	enfiévrer (s')	P
88	enfiler	T
88	enfiler (s')	P
88	enflammer	T
88	enflammer (s')	P
92	enflécher	T
88	enfler	I, T
88	enfler (s')	P
88	enfleurer	T
88	enfoirer	T
88	enfoirer (s')	P

T : transitif direct (p. p. variable) — **Ti** : transitif indirect (p. p. invariable) — **I** : intransitif (p. p. invariable) — **P** : construction pronominale (auxiliaire *être*) — **impers.** : verbe impersonnel — **D** : verbe défectif — ***être*** : se conjugue avec l'auxiliaire *être* — ***être* ou *avoir*** : verbe se conjuguant avec l'un ou l'autre de ces auxiliaires, selon le cas (→ paragraphe 18)

89 enfoncer ... I, T
89 enfoncer (s') ... P
106 enforcir ... I
88 enfouiller ... T
106 enfouir ... T
106 enfouir (s') ... P
88 enfourailler ... T
88 enfourcher ... T
88 enfourner ... T
88 enfourner (s') ... P
148 enfreindre ... T
122 enfuir (s') ... P
88 enfumer ... T
88 enfumer (s') ... P
88 enfutailler ... T
88 enfûter/enfuter ... T
90 engager ... T
90 engager (s') ... P
88 engainer ... T
88 engamer ... T
88 engargousser ... T
88 engaver ... T
88 engazonner ... T
88 engendrer ... T
88 engerber ... T
89 englacer ... T
88 englober ... T
106 engloutir ... T
106 engloutir (s') ... P
88 engluer ... T
88 engluer (s') ... P
88 engober ... T
88 engommer ... T
89 engoncer ... T
90 engorger ... T
90 engorger (s') ... P
88 engouer (s') ... P
88 engouffrer ... T
88 engouffrer (s') ... P
88 engouler ... T
106 engourdir ... T
106 engourdir (s') ... P
88 engraisser ... I, T
88 engraisser (s') ... P
90 engranger ... T
88 engraver ... T
91 engrener ... T
91 engrener (s') ... P
88 engrosser ... T
97 engrumeler ... T
97 engrumeler (s') ... P
88 engueuler ... T
88 engueuler (s') ... P
88 enguirlander ... T
106 enhardir ... T
106 enhardir (s') ... P
88 enharnacher ... T
88 enherber ... T
88 énieller ... T
88 enivrer ... I, T
88 enivrer (s') ... P
88 enjamber ... I, T
97 enjaveler ... T
149 enjoindre ... T
88 enjôler ... T
88 enjoliver ... T
88 enjoliver (s') ... P
89 enjoncer ... T
88 enjouer ... T
88 enjuguer ... T
88 enjuponner ... T
88 enkyster (s') ... P
89 enlacer ... T
89 enlacer (s') ... P
106 enlaidir ... I, T
106 enlaidir (s') ... P
91 enlever ... T
91 enlever (s') ... P
88 enliasser ... T
101 enlier ... T
88 enligner ... T
88 enliser ... T
88 enliser (s') ... P
88 enluminer ... T
90 enneiger ... T
106 ennoblir ... T
90 ennuager ... T
90 ennuager (s') ... P
104 ennuyer ... I, T
104 ennuyer (s') ... P
89 énoncer ... T
89 énoncer (s') ... P
106 enorgueillir ... T
106 enorgueillir (s') ... P
88 énouer ... T
110 enquérir (s') ... P
88 enquêter ... I
88 enquêter (s') ... P
88 enquiller ... I
88 enquiquiner ... T
88 enquiquiner (s') ... P
88 enraciner ... T
88 enraciner (s') ... P
90 enrager ... I
88 enrailler ... T
102 enrayer ... T
102 enrayer (s') ... P
88 enrégimenter ... T
88 enregistrer ... T
88 enregistrer (s') ... P
88 enrêner ... T
88 enrésiner ... T
88 enrhumer ... T
88 enrhumer (s') ... P
106 enrichir ... T
106 enrichir (s') ... P
88 enrober ... T
88 enrocher ... T
88 enrôler ... T
88 enrôler (s') ... P
88 enrouer ... T
88 enrouer (s') ... P
88 enrouiller ... I
88 enrouiller (s') ... P
88 enrouler ... T
88 enrouler (s') ... P
88 enrubanner ... T
88 ensabler ... T
88 ensabler (s') ... P
88 ensaboter ... T
88 ensacher ... T
88 ensaisiner ... T
88 ensanglanter ... T
90 ensauvager ... T
88 ensauver (s') ... P
88 enseigner ... T
88 enseigner (s') ... P
89 ensemencer ... T
88 enserrer ... T
106 ensevelir ... T
106 ensevelir (s') ... P
88 ensiler ... T
88 ensoleiller ... T
97 ensorceler ... T
88 ensoufrer ... T
92 enstérer ... T
170 ensuivre (s') ... P, D
88 ensuquer ... T
88 entabler ... T
88 entabler (s') ... P
88 entacher ... T
88 entailler ... T
88 entailler (s') ... P

88	entamer	T
88	entaquer	T
88	entarter	T
88	entartrer	T
88	entartrer (s')	P
88	entasser	T
88	entasser (s')	P
143	entendre à	I, T, Ti
143	entendre (s')	P
92	enténébrer	T
92	enténébrer (s')	P
88	enter	T
88	entériner	T
88	enterrer	T
88	enterrer (s')	P
88	entêter	T
88	entêter (s')	P
88	enthousiasmer	T
88	enthousiasmer (s')	P
88	enticher (s')	P
88	entifler	T
88	entifler (s')	P
88	entoiler	T
88	entôler	T
88	entonner	T
88	entorser afr.	I
88	entortiller	T
88	entortiller (s')	P
88	entourer	T
88	entourer (s')	P
88	entourlouper	T
88	entraccorder (s')	P
88	entraccuser (s')	P
88	entradmirer (s')	P
88	entraider (s')	P
88	entraimer (s')	P
88	entraîner/entrainer	T
88	entraîner/entrainer (s')	P
125	entrapercevoir	T
125	entrapercevoir (s')	P
94	entrappeler (s')	P
88	entraver	T
88	entrebâiller	T
88	entrebâiller (s')	P
146	entrebattre (s')	P
88	entrechoquer	T
88	entrechoquer (s')	P
88	entrecouper	T
88	entrecouper (s')	P
88	entrecroiser	T
88	entrecroiser (s')	P
88	entre(-)déchirer (s')	P
177	entre(-)détruire (s')	P
88	entre(-)dévorer (s')	P
90	entr(e-)égorger (s')	P
90	entr'égorger (s')	P
88	entre(-)frapper (s')	P
107	entre(-)haïr (s')	P
88	entre(-)heurter (s')	P
89	entrelacer	T
89	entrelacer (s')	P
88	entrelarder	T
88	entre(-)louer (s')	P
90	entre(-)manger (s')	P
88	entremêler	T
88	entremêler (s')	P
147	entremettre (s')	P
177	entre(-)nuire (s') p. p. invariable	P
88	entreposer	T
144	entreprendre	I, T
88	entrer	T, *avoir*
88	entrer	I, *être*
88	entre(-)regarder (s')	P
88	entretailler (s')	P
109	entretenir	T
109	entretenir (s')	P
88	entretoiser	T
88	entre(-)tuer (s')	P
126	entrevoir	T
126	entrevoir (s')	P
88	entrevoûter/entrevouter	T
113	entrouvrir	T
113	entrouvrir (s')	P
88	entuber	T
99	énucléer	T
92	énumérer	T
106	envahir	T
88	envaser	T
88	envaser (s')	P
88	envelopper	T
88	envelopper (s')	P
88	envenimer	T
88	envenimer (s')	P
90	enverger	T
88	enverguer	T
88	enviander	T
88	envider	T
106	envieillir	T
106	envieillir (s')	P
101	envier	T
88	environner	T
88	environner (s')	P
90	envisager	T
88	envoiler (s')	P
88	envoler (s')	P
88	envoûter/envouter	T
105	envoyer	T
105	envoyer (s')	P
106	épaissir	I, T
106	épaissir (s')	P
88	épaler	T
88	épamprer	T
88	épancher	T
88	épancher (s')	P
143	épandre	T
143	épandre (s')	P
97	épanneler	T
88	épanner	T
106	épanouir	T
106	épanouir (s')	P
88	épargner	I, T
88	épargner (s')	P
88	éparpiller	T
88	éparpiller (s')	P
88	épastrouiller	T
88	épater	T
88	épaufrer	T
88	épauler	I, T
88	épauler (s')	P
97	épeler	I, T
97	épeler (s')	P
88	épépiner	T
143	éperdre (s')	P
88	éperonner	T
88	épeuler	T
88	épeurer	T
89	épicer	T
101	épier	I, T
101	épier (s')	P
88	épierrer	T
88	épiler	T
88	épiler (s')	P

T : transitif direct (p. p. variable) — **Ti** : transitif indirect (p. p. invariable) — **I** : intransitif (p. p. invariable) — **P** : construction pronominale (auxiliaire *être*) — **impers.** : verbe impersonnel — **D** : verbe défectif — ***être*** : se conjugue avec l'auxiliaire *être* — ***être* ou *avoir*** : verbe se conjuguant avec l'un ou l'autre de ces auxiliaires, selon le cas (→ paragraphe 18)

88 épiloguer sur ... T, Ti
93 épinceler ... T
89 épincer ... T
98 épinceter ... T
88 épiner ... T
88 épingler ... T
88 épisser ... T
88 épivarder (s') québ. ... P
103 éployer ... T
103 éployer (s') ... P
88 éplucher ... T
88 épointer ... T
90 éponger ... T
90 éponger (s') ... P
88 épontiller ... T
88 épouiller ... T
88 épouiller (s') ... P
88 époumoner (s') ... P
88 épouser ... I, T
88 épouser (s') ... P
98 épousseter ... T
88 époustoufler ... T
101 époutier ... T
106 époutir ... T
88 épouvanter ... T
88 épouvanter (s') ... P
148 épreindre ... T
144 éprendre (s') ... P
88 éprouver ... T
88 éprouver (s') ... P
89 épucer ... T
89 épucer (s') ... P
88 épuiser ... T
88 épuiser (s') ... P
88 épurer ... T
88 épurer (s') ... P
106 équarrir ... T
88 équerrer ... T
88 équeuter ... T
88 équilibrer ... T
88 équilibrer (s') ... P
88 équiper ... T
88 équiper (s') ... P
134 équivaloir à ... Ti
134 équivaloir (s') ... P
p. p. invariable
88 équivoquer ... I
88 éradiquer ... T
88 érafler ... T
88 érafler (s') ... P
88 érailler ... T
88 érailler (s') ... P
102 érayer ... T
88 éreinter ... T
88 éreinter (s') ... P
88 ergoter ... I
90 ériger ... T
90 ériger (s') ... P
88 éroder ... T
88 éroder (s') ... P
88 érotiser ... T
88 errer ... I
88 éructer ... I, T
106 esbaudir (s') ... P
88 esbigner (s') ... P
88 esbroufer ... T
88 escalader ... T
88 escamoter ... T
88 escarmoucher ... I
88 escarper ... T
101 escarrifier ... T
88 escher ... T
88 esclaffer (s') ... P
90 esclavager ... T
101 escoffier ... T
88 escompter ... T
88 escorter ... T
88 escrimer (s') ... P
88 escroquer ... T
88 esgourder ... T
89 espacer ... T
89 espacer (s') ... P
92 espérer ... I, T
88 espionner ... T
88 espoliner ... T
88 espouliner ... T
88 esquicher ... I
88 esquinter ... T
88 esquinter (s') ... P
88 esquisser ... T
88 esquisser (s') ... P
88 esquiver ... T
88 esquiver (s') ... P
88 essaimer ... I, T
90 essanger ... T
88 essarter ... T
102 essayer ... T
102 essayer (s') ... P
88 essorer ... T
88 essorer (s') ... P
88 essoriller ... T
88 essoucher ... T
88 essouffler ... T
88 essouffler (s') ... P
104 essuyer ... T
104 essuyer (s') ... P
88 estamper ... T
88 estampiller ... T
88 ester ... I, D
seulement à l'infinitif
101 estérifier ... T
88 esthétiser ... I, T
88 estimer ... T
88 estimer (s') ... P
88 estiver ... I, T
88 estomaquer ... T
88 estomper ... T
88 estomper (s') ... P
88 estoquer ... T
106 estourbir ... T
88 estrapader ... T
88 estrapasser ... T
101 estropier ... T
101 estropier (s') ... P
88 établer ... T
106 établir ... T
106 établir (s') ... P
90 étager ... T
90 étager (s') ... P
90 étalager ... T
88 étaler ... I, T
88 étaler (s') ... P
88 étalinguer ... T
88 étalonner ... T
88 étamer ... T
88 étamper ... T
88 étancher ... T
88 étançonner ... T
88 étarquer ... T
88 étatiser ... T
102 étayer ... T
102 étayer (s') ... P
148 éteindre ... T
148 éteindre (s') ... P
143 étendre ... T
143 étendre (s') ... P
88 éterniser ... T
88 éterniser (s') ... P
88 éternuer ... I
88 étêter ... T
101 éthérifier ... T
88 éthériser ... T
88 éthniciser ... T

N°	Verbe	Construction
97	étinceler	I
88	étioler	T
88	étioler (s')	P
98	étiqueter	T
88	étirer	T
88	étirer (s')	P
88	étoffer	T
88	étoffer (s')	P
88	étoiler	T
88	étoiler (s')	P
88	étonner	T
88	étonner (s')	P
88	étouffer	I, T
88	étouffer (s')	P
88	étouper	T
88	étoupiller	T
106	étourdir	T
106	étourdir (s')	P
88	étrangler	T
88	étrangler (s')	P
84	**être**	I
106	étrécir	T
106	étrécir (s')	P
148	étreindre	T
148	étreindre (s')	P
88	étrenner	I, T
88	étrésillonner	T
88	étriller	T
88	étripailler	I, T
88	étriper	T
88	étriper (s')	P
88	étriquer	T
88	étronçonner	T
101	étudier	I, T
101	étudier (s')	P
88	étuver	T
88	euphoriser	I, T
88	européaniser	T
88	européaniser (s')	P
101	euthanasier	T
88	évacuer	T
88	évacuer (s')	P
88	évader (s')	P
88	évaluer	T
88	évangéliser	T
106	évanouir (s')	P
88	évaporer	T
88	évaporer (s')	P
88	évaser	T
88	évaser (s')	P
88	éveiller	T
88	éveiller (s')	P
88	éventer	T
88	éventer (s')	P
88	éventrer	T
88	éventrer (s')	P
88	évertuer (s')	P
88	évider	T
89	évincer	T
88	éviter à, de	T, Ti
88	éviter (s')	P
88	évoluer	I
88	évoluer (s') afr.	P
88	évoquer	T
88	exacerber	T
88	exacerber (s')	P
92	exagérer	I, T
92	exagérer (s')	P
88	exalter	T
88	exalter (s')	P
88	examiner	I, T
88	examiner (s')	P
92	exaspérer	T
92	exaspérer (s')	P
89	exaucer	T
88	excaver	T
92	excéder	T
88	exceller	I
88	excentrer	T
88	excepter	T
88	exciper de	Ti
88	exciser	T
88	exciter	T
88	exciter (s')	P
88	exclamer (s')	P
164	**exclure**	T
164	exclure (s')	P
101	excommunier	T
101	excorier	T
88	excracher	T
92	excréter	T
88	excursionner	I
88	excuser	T
88	excuser (s')	P
92	exécrer	T
88	exécuter	T
88	exécuter (s')	P
101	exemplifier	T
88	exempter	T
88	exempter (s')	P
89	exercer	I, T
89	exercer (s')	P
88	exfiltrer	T
101	exfolier	T
101	exfolier (s')	P
88	exhaler	T
88	exhaler (s')	P
88	exhausser	T
92	exhéréder	T
88	exhiber	T
88	exhiber (s')	P
88	exhorter	T
88	exhumer	T
90	exiger	T
88	exiler	T
88	exiler (s')	P
88	exister	I
88	exonder (s')	P
92	exonérer	T
88	exorciser	T
101	expatrier	T
101	expatrier (s')	P
88	expectorer	I, T
101	expédier	T
88	expérimenter	I, T
88	expertiser	T
101	expier	T
101	expier (s')	P
88	expirer	I, T
88	expliciter	T
88	expliquer	T
88	expliquer (s')	P
88	exploiter	I, T
88	explorer	T
88	exploser	I
88	exporter	I, T
88	exposer	T
88	exposer (s')	P
88	exprimer	T
88	exprimer (s')	P
101	exproprier	T
88	expulser	T
90	expurger	T
88	exsuder	I, T

T : transitif direct (p. p. variable) — **Ti** : transitif indirect (p. p. invariable) — **I** : intransitif (p. p. invariable) — **P** : construction pronominale (auxiliaire *être*) — **impers.** : verbe impersonnel — **D** : verbe défectif — ***être*** : se conjugue avec l'auxiliaire *être* — ***être* ou *avoir*** : verbe se conjuguant avec l'un ou l'autre de ces auxiliaires, selon le cas (→ paragraphe 18)

101 extasier (s') ... P
88 exténuer ... T
88 exténuer (s') ... P
88 extérioriser ... T
88 extérioriser (s') ... P
88 exterminer ... T
88 externaliser ... T
88 externer afr. ... T
88 extirper ... T
88 extirper (s') ... P
88 extorquer ... T
88 extourner ... T
88 extrader ... T
152 extraire ... T, D
152 extraire (s') ... P, D
88 extrapoler ... I, T
88 extravaguer ... I
88 extravaser ... T
88 extravaser (s') ... P
88 extruder ... T
92 exulcérer ... T
88 exulter ... I

f

88 fabriquer ... I, T
88 fabriquer (se) ... P
88 fabuler ... I
88 facetter ... T
88 fâcher ... T
88 fâcher (se) ... P
88 faciliter ... T
88 faciliter (se) ... P
88 façonner ... T
88 factoriser ... T
88 facturer ... T
88 fader ... T
88 fagoter ... T
88 fagoter (se) ... P
106 faiblir ... I
88 faignanter ... I
88 failler (se) ... P
116 **faillir** à ... Ti, I, D
possède des formes désuètes, mais s'aligne maintenant sur *finir* dans sa conjugaison moderne
88 fainéanter ... I
88 fainéantiser ... I
153 **faire** ... I, T
153 faire (se) ... P
88 faisander ... T
88 faisander (se) ... P
133 **falloir** ... impers.: *il faut*
133 falloir (s'en) ... P
impers.: *il s'en faut* ou *il s'en est fallu*
88 faloter ... I
101 falsifier ... T
88 faluner ... T
88 familiariser ... T
88 familiariser (se) ... P
88 fanatiser ... T
88 fanatiser (se) ... P
88 faner ... T
88 faner (se) ... P
88 fanfaronner ... I
88 fanfrelucher ... T
88 fantaliser (se) afr. ... P
88 fantasmer ... I, T
106 farcir ... T
106 farcir (se) ... P
88 farder ... I, T
88 farder (se) ... P
88 farfouiller ... I, T
88 farguer ... T
88 fariner ... I, T
88 farter ... T
88 fasciner ... T
88 fasciser ... T
102 faseyer ... I
88 fatiguer ... I, T
88 fatiguer (se) ... P
92 faubérer afr. ... I
88 faucarder ... T
88 faucher ... I, T
88 fauconner ... I
88 faufiler ... I, T
88 faufiler (se) ... P
88 fausser ... T
88 fausser (se) ... P
88 fauter ... I
88 favoriser ... T
88 faxer ... T
88 fayoter ... I
88 féconder ... T
88 féculer ... T
88 fédéraliser ... T
88 fédéraliser (se) ... P
92 fédérer ... T
92 fédérer (se) ... P
88 feignanter ... I
148 feindre ... I, T
88 feinter ... I, T
88 fêler ... T
88 fêler (se) ... P
88 féliciter ... T
88 féliciter (se) ... P
88 féminiser ... T
88 féminiser (se) ... P
88 fendiller ... T
88 fendiller (se) ... P
143 fendre ... T
143 fendre (se) ... P
88 fenestrer ... T
88 fenêtrer ... T
férir ... T, D
seulement dans les expressions *sans coup férir* ou *féru de*
88 ferler ... T
88 fermenter ... I
88 fermer ... I, T
88 fermer (se) ... P
88 ferrailler ... I
88 ferrer ... T
88 ferrouter ... T
88 fertiliser ... T
88 fesser ... T
88 festonner ... T
103 festoyer ... I, T
88 fêter ... T
88 féticher afr. ... T
88 fétichiser ... T
88 feuiller ... I, T
98 feuilleter ... T
88 feuilletiser ... T
88 feuler ... I
88 feutrer ... I, T
88 feutrer (se) ... P
88 fiabiliser ... T
89 fiancer ... T
89 fiancer (se) ... P
97 ficeler ... T
88 fiche ... T
je vais lui fiche la paix, part. passé *fichu, ue, us, ues*
88 fiche (se) ... P
je me fiche de, part. passé *fichu, ue, us, ues*
88 ficher ... T
88 ficher (se) ... P
88 fidéliser ... T
88 fieffer ... T

88	fienter	I
101	fier (se)	P
90	figer	I, T
90	figer (se)	P
88	fignoler	T
88	figurer	I, T
88	figurer (se)	P
88	filer	I, T
88	filer (se)	P
95	fileter	T
88	filialiser	T
88	filigraner	T
88	filmer	I, T
88	filocher	I, T
88	filouter	I, T
88	filtrer	I, T
88	finaliser	T
89	financer	I, T
88	financiariser	T
88	finasser	I, T
106	finir	I, T
88	finlandiser	T
88	finlandiser (se)	P
88	fiscaliser	T
88	fissionner	T
88	fissurer	T
88	fissurer (se)	P
88	fixer	T
88	fixer (se)	P
88	flageller	T
88	flageller (se)	P
88	flageoler	I
88	flagorner	T
88	flairer	T
88	flamber	I, T
103	flamboyer	I
88	flancher	I, T
88	flâner	I
88	flânocher	I
88	flanquer	T
88	flanquer (se)	P
88	flaquer	I
88	flasher	I, T
88	flatter	T
88	flatter (se)	P
88	flauper	T
92	flécher	T
106	fléchir	I, T
106	fléchir (se)	P
88	flemmarder	I
106	flétrir	T
106	flétrir (se)	P
88	fleurer	I, T
98	fleureter	I
106	fleurir	I, T
	pour « orner de fleurs », radical *fleur-* ; pour « prospérer », radical *flor-* à l'imparfait (*il florissait*) et au part. présent (*florissant*)	
106	fleurir (se)	P
88	flexibiliser	T
88	flibuster	I, T
88	flingoter	T
88	flinguer	I, T
88	flinguer (se)	P
88	flipper	I
88	fliquer	T
88	flirter	I
88	floconner	I
88	floculer	I
88	floquer	T
88	flotter	I, T, impers. : *il flotte*
88	flouer	T
88	flouser	I
88	fluber	I
88	fluctuer	I
88	fluer	I
101	fluidifier	T
88	fluidiser	T
88	fluoriser	T
88	flurer	T
88	flûter/fluter	I, T
88	fluxer	T
88	focaliser	T
88	focaliser (se)	P
88	foirer	I
88	foisonner	I
88	folâtrer	I
88	folichonner	I
88	folioter	T
88	folkloriser	T
88	fomenter	T
89	foncer	I, T
88	fonctionnariser	T
88	fonctionner	I
88	fonder	I, T
88	fonder (se)	P
143	fondre	I, T
143	fondre (se)	P
89	forcer	I, T
89	forcer (se)	P
106	forcir	I
163	forclore	T, D
88	forer	T
153	forfaire à	I, T, Ti, D
	seulement à l'infinitif, au sing. de l'ind. présent, au part. passé et aux temps composés	
90	forger	I, T
90	forger (se)	P
96	forjeter	I, T
89	forlancer	T
88	forligner	I
90	forlonger	T
88	formaliser	T
88	formaliser (se)	P
88	formater	T
88	former	T
88	former (se)	P
88	formicaliser afr.	T
88	formoler	T
88	formuler	T
88	formuler (se)	P
88	forniquer	I
101	fortifier	T
101	fortifier (se)	P
88	fossiliser	T
88	fossiliser (se)	P
103	fossoyer	T
88	fouailler	T
88	fouder afr.	T
103	foudroyer	T
88	fouetter	I, T
90	fouger	I
88	fouiller	I, T
88	fouiller (se)	P
88	fouiner	I
106	fouir	T
88	fouler	T
88	fouler (se)	P
88	fourailler	I, T

T : transitif direct (p. p. variable) — **Ti** : transitif indirect (p. p. invariable) — **I** : intransitif (p. p. invariable) — **P** : construction pronominale (auxiliaire *être*) — **impers.** : verbe impersonnel — **D** : verbe défectif — ***être*** : se conjugue avec l'auxiliaire *être* — ***être* ou *avoir*** : verbe se conjuguant avec l'un ou l'autre de ces auxiliaires, selon le cas (→ paragraphe 18)

88	fourber	I, T
106	fourbir	T
88	fourcher	I, T
88	fourgonner	I
88	fourguer	T
88	fourmiller	I
106	fournir à	T, Ti
106	fournir (se)	P
90	fourrager	I, T
88	fourrer	T
88	fourrer (se)	P
103	fourvoyer	T
103	fourvoyer (se)	P
145	foutre	T
145	foutre (se)	P
88	fracasser	T
88	fracasser (se)	P
88	fractionner	T
88	fractionner (se)	P
88	fracturer	T
88	fracturer (se)	P
88	fragiliser	T
88	fragmenter	T
106	fraîchir/fraichir	I
88	fraiser	T
88	framboiser	T
106	franchir	T
88	franchiser	T
88	franciser	T
88	francophoniser [québ.]	T
90	franger	T
88	fransquillonner [belg.]	I
88	frapper	I, T
88	frapper (se)	P
88	fraterniser	I
88	frauder	I, T
102	frayer	I, T
102	frayer (se)	P
88	fredonner	I, T
88	frégater	T
88	freiner	I, T
88	freiner (se)	P
88	frelater	T
106	frémir	I
88	fréquenter	I, T
88	fréquenter (se)	P
92	fréter	T
88	frétiller	I
88	fretter	T
88	fricasser	T
88	fricoter	I, T
88	frictionner	T
88	frictionner (se)	P
101	frigorifier	T
90	frigorifuger	T
88	frimer	I, T
88	fringuer	I, T
88	fringuer (se)	P
88	friper	T
88	friper (se)	P
88	friponner	I, T
88	friquer [afr.]	T
176	frire	I, T, D
88	friser	I, T
88	frisot(t)er	I, T
88	frissonner	I
88	fristouiller [belg.]	I, T
88	fritter	I, T
106	froidir	I
88	froisser	T
88	froisser (se)	P
88	frôler	T
88	frôler (se)	P
89	froncer	T
89	froncer (se)	P
88	fronder	I, T
88	frotter	I, T
88	frotter (se)	P
88	frouer	I
88	froufrouter	I
88	frousser [afr.]	I
101	fructifier	I
88	frusquer	T
88	frusquer (se)	P
88	frustrer	T
88	fuguer	I
122	fuir	I, T
122	fuir (se)	P
88	fuiter	T
88	fulgurer	I, T
88	fulminer	I, T
88	fumer	I, T
90	fumiger	T
95	fureter	I
97	fuseler	T
88	fuser	I
88	fusiller	T
88	fusionner	I, T
90	fustiger	T

g

101	gabarier	T
88	gabionner	T
88	gâcher	I, T
88	gadgétiser	T
88	gaffer	I, T
88	gafouiller	T
90	gager	T
88	gagner	I, T
88	gagner (se)	P
88	gainer	T
88	galber	T
92	galéjer	I
92	galérer	I
88	galipoter	T
88	galonner	T
88	galoper	I, T
88	galvaniser	T
88	galvauder	I, T
88	galvauder (se)	P
88	gambader	I
90	gamberger	I, T
88	gambiller	I
97	gameler	T
97	gameler (se)	P
88	gaminer	I
91	gangrener	T
91	gangrener (se)	P
92	gangréner	T
92	gangréner (se)	P
88	ganser	T
88	ganter	I, T
88	ganter (se)	P
89	garancer	T
106	garantir	T
88	garder	T
88	garder (se)	P
88	garer	T
88	garer (se)	P
88	gargariser (se)	P
88	gargoter	I
88	gargouiller	I
106	garnir	T
106	garnir (se)	P
88	garrocher [québ.]	T
88	garrot(t)er	T
88	gasconner	I
88	gaspiller	T
88	gâter	T
88	gâter (se)	P

101 gâtifier ... I
106 gauchir ... I, T
106 gauchir (se) ... P
88 gaufrer ... T
88 gauler ... T
88 gausser (se) ... P
88 gaver ... T
88 gaver (se) ... P
101 gazéifier ... T
88 gazer ... I, T
88 gazonner ... I, T
88 gazouiller ... I
148 geindre ... I
88 gélatiner ... T
88 gélatiniser ... T
93 geler ... I, T
93 geler (se) ... P
101 gélifier ... T
101 gélifier (se) ... P
88 géminer ... T
106 gémir ... I, T
88 gemmer ... T
88 gendarmer (se) ... P
88 gêner ... T
88 gêner (se) ... P
88 généraliser ... T
88 généraliser (se) ... P
92 générer ... T
88 géométriser ... T
88 gerber ... I, T
89 gercer ... I, T
89 gercer (se) ... P
92 gérer ... T
88 germaniser ... I, T
88 germaniser (se) ... P
88 germer ... I
124 gésir ... I, D
ne s'emploie qu'au part. présent, au présent et à l'imparfait de l'ind.
88 gesticuler ... I
103 giboyer ... T
88 gicler ... I
88 gifler ... T
88 gigoter ... I
88 giguer québ. ... I
98 gileter ... T
98 gileter (se) ... P
88 gironner ... T
88 girouetter ... I
gisant ... → gésir
gît, il gît, ci-gît ... → gésir
git, il git, ci-git ... → gésir
88 gîter/giter ... I
88 givrer ... T
88 givrer (se) ... P
89 glacer ... I, T, impers.: *il glace*
89 glacer (se) ... P
88 glaglater ... I
88 glairer ... T
88 glaiser ... T
88 glander ... I
88 glandouiller ... I
88 glaner ... I, T
106 glapir ... I, T
106 glatir ... I
88 glavioter ... I
92 gléner ... T
88 gletter belg. ... I
88 glisser ... I, T
88 glisser (se) ... P
88 globaliser ... T
101 glorifier ... T
101 glorifier (se) ... P
88 gloser sur ... I, T, Ti
88 glouglouter ... I
88 glousser ... I
88 gloutonner ... I, T
88 glycériner ... T
88 goaler afr. ... T
88 gober ... T
90 goberger (se) ... P
98 gobeter ... T
88 godailler ... I
88 goder ... I
88 godiller ... I
88 godiner (se) belg. ... P
88 godronner ... T
88 goguenarder ... I
88 goinfrer ... I
88 goinfrer (se) ... P
88 gominer (se) ... P
88 gommer ... T
88 gomorrhiser ... T
88 gonder ... T
88 gondoler ... I
88 gondoler (se) ... P
88 gonfler ... I, T
88 gonfler (se) ... P
88 gongonner afr. ... I
88 gorgeonner (se) ... P
90 gorger ... T
90 gorger (se) ... P
88 gosser québ. ... I, T
88 gouacher ... T
88 gouailler ... I
88 goualer ... I, T
88 gouaper ... I
88 goudronner ... T
90 gouger ... T
88 gougnot(t)er ... T
88 goujonner ... T
88 goupiller ... T
88 goupiller (se) ... P
88 goupillonner ... T
89 gourancer (se) ... P
88 gourer (se) ... P
88 gourmander ... T
88 goûter/gouter à, de ... I, T, Ti
88 goutter ... I
88 gouttiner belg. ... I, impers.: *il gouttine*
88 gouverner ... I, T
88 gouverner (se) ... P
101 gracier ... T
88 graduer ... T
88 graffer (se) ... P
88 graffiter ... I, T
88 grafigner québ. ... T
88 grailler ... I, T
88 graillonner ... I
88 grainer ... T
88 graisser ... I, T
88 grammaticaliser ... T
88 grammaticaliser (se) ... P
106 grandir ... I, T
106 grandir (se) ... P
88 graniter ... T
88 granuler ... T
88 graphiter ... T
88 grappiller ... I, T
102 grasseyer ... I, T
88 graticuler ... T

T: transitif direct (p. p. variable) — **Ti**: transitif indirect (p. p. invariable) — **I**: intransitif (p. p. invariable) — **P**: construction pronominale (auxiliaire *être*) — **impers.**: verbe impersonnel — **D**: verbe défectif — ***être***: se conjugue avec l'auxiliaire *être* — ***être* ou *avoir***: verbe se conjuguant avec l'un ou l'autre de ces auxiliaires, selon le cas (→ paragraphe 18)

101	gratifier	T
88	gratiner	I, T
88	grat(t)ouiller	T
97	gratteler	T
88	gratter	I, T
88	gratter (se)	P
97	graveler	T
88	graver	I, T
88	graver (se)	P
88	gravillonner	T
106	gravir sur, à	T, Ti
88	graviter	I
88	gréciser	T
88	grecquer	T
99	gréer	T
88	greffer	T
88	greffer (se)	P
88	grêler	T, I, impers.: *il grêle*
88	grelot(t)er	I
88	grenailler	T
97	greneler	T
91	grener	I, T
88	grenouiller	I
92	gréser	T
88	grésiller	I, impers.: *il grésille*
91	grever	T
92	gréver [afr.]	I
88	gribouiller	I, T
88	griffer	I, T
88	griffonner	I, T
88	grigner	I
88	grignoter	I, T
88	grigriser [afr.]	T
90	grillager	T
88	griller	I, T
88	griller (se)	P
89	grimacer	I
88	grimer	T
88	grimer (se)	P
88	grimper	I, T
89	grincer	I
88	grincher	T
88	gringuer	I
88	gripper	I, T
88	gripper (se)	P
88	grisailler	I, T
88	griser	T
88	griser (se)	P
88	grisoler	I
88	grisoller	I
88	grisonner	I
97	griveler	I, T
88	grognasser	I
88	grogner	I, T
88	grognonner	I
97	grommeler	I, T
88	gronder	I, T
106	grossir	I, T
103	grossoyer	T
88	grouiller	I
88	grouiller (se)	P
88	groûler/grouler [belg.]	I
88	groumer	I
88	grouper	I, T
88	grouper (se)	P
90	gruger	T
97	grumeler (se)	P
99	guéer	T
106	guérir	I, T
106	guérir (se)	P
103	guerroyer	I, T
88	guêtrer	T
88	guêtrer (se)	P
88	guetter	I, T
88	guetter (se)	P
88	gueuler	I, T
88	gueuletonner	I
88	gueuser	I, T
88	guider	T
88	guider (se)	P
88	guigner	T
98	guillemeter	T
92	guilleméter	T
88	guillocher	T
88	guillotiner	T
88	guincher	I
88	guindailler [afr. + belg.]	I
88	guinder	T
88	guinder (se)	P
88	guiper	T

h

88	habiliter	T
88	habiller	T
88	habiller (s')	P
88	habiter	I, T
88	habituer	T
88	habituer (s')	P
88	* hâbler	I
88	* hacher	T
88	* hachurer	T
107	* haïr	I, T
107	* haïr (se)	P
91	halener	T
88	* haler	T
88	* hâler	T
88	* hâler (se)	P
95	* haleter	I
88	* halkiner [belg.]	I
88	halluciner	T
88	hameçonner	T
88	* hancher	I, T
93	handeler [belg.]	T
88	* handicaper	T
88	* hannetonner	I, T
88	* hanter	T
88	* happer	I, T
88	* haranguer	T
88	* harasser	T
93	* harceler	T
88	* harder	T
88	haricoter	T
88	harmoniser	T
88	harmoniser (s')	P
88	* harnacher	T
88	* harnacher (se)	P
88	* harpailler	I
88	* harper	T
88	* harponner	T
88	* hasarder	T
88	* hasarder (se)	P
88	* hâter	T
88	* hâter (se)	P
88	* haubaner	T
88	* hausser	T
88	* hausser (se)	P
88	* haver	I, T
106	* havir	I, T
90	héberger	T
92	hébéter	T
88	hébraïser	I, T
92	* héler	T
92	* héler (se)	P
88	hélitreuiller	T
88	helléniser	I, T
106	* hennir	I
90	herbager	T
88	herber	T
88	herboriser	I
88	hercher	I
88	* hérisser	T

88 * hérisser (se) ... P
88 * hérissonner ... I, T
88 * hérissonner (se) ... P
88 hériter de ... I, T, Ti
88 * herser ... T
88 hésiter ... I
88 * heurter ... I, T
88 * heurter (se) ... P
88 hiberner ... I, T
88 * hiérarchiser ... T
88 hispaniser ... T
88 hispaniser (s') ... P
88 * hisser ... T
88 * hisser (se) ... P
101 historier ... T
88 hiverner ... I, T
88 * hocher ... T
101 holographier ... T
101 homogénéifier ... T
88 homogénéiser ... T
88 homologuer ... T
88 * hongrer ... T
103 * hongroyer ... T
106 * honnir ... T
88 honorer ... T
88 honorer (s') ... P
98 * hoqueter ... I
101 horrifier ... T
88 horripiler ... T
88 hospitaliser ... T
88 * houblonner ... T
88 * houer ... T
88 * houpper ... T
88 * hourder ... T
106 * hourdir ... T
88 * houspiller ... T
88 * housser ... T
88 houssiner ... T
88 * hucher ... T
88 * huer ... I, T
88 huiler ... T
106 * huir ... I, D
seulement à l'inf., au présent et aux temps composés
88 (*h)ululer ... I
88 humaniser ... T
88 humaniser (s') ... P
88 humecter ... T
88 humecter (s') ... P
88 * humer ... T
101 humidifier ... T
101 humilier ... T
101 humilier (s') ... P
88 * hurler ... I, T
88 hybrider ... T
88 hybrider (s') ... P
88 hydrater ... T
88 hydrater (s') ... P
90 hydrofuger ... T
92 hydrogéner ... T
88 hydrolyser ... T
101 hypertrophier ... T
101 hypertrophier (s') ... P
88 hypnotiser ... T
88 hypnotiser (s') ... P
101 hypostasier ... T
92 hypothéquer ... T

i

88 iconiser ... T
88 idéaliser ... T
88 idéaliser (s') ... P
101 identifier ... T
101 identifier (s') ... P
88 idéologiser ... T
88 idiotiser ... T
88 idolâtrer ... T
88 idolâtrer (s') ... P
90 ignifuger ... T
88 ignorer ... T
88 ignorer (s') ... P
88 illuminer ... T
88 illuminer (s') ... P
88 illusionner ... T
88 illusionner (s') ... P
88 illustrer ... T
88 illustrer (s') ... P
90 imager ... T
88 imaginer ... T
88 imaginer (s') ... P
88 imbiber ... T
88 imbiber (s') ... P
88 imbriquer ... T
88 imbriquer (s') ... P
88 imiter ... T
88 immatérialiser ... T
88 immatérialiser (s') ... P
88 immatriculer ... T
90 immerger ... T
90 immerger (s') ... P
88 immigrer ... I
89 immiscer (s') ... P
88 immobiliser ... T
88 immobiliser (s') ... P
88 immoler ... T
88 immoler (s') ... P
88 immortaliser ... T
88 immortaliser (s') ... P
88 immuniser ... T
88 immuniser (s') ... P
88 impacter ... T
106 impartir ... T
surtout à l'ind. présent, au part. passé et aux temps composés
88 impatienter ... T
88 impatienter (s') ... P
88 impatroniser ... T
88 impatroniser (s') ... P
88 imperméabiliser ... T
92 impétrer ... T
88 implanter ... T
88 implanter (s') ... P
88 implémenter ... T
88 impliquer ... T
88 impliquer (s') ... P
88 implorer ... T
88 imploser ... I
88 importer à ... I, T, Ti, impers.: *il importe de, il importe que…*
88 importuner ... T
88 imposer ... T
88 imposer (s') ... P
92 imprégner ... T
92 imprégner (s') ... P
88 impressionner ... T
88 imprimer ... T
88 imprimer (s') ... P
88 improuver ... T
88 improviser ... I, T
88 improviser (s') ... P
88 impulser ... T
88 imputer à ... T, Ti
88 inactiver ... T

T: transitif direct (p. p. variable) — **Ti**: transitif indirect (p. p. invariable) — **I**: intransitif (p. p. invariable) — **P**: construction pronominale (auxiliaire *être*) — **impers.**: verbe impersonnel — **D**: verbe défectif — ***être***: se conjugue avec l'auxiliaire *être* — ***être*** ou ***avoir***: verbe se conjuguant avec l'un ou l'autre de ces auxiliaires, selon le cas (→ paragraphe 18) — * h = h aspiré (→ paragraphe 19)

88	inaugurer	T
92	incarcérer	T
88	incarner	T
88	incarner (s')	P
101	incendier	T
92	incinérer	T
88	inciser	T
88	inciter	T
88	incliner	I, T
88	incliner (s')	P
165	inclure	T
88	incomber à s'emploie aux 3es personnes	Ti
88	incommoder	T
88	incorporer	T
88	incorporer (s')	P
88	incrémenter	T
88	incriminer	T
88	incruster	T
88	incruster (s')	P
88	incuber	T
88	inculper	T
88	inculquer	T
88	incurver	T
88	incurver (s')	P
88	indaguer [belg.]	I
88	indemniser	T
88	indemniser (s')	P
88	indexer	T
89	indicer	T
92	indifférer	T
88	indigner	T
88	indigner (s')	P
88	indiquer	T
88	indisposer	T
88	individualiser	T
88	individualiser (s')	P
177	induire	T
88	indurer	T
88	industrialiser	T
88	industrialiser (s')	P
88	infantiliser	T
88	infatuer	T
88	infatuer (s')	P
88	infecter	T
88	infecter (s')	P
88	inféoder	T
88	inféoder (s')	P
92	inférer	T
88	inférioriser	T
88	infester	T
88	infiltrer	T
88	infiltrer (s')	P
88	infirmer	T
106	infléchir	T
106	infléchir (s')	P
90	infliger à	T, Ti
89	influencer	T
88	influer	I
88	informatiser	T
88	informatiser (s')	P
88	informer	I, T
88	informer (s')	P
88	infuser	I, T
101	ingénier (s')	P
92	ingérer	T
92	ingérer (s')	P
88	ingurgiter	T
88	inhaler	T
88	inhiber	T
88	inhumer	T
88	initialer [québ.]	T
88	initialiser	T
101	initier	T
101	initier (s')	P
88	injecter	T
88	injecter (s')	P
101	injurier	T
101	injurier (s')	P
88	innerver	T
88	innocenter	T
88	innover	I, T
88	inoculer	T
88	inoculer (s')	P
88	inonder	T
88	inonder (s')	P
92	inquiéter	T
92	inquiéter (s')	P
175	inscrire	T
175	inscrire (s')	P
88	insculper	T
88	inséminer	T
88	insensibiliser	T
92	insérer	T
92	insérer (s')	P
88	insinuer	T
88	insinuer (s')	P
88	insister	I
88	insoler	T
88	insolubiliser	T
88	insonoriser	T
88	inspecter	T
88	inspirer	I, T
88	inspirer (s')	P
88	installer	T
88	installer (s')	P
88	instaurer	T
88	instaurer (s')	P
88	instiguer [belg.]	T
88	instiller	T
88	instituer	T
88	instituer (s')	P
88	institutionnaliser	T
88	institutionnaliser (s')	P
177	instruire	T
177	instruire (s')	P
88	instrumentaliser	T
88	instrumenter	I, T
88	insuffler	T
88	insulter à	I, T, Ti
88	insulter (s')	P
88	insupporter ne s'emploie qu'avec un pronom comme complément ex.: *Paul m'insupporte*	T
90	insurger	T
90	insurger (s')	P
88	intailler	T
92	intégrer à	I, T, Ti
92	intégrer (s')	P
88	intellectualiser	T
101	intensifier	T
101	intensifier (s')	P
88	intenter	T
106	interagir	I
88	intercaler	T
88	intercaler (s')	P
92	intercéder	I
88	intercepter	T
88	interclasser	T
88	interconnecter	T
173	interdire	T
173	interdire (s')	P
88	intéresser	T
88	intéresser (s')	P
92	interférer	I
92	interférer (s') [afr.]	P
101	interfolier	T
88	intérioriser	T
96	interjeter	I
88	interligner	T
88	interloquer	T

T : transitif direct (p. p. variable) — **Ti** : transitif indirect (p. p. invariable) — **I** : intransitif (p. p. invariable) — **P** : construction pronominale (auxiliaire *être*) — **impers.** : verbe impersonnel — **D** : verbe défectif — **être** : se conjugue avec l'auxiliaire *être* — **être ou avoir** : verbe se conjuguant avec l'un ou l'autre de ces auxiliaires, selon le cas (→ paragraphe 18)

88	klaxonner	I, T
88	koter [belg.]	I

l

88	labelliser	T
88	labialiser	T
88	labialiser (se)	P
88	labourer	T
88	labourer (se)	P
88	lacaniser	I, T
89	lacer	T
89	lacer (se)	P
92	lacérer	T
88	lâcher	I, T
88	laïciser	T
88	laïciser (se)	P
88	lainer	T
88	laisser	T
88	laisser (se)	P
88	laitonner	T
88	laïusser	I
88	lambiner	I
88	lambrisser	T
88	lamenter	I, T
88	lamenter (se)	P
88	lamer	T
88	laminer	T
88	lamper	T
88	lancequiner	I
89	lancer	T
89	lancer (se)	P
88	lanciner	I, T
90	langer	T
102	langueyer	T
106	languir	I
106	languir (se)	P
88	lansquiner	I
88	lanterner	I, T
88	laper	I, T
88	lapider	T
101	lapidifier	T
101	lapidifier (se)	P
88	lapiner	I
88	laquer	T
88	larder	T
88	lardonner	T
88	larguer	T
103	larmoyer	I
88	lasser	I, T
88	lasser (se)	P
88	latiniser	I, T
88	latter	T
88	laver	T
88	laver (se)	P
102	layer	T
92	lécher	T
92	lécher (se)	P
88	légaliser	T
88	légender	T
92	légiférer	I
88	légitimer	T
92	léguer	T
92	léguer (se)	P
88	lemmatiser	T
101	lénifier	T
92	léser	T
88	lésiner	I
88	lessiver	T
88	lester	T
88	lester (se)	P
88	leurrer	T
88	leurrer (se)	P
91	lever	I, T
91	lever (se)	P
90	léviger	T
88	léviter	I
88	levretter	I
88	lexicaliser (se)	P
88	lézarder	I, T
88	lézarder (se)	P
88	liaisonner	T
88	liarder	I
88	libaniser (se) [afr.]	P
88	libeller	T
88	libéraliser	T
88	libéraliser (se)	P
92	libérer	T
92	libérer (se)	P
101	licencier	T
88	licher	I, T
88	lichetrogner	I, T
88	liciter	T
100	liéger	T
101	lier	T
101	lier (se)	P
88	lifter	T
88	ligaturer	T
88	ligner	T
101	lignifier (se)	P
88	ligoter	T
88	liguer	T
88	liguer (se)	P
88	limander	T
88	limer	I, T
88	limer (se)	P
88	limiter	T
88	limiter (se)	P
90	limoger	T
88	limoner	T
88	limousiner	T
90	linger	T
90	linger (se)	P
101	liquéfier	T
101	liquéfier (se)	P
88	liquider	T
172	lire	I, T
172	lire (se)	P
88	lisbroquer	I
91	liserer	T
91	liserer (se)	P
92	lisérer	T
92	lisérer (se)	P
88	lisser	T
88	lister	T
88	liter	T
101	lithographier	T
88	litroner	I
88	livrer	T
88	livrer (se)	P
88	lober	T
88	lobotomiser	T
88	localiser	T
88	localiser (se)	P
88	locher	I, T
88	lock(-)outer	T
88	lofer	I
90	loger	I, T
90	loger (se)	P
88	loguer [afr.]	I
90	longer	T
88	looser	I
88	loquer	T
88	loquer (se)	P
98	loqueter	I, T
88	lorgner	T
88	lotionner	T
106	lotir	T
90	louanger	T
88	loucher	I
106	louchir	I
88	louer	T
88	louer (se)	P
88	loufer	I

N°	Verbe	Construction
88	louper	I, T
88	louper (se)	P
88	louquer	T
88	lourder	T
88	lourer	T
88	louver	T
98	louveter	I
103	louvoyer	I
88	lover	T
88	lover (se)	P
101	lubrifier	T
90	luger	I
178	luire	I
88	luncher	I
88	lustrer	T
88	luter	T
88	lutiner	T
88	lutter	I
88	luxer	T
88	luxer (se)	P
88	lyncher	T
88	lyophiliser	T
88	lyrer québ.	I
88	lyser	T

m

N°	Verbe	Construction
88	macadamiser	T
88	macchaber (se)	P
92	macérer	I, T
88	mâcher	T
88	machicoter	I
88	machiner	T
88	mâchonner	T
88	mâchouiller	T
88	mâchurer	T
88	macler	I, T
88	maçonner	T
88	macquer	T
88	maculer	T
101	madéfier	T
88	madériser	T
88	madériser (se)	P
88	madrigaliser	I
88	maganer québ.	T
88	maganer (se) québ.	P
88	magasiner québ.	I, T
88	magner (se)	P
88	magnétiser	T
88	magnétoscoper	T
101	magnifier	T
88	magoter afr.	T
88	magouiller	I, T
106	maigrir	I, T
88	mailler	I, T
147	mainmettre	T
109	maintenir	T
109	maintenir (se)	P
88	maîtriser/maitriser	T
88	maîtriser/maitriser (se)	P
88	majorer	T
88	malaxer	T
153	malfaire seulement à l'infinitif	I, D
88	malléabiliser	T
88	mallouser	T
91	malmener	T
88	malter	T
88	maltraiter	T
88	mamelonner	T
90	manager	T
88	manchonner	T
88	mandater	T
88	mander	T
100	manéger	T
88	mangeot(t)er	T
90	manger	T
90	manger (se)	P
101	manier	T
101	manier (se)	P
92	maniérer	T
92	maniérer (se)	P
88	manifester	I, T
88	manifester (se)	P
89	manigancer	T
89	manigancer (se)	P
88	manipuler	T
88	mannequiner	T
88	manœuvrer	I, T
88	manoquer	T
88	manquer à, de	I, T, Ti
88	manquer (se)	P
88	mansarder	T
88	manucurer	T
88	manufacturer	T
88	manutentionner	T
88	mapper	T
88	maquer	T
88	maquer (se)	P
88	maquetter	T
88	maquignonner	T
88	maquiller	T
88	maquiller (se)	P
88	marabouter afr.	T
88	maratoner afr.	I
88	marauder	I, T
88	maraver	I, T
88	marbrer	T
88	marchander	I, T
88	marcher	I
88	marcotter	T
88	margauder	I
90	marger	I, T
88	marginaliser	T
88	marginaliser (se)	P
88	marginer	T
88	margot(t)er	I
101	marier	T
101	marier (se)	P
88	mariner	I, T
88	marivauder	I
98	marketer	T
92	markéter	T
88	marmiter	T
88	marmonner	T
88	marmoriser	T
88	marmotter	I, T
88	marner	I, T
88	maronner	I
88	maroquiner	T
88	maroufler	T
88	marquer	I, T
88	marquer (se)	P
98	marqueter	T
88	marrer (se)	P
88	marronner	I
88	marsouiner	I
93	marteler	T
88	martyriser	T
88	marxiser	T
88	masculiniser	T
88	masquer	I, T
88	masquer (se)	P
88	massacrer	T
88	massacrer (se)	P

T : transitif direct (p. p. variable) — **Ti** : transitif indirect (p. p. invariable) — **I** : intransitif (p. p. invariable) — **P** : construction pronominale (auxiliaire *être*) — **impers.** : verbe impersonnel — **D** : verbe défectif — ***être*** : se conjugue avec l'auxiliaire *être* — ***être* ou *avoir*** : verbe se conjuguant avec l'un ou l'autre de ces auxiliaires, selon le cas (→ paragraphe 18)

88 masser ... T
88 masser (se) ... P
88 massicoter ... T
101 massifier ... T
92 mastéguer ... I, T
88 mastiquer ... I, T
88 masturber ... T
88 masturber (se) ... P
88 matabicher afr. ... T
88 matcher ... I, T
88 matelasser ... T
88 mater ... I, T
88 mâter ... T
88 matérialiser ... T
88 matérialiser (se) ... P
88 materner ... T
88 materniser ... T
88 mathématiser ... T
88 mâtiner ... T
106 matir ... T
88 matouser ... I, T
88 matraquer ... T
89 matricer ... T
88 matriculer ... T
88 maturer ... T
106 maudire ... T
part. passé : *maudit, te, ts, tes*
99 maugréer ... I, T
88 maximaliser ... T
88 maximiser ... T
88 mazouter ... I, T
88 mécaniser ... T
92 mécher ... T
88 mécompter (se) ... P
177 méconduire (se) belg. ... P
155 méconnaître/
méconnaitre ... T
88 mécontenter ... T
161 mécroire ... T
88 médailler ... T
88 médiatiser ... T
88 médicaliser ... T
88 médicamenter ... T
173 médire de ... Ti
88 médiser ... I
88 méditer ... I, T
88 méduser ... T
153 méfaire ... I, D
seulement à l'infinitif
101 méfier (se) ... P
106 mégir ... T
88 mégisser ... T
88 mégoter ... I, T
90 méjuger de ... T, Ti
90 méjuger (se) ... P
90 mélanger ... T
90 mélanger (se) ... P
88 mêler ... T
88 mêler (se) ... P
92 mémérer québ. ... I, T
88 mémoriser ... I, T
89 menacer ... I, T
90 ménager ... T
90 ménager (se) ... P
101 mendier ... I, T
88 mendigoter ... I, T
91 mener ... I, T
88 menotter ... T
88 mensualiser ... T
88 mensurer ... T
88 mentionner ... T
111 mentir à ... I, Ti
111 mentir (se) ... P
p. p. invariable
88 menuiser ... T
144 méprendre (se) ... P
88 mépriser ... T
88 mépriser (se) ... P
88 mercantiliser ... T
88 merceriser ... T
88 merder ... I
103 merdoyer ... I
88 meringuer ... T
88 mériter de ... T, Ti
101 mésallier (se) ... P
88 mésestimer ... T
138 mess(e)oir ... I, D
seulement au part. présent, à l'infinitif et aux 3es pers. du subj. présent et de l'ind. présent, imparfait, futur simple et cond. présent
88 mesurer ... I, T
88 mesurer (se) ... P
88 mésuser de ... Ti
88 métaboliser ... T
88 métalliser ... T
88 métamorphiser ... T
88 métamorphoser ... T
88 métamorphoser (se) ... P
88 métaphoriser ... T
88 météoriser ... T
88 métisser ... T
92 métrer ... T
147 mettre ... T
147 mettre (se) ... P
88 meubler ... T
88 meubler (se) ... P
88 meugler ... I
88 meuler ... T
106 meurtrir ... T
143 mévendre ... T
88 miauler ... I
88 michetonner ... I
88 microfilmer ... T
88 microniser ... T
88 mignarder ... T
88 mignoter ... T
88 mignoter (se) ... P
88 migrer ... I
88 mijoler belg. ... I
88 mijoter ... I, T
88 mijoter (se) ... P
88 militariser ... T
88 militer ... I
88 millésimer ... T
88 mimer ... T
88 minauder ... I
106 mincir ... I
88 miner ... T
88 minéraliser ... T
88 miniaturer ... T
88 miniaturiser ... T
88 minimiser ... T
88 minorer ... T
88 minuter ... T
88 mirer ... T
88 mirer (se) ... P
88 miroiter ... I
88 miser ... I, T
92 misérer afr. ... I
88 mitarder ... T
88 miter ... I
88 miter (se) ... P
88 mithridatiser ... T
88 mithridatiser (se) ... P
90 mitiger ... T
88 mitonner ... I, T
88 mitonner (se) ... P
88 mitrailler ... I, T
88 mixer ... T
88 mixtionner ... T
88 mobiliser ... T
88 mobiliser (se) ... P

N°	Verbe	Construction
93	modeler	T
93	modeler (se)	P
88	modéliser	T
92	modérer	T
92	modérer (se)	P
88	moderniser	T
88	moderniser (se)	P
101	modifier	T
101	modifier (se)	P
88	moduler	I, T
88	mofler [belg.]	T
88	moirer	T
88	moiser	T
106	moisir	I
88	moissonner	T
88	moiter	I
106	moitir	T
88	molester	T
98	moleter	T
88	mollarder	I, T
88	molletonner	T
106	mollir	I, T
101	momifier	T
101	momifier (se)	P
88	monder	T
88	mondialiser	T
88	mondialiser (se)	P
88	monétiser	T
102	monnayer	T
88	monologuer	I
88	monopoliser	T
88	monter	T, *avoir*
88	monter	I, *être* (ou *avoir*)
88	monter (se)	P, *être*
88	montrer	T
88	montrer (se)	P
88	moquer	T
88	moquer (se)	P
88	moquetter	T
88	moraliser	I, T
97	morceler	T
89	mordancer	T
88	mordiller	I, T
88	mordorer	T
143	mordre à	I, T, Ti
143	mordre (se)	P
88	morfaler	I
88	morfiler	T
88	morfler	T
143	morfondre (se)	P
92	morigéner	T
88	mornifler	T
88	mortaiser	T
101	mortifier	T
101	mortifier (se)	P
88	motamoter [afr.]	I
88	motionner	I
88	motiver	T
88	motoriser	T
88	motter (se)	P
88	moucharder	I, T
88	moucher	I, T
88	moucher (se)	P
88	moucheronner	I
98	moucheter	T
169	moudre	T
95	moueter	I
88	mouetter	I
98	moufeter surtout à l'inf. et aux temps composés	I, D
88	moufter surtout à l'infinitif, à l'ind. imparfait et aux temps composés	I, D
88	mouillasser [québ.]	impers.
88	mouiller	I, T
88	mouiller (se)	P
88	mouler	I, T
88	mouliner	I, T
88	moulurer	T
120	mourir	I, *être*
120	mourir (se)	P, D
88	mouronner	I
88	mouronner (se)	P
88	mousser	I
88	moutonner	I
88	mouvementer	T
88	mouver	I
88	mouver (se)	P
131	mouvoir	T
131	mouvoir (se)	P
88	moyenner	I, T
88	mucher	T
88	muer	I, T
88	muer (se)	P
106	mugir	I
98	mugueter	T
88	muloter	I
88	multiplexer	T
101	multiplier	I, T
101	multiplier (se)	P
88	municipaliser	T
106	munir	T
106	munir (se)	P
88	munitionner	T
88	murailler	T
88	murer	T
88	murer (se)	P
106	mûrir/murir	I, T
88	murmurer	I, T
88	musarder	I
88	muscler	T
97	museler	T
88	muser	I
88	muser (se)	P
88	musiquer	I, T
88	musquer	T
88	musser	T
88	musser (se)	P
88	muter	I, T
88	mutiler	T
88	mutiler (se)	P
88	mutiner (se)	P
88	mutualiser	T
101	mystifier	T
101	mythifier	I, T

n

N°	Verbe	Construction
88	nacrer	T
88	nacrer (se)	P
90	nager	I, T
156	naître/naitre	I, *être*
101	nanifier	T
106	nantir	T
106	nantir (se)	P
88	napper	T
88	narguer	T
88	narrer	T
88	nasaliser	T
88	nasaliser (se)	P
88	nasiller	I, T
88	natchaver	I
88	nationaliser	T

T : transitif direct (p. p. variable) — **Ti** : transitif indirect (p. p. invariable) — **I** : intransitif (p. p. invariable) — **P** : construction pronominale (auxiliaire *être*) — **impers.** : verbe impersonnel — **D** : verbe défectif — ***être*** : se conjugue avec l'auxiliaire *être* — ***être* ou *avoir*** : verbe se conjuguant avec l'un ou l'autre de ces auxiliaires, selon le cas (→ paragraphe 18)

88	natter	T
88	naturaliser	T
90	naufrager	I
88	navaler (se)	P
88	naviguer	I
88	navrer	T
88	néantiser	T
88	néantiser (se)	P
88	nécessiter	T
88	nécroser	T
88	nécroser (se)	P
90	négliger	T
90	négliger (se)	P
101	négocier	I, T
101	négocier (se)	P
101	négrifier [afr.]	T
88	neigeoter	impers.: *il neigeote*
90	neiger	impers.: *il neige*
88	nervurer	T
103	nettoyer	T
88	neutraliser	T
88	neutraliser (se)	P
88	niaiser	I
88	nicher	I, T
88	nicher (se)	P
97	nickeler	T
88	nicotiniser	T
101	nidifier	I
88	nieller	T
101	nier	I, T
88	nigérianiser [afr.]	T
88	nimber	T
88	nimber (se)	P
88	nipper	T, P
88	nipper (se)	P
88	niquer	I, T
88	nitrater	T
88	nitrer	T
101	nitrifier	T
101	nitrifier (se)	P
88	nitrurer	T
88	nivaquiner [afr.]	I
97	niveler	T
88	nobscuriter [afr.]	I
89	nocer	I
106	noircir	I, T
106	noircir (se)	P
88	noliser	T
88	nomadiser	I
88	nombrer	T
88	nominaliser	T
88	nommer	T
88	nommer (se)	P
89	noncer [afr.]	I
88	noper	T
106	nordir	I
88	normaliser	T
88	normaliser (se)	P
88	noter	T
101	notifier	T
88	nouer	I, T
88	nouer (se)	P
106	nourrir	I, T
106	nourrir (se)	P
88	nover	I, T
88	noyauter	T
103	noyer	T
103	noyer (se)	P
89	nuancer	T
88	nucléariser	T
99	nucléer	T
88	nuer	T
177	nuire à	Ti
177	nuire (se) p. p. invariable	P
88	numériser	T
88	numéroter	T
88	numéroter (se)	P

O

106	obéir à	Ti
92	obérer	T
92	obérer (s')	P
88	objecter	T
88	objectiver	T
88	objectiver (s')	P
88	objurguer	I
90	obliger	T
90	obliger (s')	P
88	obliquer	I
92	oblitérer	T
88	obnubiler	T
88	obombrer	T
106	obscurcir	T
106	obscurcir (s')	P
92	obséder	T
88	observer	T
88	observer (s')	P
88	obstiner (s')	P
88	obstruer	T
88	obstruer (s')	P
92	obtempérer à	I, Ti
109	obtenir	T
109	obtenir (s')	P
88	obturer	T
109	obvenir	I, *être*
101	obvier à	Ti
88	occasionner	T
88	occidentaliser	T
88	occidentaliser (s')	P
	occire seulement à l'inf., aux temps composés et au part. passé: *occis, e, es*	T, D
165	occlure	T
88	occulter	T
88	occuper	T
88	occuper (s')	P
88	ocrer	T
101	octavier	I, T
103	octroyer	T
103	octroyer (s')	P
88	octupler	T
88	œilletonner	T
88	œuvrer	I
88	offenser	T
88	offenser (s')	P
88	officialiser	T
101	officier	I
113	offrir	T
113	offrir (s')	P
88	offusquer	T
88	offusquer (s')	P
149	oindre	T, D
149	oindre (s')	P
97	oiseler	I, T
90	ombrager	T
88	ombrer	T
147	omettre	T
103	ondoyer	I, T
88	onduler	I, T
101	opacifier	T
101	opacifier (s')	P
88	opaliser	T
92	opérer	I, T
92	opérer (s')	P
89	opiacer	T
88	opiner	I
88	opiniâtrer (s')	P
88	opposer	T
88	opposer (s')	P
88	oppresser	T

88	opprimer	T
88	opter	I
88	optimaliser	T
88	optimiser	T
88	oraliser	T
90	oranger	T
88	orbiter	I
88	orchestrer	T
89	ordonnancer	T
88	ordonner	I, T
88	ordonner (s')	P
88	organiser	T
88	organiser (s')	P
88	organsiner	T
88	orienter	T
88	orienter (s')	P
88	oringuer	T
88	ornementer	T
88	orner	T
88	orner (s')	P
101	orthographier	I, T
101	orthographier (s')	P
88	osciller	I
88	oser	T
101	ossifier	T
101	ossifier (s')	P
88	ostraciser	T
88	ôter	T
88	ôter (s')	P
88	ouater	T
88	ouatiner	T
101	oublier	I, T
101	oublier (s')	P
88	ouiller	I, T
123	ouïr	T, D
	surtout à l'infinitif, à l'impératif et aux temps composés	
88	ourder (s')	P
106	ourdir	T
106	ourdir (s')	P
88	ourler	T
88	outiller	T
88	outiller (s')	P
90	outrager	T
88	outrepasser	T
88	outrer	T
90	ouvrager	T
88	ouvrer	I, T
113	ouvrir	I, T
113	ouvrir (s')	P
88	ovaliser	T
88	ovationner	T
88	ovuler	I
88	oxyder	T
88	oxyder (s')	P
92	oxygéner	T
92	oxygéner (s')	P
88	ozoniser	T

p

90	pacager	I, T
101	pacifier	T
88	pacquer	T
88	pactiser	I
88	paddocker (se)	P
88	paganiser	I, T
102	pagayer	I
90	pager	I
90	pager (se)	P
88	pageoter (se)	P
88	paginer	T
88	pagnoter (se)	P
88	paillarder	I
88	paillarder (se)	P
88	paillassonner	T
88	pailler	T
98	pailleter	T
88	paillonner	T
97	paisseler	T
157	paître/paitre	I, T, D
	pas de passé simple ni de subjonctif imparfait et s'emploie aux temps simples seulement	
88	pajoter (se)	P
88	palabrer	I
88	palancrer	T
88	palangrer	T
88	palanguer	I, T
88	palanquer	I, T
88	palataliser	T
98	paleter	T
88	palettiser	T
106	pâlir	I, T
88	palissader	T
88	palisser	T
88	palissonner	T
101	pallier	T
88	palmer	T
88	paloter	T
88	palper	T
88	palpiter	I
88	pâmer (se)	P
88	panacher	I, T
88	panacher (se)	P
88	paner	T
101	panifier	T
88	paniquer	I, T
88	paniquer (se)	P
88	panneauter	I, T
88	panner	T
88	panoramiquer	I
88	panser	T
97	panteler	I
88	pantoufler	I
88	papillonner	I
88	papilloter	I, T
88	papoter	I
88	papouiller	T
98	paqueter	T
98	paqueter (se)	P
91	parachever	T
88	parachuter	T
88	parader	I
88	parafer	T
88	paraffiner	T
88	paraisonner	T
155	paraître/paraitre	I
	avoir (ou *être*)	
88	paralléliser	T
88	paralyser	T
92	paramétrer	T
88	parangonner	T
88	parapher	T
88	paraphraser	T
88	parasiter	T
88	parcellariser	T
88	parceller	T
88	parcelliser	T
88	parcelliser (se)	P
88	parcheminer	T
88	parcheminer (se)	P
119	parcourir	T

T: transitif direct (p. p. variable) — **Ti**: transitif indirect (p. p. invariable) — **I**: intransitif (p. p. invariable) — **P**: construction pronominale (auxiliaire *être*) — **impers.**: verbe impersonnel — **D**: verbe défectif — ***être***: se conjugue avec l'auxiliaire *être* — ***être*** ou ***avoir***: verbe se conjuguant avec l'un ou l'autre de ces auxiliaires, selon le cas (→ paragraphe 18)

88 pardonner à .... I, T, Ti
88 pardonner (se) .... P
88 parementer .... T
88 parer à .... T, Ti
88 parer (se) .... P
88 paresser I
153 parfaire .... T
88 parfiler .... T
143 parfondre .... T
88 parfumer .... T
88 parfumer (se) .... P
101 parier .... I, T
88 parjurer (se) .... P
88 parkériser .... T
88 parlementer I
88 parler de, à .... I, T, Ti
88 parler (se) .... P
p. p. souvent invariable
88 parloter I
101 parodier .... T
88 parquer .... I, T
98 parqueter .... T
88 parrainer .... T
91 parsemer .... T
90 partager .... T
90 partager (se) .... P
88 participer à, de ....Ti
88 particulariser .... T
88 particulariser (se) .... P
111 partir .... I, *être*
partir (*partager*) .... T, D
seulement à l'infinitif dans l'expression *avoir maille à partir*
88 partouzer I
109 parvenir à .... I, Ti, *être*
88 passementer .... T
88 passepoiler .... T
88 passer .... T, *avoir*
88 passer ...... I, *être* (ou *avoir*)
88 passer (se) .... P, *être*
88 passionner .... T
88 passionner (se) .... P
88 pasteller .... I, T
88 pasteuriser .... T
88 pasticher .... T
88 pastiller .... T
88 pastiquer I
88 patafioler .... T
90 patauger I
88 pateliner .... I, T
88 patenter québ. .... T
88 pâter I
88 patienter I
88 patienter (se) afr. .... P
88 patiner .... I, T
88 patiner (se) .... P
106 pâtir I
88 pâtisser I
88 patoiser I
88 patouiller .... I, T
88 patronner .... T
88 patrouiller I
88 patter .... T
88 pâturer .... I, T
88 paumer .... T
88 paumer (se) .... P
103 paumoyer .... T
88 paupériser .... T
88 pauser I
88 pavaner (se) .... P
88 paver .... T
88 pavoiser .... I, T
102 payer.................... I, T
102 payer (se).................. P
88 peaufiner .... T
88 peausser I
92 pécher I
88 pêcher .... I, T
88 pêcher (se) .... P
88 pecquer afr. I
88 pédaler I
88 peigner .... T
88 peigner (se) .... P
148 peindre .... I, T
148 peindre (se) .... P
88 peiner .... I, T
88 peinturer .... T
88 peinturlurer .... T
93 peler .... I, T
93 peler (se) .... P
88 peller .... T
98 pelleter .... T
88 peloter .... I, T
88 pelotonner .... T
88 pelotonner (se) .... P
88 pelucher I
88 pembeniser afr. .... T
88 pénaliser .... T
88 pencher .... I, T
88 pencher (se) .... P
88 pendiller I
88 pendouiller I
143 pendre .... I, T
143 pendre (se) .... P
88 penduler I
92 pénétrer .... I, T
92 pénétrer (se) .... P
88 penser à .... I, T, Ti
88 pensionner .... T
101 pépier I
89 percer .... I, T
125 percevoir .... T
88 percher .... I, T
88 percher (se) .... P
88 percuter .... I, T
143 perdre .... I, T
143 perdre (se) .... P
88 perdurer I
88 pérégriner I
88 pérenniser .... T
88 péréquater belg. .... T
88 perfectionner .... T
88 perfectionner (se) .... P
88 perforer .... T
88 perfuser .... T
88 péricliter I
88 périmer (se) .... P
88 périphraser I
106 périr I
88 perler .... I, T
88 permanenter .... T
88 perméabiliser .... T
147 permettre .... T
147 permettre (se) .... P
88 permuter .... I, T
88 permuter (se) .... P
88 pérorer I
88 peroxyder .... T
92 perpétrer .... T
92 perpétrer (se) .... P
88 perpétuer .... T
88 perpétuer (se) .... P
88 perquisitionner I
88 persécuter .... T
92 persévérer I
88 persi(f)fler .... T
88 persiller .... T
88 persister I
88 personnaliser .... T
101 personnifier .... T
88 persuader .... T
88 persuader (se) .... P

88 perturber T
106 pervertir T
106 pervertir (se) P
88 pervibrer T
91 peser I, T
91 peser (se) P
88 pessigner T
88 pesteller [belg.] I
88 pester I
92 pestiférer T
88 pétarader I
88 pétarder I, T
92 péter I, T
92 péter (se) P
88 pétiller I
88 petit-déjeuner I
88 pétitionner I
88 pétocher I
88 pétrarquiser I
101 pétrifier T
101 pétrifier (se) P
106 pétrir T
88 pétuner I
88 peupler T
88 peupler (se) P
88 phagocyter T
88 phantasmer I, T
88 phaser [afr.] I
88 philosopher I
88 phosphater T
88 phosphorer I
101 photocopier T
101 photographier T
88 phraser I, T
88 phrasicoter I
88 piaffer I
88 piailler I
88 pianoter I, T
88 piauler I
88 picoler I, T
88 picorer I, T
88 picosser [québ.] I, T
88 picoter T
88 picter I, T
100 piéger T
88 pierrer T
92 piéter I
92 piéter (se) P

88 piétiner I, T
88 pieuter (se) P
88 pif(f)er T
88 pigeonner T
90 piger I, T
88 pigmenter T
88 pignocher I, T
88 piler I, T
88 pîler/piler [belg.] I
88 piller T
88 pilonner T
88 piloter T
88 piluler [afr.] I
88 pimenter T
88 pimer [afr.] T
88 pinailler I
89 pincer I, T
89 pincer (se) P
98 pinceter T
88 pindariser I
88 pindouler [afr.] I
88 pingler T
88 pinter I
88 pinter (se) P
88 piocher I, T
90 pioger I
89 pioncer I
88 pionner I
88 piper I, T
88 pique(-)niquer I
88 piquer I, T
88 piquer (se) P
98 piqueter T
88 piquouser T
88 pirater I, T
88 pirouetter I
88 pisser I, T
88 pissoter I
88 pistacher (se) P
88 pister T
88 pistonner T
88 pitancher T
88 piter [belg.] I
88 pitonner I
88 pivoter I
88 pixéliser T
88 placarder T
89 placer T

89 placer (se) P
88 placoter [québ.] I
88 plafonner I, T
101 plagier I, T
88 plaider I, T
150 plaindre T
150 plaindre (se) P
88 plainer T
154 plaire à I, Ti
154 plaire (se) P
p. p. invariable
88 plaisanter I, T
101 planchéier T
88 plancher I
88 planer I, T
101 planifier T
88 planquer I, T
88 planquer (se) P
88 planter T
88 planter (se) P
88 plaquer T
88 plaquer (se) P
101 plasmifier T
101 plastifier T
88 plastiquer T
88 plastronner I, T
88 platiner T
88 platiniser T
88 plâtrer T
88 plébisciter T
88 plecquer [belg.] I
88 pleurer I, T
88 pleurnicher I
88 pleuvasser impers.: *il pleuvasse*
88 pleuviner impers.: *il pleuvine*
88 pleuvioter impers.: *il pleuviote*
132 pleuvoir I, impers.: *il pleut*
88 pleuvoter impers.: *il pleuvote*
101 plier I, T
101 plier (se) P
88 plisser I, T
88 plisser (se) P
88 plomber T

T : transitif direct (p. p. variable) — **Ti** : transitif indirect (p. p. invariable) — **I** : intransitif (p. p. invariable) — **P** : construction pronominale (auxiliaire *être*) — **impers.** : verbe impersonnel — **D** : verbe défectif — ***être*** : se conjugue avec l'auxiliaire *être* — ***être* ou *avoir*** : verbe se conjuguant avec l'un ou l'autre de ces auxiliaires, selon le cas (→ paragraphe 18)

88 plomber (se) ... P
90 plonger ... I, T
90 plonger (se) ... P
88 ploquer ... T
88 ploquer (se) ... P
103 ployer ... I, T
88 plucher ... I
88 plumer ... I, T
88 plumer (se) ... P
88 pluviner ... impers.: *il pluvine*
88 pocharder (se) ... P
88 pocher ... I, T
98 pocheter ... T
88 podzoliser ... T
88 poêler ... T
88 poétiser ... T
88 pogner ... T
88 poignarder ... T
88 poiler (se) ... P
88 poinçonner ... T
149 poindre ... I, T
88 pointer ... I, T
88 pointer (se) ... P
88 pointiller ... I, T
88 poireauter ... I
88 poiroter ... I
88 poisser ... I, T
88 poivrer ... T
88 poivrer (se) ... P
88 poivroter (se) ... P
88 polariser ... T
88 polariser (se) ... P
88 polémiquer ... I
89 policer ... T
106 polir ... T
106 polir (se) ... P
88 polissonner ... I
88 politiquer ... I
88 politiser ... T
88 politiser (se) ... P
88 polluer ... I, T
101 polycopier ... T
88 polymériser ... T
88 pommader ... T
88 pommader (se) ... P
97 pommeler (se) ... P
88 pommer ... I
88 pomper ... I, T
88 pomponner ... T
88 pomponner (se) ... P
89 poncer ... T
88 ponctionner ... T
88 ponctuer ... T
92 pondérer ... T
143 pondre ... I, T
88 ponter ... I, T
101 pontifier ... I
88 pontiller ... T
88 populariser ... T
88 populariser (se) ... P
88 poquer ... I
88 porphyriser ... T
88 porter sur ... I, T, Ti
88 porter (se) ... P
88 portraiturer ... T
88 poser ... I, T
88 poser (se) ... P
88 positionner ... T
88 positionner (se) ... P
88 positiver ... I, T
92 posséder ... T
92 posséder (se) ... P
88 postdater ... T
88 poster ... T
88 poster (se) ... P
88 posticher ... I
88 postillonner ... I
88 postposer ... T
88 postsynchroniser ... T
88 postuler ... I, T
88 potasser ... I, T
88 potentialiser ... T
88 poter belg. ... I
88 potiner ... I
88 poudrer ... T
88 poudrer (se) ... P
103 poudroyer ... I
88 pouffer ... I
88 pouliner ... I
88 pouponner ... I
88 pourchasser ... T
88 pourchasser (se) ... P
143 pourfendre ... T
92 pourlécher ... T
92 pourlécher (se) ... P
88 pourprer (se) ... P
106 pourrir ... I, T
106 pourrir (se) ... P
170 poursuivre ... T
170 poursuivre (se) ... P
127 pourvoir à ... T, Ti
127 pourvoir (se) ... P
88 pousser ... I, T
88 pousser (se) ... P
88 poutser ... T
130 pouvoir ... I, T
130 pouvoir (se) ... P, impers.: *il se peut*
88 praliner ... T
88 pratiquer ... I, T
88 pratiquer (se) ... P
95 préacheter ... T
88 préaviser ... T
88 précariser ... T
88 précariser (se) ... P
88 précautionner ... T
88 précautionner (se) ... P
92 précéder ... I, T
88 préchauffer ... T
88 prêcher ... I, T
88 précipiter ... T
88 précipiter (se) ... P
88 préciser ... I, T
88 préciser (se) ... P
88 précompter ... T
88 préconiser ... T
177 précuire ... T
88 prédestiner ... T
88 prédéterminer ... T
88 prédiquer ... T
173 prédire ... T
88 prédisposer ... I, T
88 prédominer ... I
88 préempter ... T
106 préétablir ... T
88 préexister ... I
88 préfabriquer ... T
89 préfacer ... T
92 préférer ... I, T
92 préférer (se) ... P
88 préfigurer ... T
88 préfixer ... T
88 préformer ... T
101 préjudicier ... I
90 préjuger de ... T, Ti
88 prélasser (se) ... P
91 prélever ... T
88 préluder à ... I, Ti
88 préméditer de ... T, Ti
106 prémunir ... T
106 prémunir (se) ... P
144 prendre ... I, T

144	prendre (se)	P
88	prénommer	T
88	prénommer (se)	P
88	préoccuper	T
88	préoccuper (se)	P
88	préparer	T
88	préparer (se)	P
102	prépayer	T
88	prépensionner [belg.]	T
88	préposer	T
92	prérégler	T
90	présager	T
175	prescrire	I, T
175	prescrire (se)	P
88	présélectionner	T
88	présenter	I, T
88	présenter (se)	P
88	préserver	T
88	préserver (se)	P
88	présider à	I, T, Ti
111	pressentir	T
88	presser	I, T
88	presser (se)	P
88	pressurer	T
88	pressurer (se)	P
88	pressuriser	T
88	prester [belg.]	T
88	présumer de	T, Ti
88	présupposer	T
88	présurer	T
143	prétendre à	T, Ti
143	prétendre (se)	P
88	prêter à	I, T, Ti
88	prêter (se)	P
88	prétexter	T
134	prévaloir	I
134	prévaloir (se)	P
88	prévariquer	I
109	prévenir	T
126	prévoir	T
101	prier	I, T
88	primariser	T
88	primer	I, T
88	priser	I, T
88	privatiser	T
88	priver	T
88	priver (se)	P
101	privilégier	T
88	prober [belg.]	T
92	procéder à, de	I, Ti
88	processionner	I
88	proclamer	T
88	proclamer (se)	P
99	procréer	T
88	procurer	T
88	procurer (se)	P
88	prodiguer	T
88	prodiguer (se)	P
177	produire	I, T
177	produire (se)	P
88	profaner	T
92	proférer	T
88	professer	I, T
88	professionnaliser	T
88	professionnaliser (se)	P
88	profiler	T
88	profiler (se)	P
88	profiter à, de	Ti
88	programmer	I, T
88	progresser	I
88	prohiber	T
96	projeter	T
96	projeter (se)	P
88	prolétariser	T
92	proliférer	I
90	prolonger	T
90	prolonger (se)	P
91	promener	T
91	promener (se)	P
147	promettre	I, T
147	promettre (se)	P
88	promotionner	T
131	promouvoir	T
88	promulguer	T
88	prôner	I, T
89	prononcer	I, T
89	prononcer (se)	P
88	pronostiquer	T
90	propager	T
90	propager (se)	P
88	prophétiser	I, T
88	proportionner	T
88	proportionner (se)	P
88	proposer	I, T
88	proposer (se)	P
88	propulser	T
88	propulser (se)	P
90	proroger	T
90	proroger (se)	P
175	proscrire	T
101	prosodier	T
88	prospecter	I, T
92	prospérer	I
88	prosterner	T
88	prosterner (se)	P
88	prostituer	T
88	prostituer (se)	P
100	protéger	T
100	protéger (se)	P
88	protester de	I, T, Ti
88	prouter	I
88	prouver	T
88	prouver (se)	P
109	provenir	I, *être*
88	proverbialiser	T
88	provigner	I, T
88	provisionner	T
88	provoquer	T
88	provoquer (se)	P
88	pruner	T
101	psalmodier	I, T
88	psychanalyser	T
88	psychiatriser	T
101	publier	I, T
88	puddler	T
88	puer	I, T
88	puiser	I, T
88	pulluler	I
88	pulser	T
88	pulvériser	T
88	punaiser	T
106	punir	T
90	purger	T
90	purger (se)	P
101	purifier	T
101	purifier (se)	P
101	putréfier	T
101	putréfier (se)	P
88	pyramider	I
88	pyrograver	T

q, r

88	quadriller	T
88	quadrupler	I, T

T : transitif direct (p. p. variable) — **Ti** : transitif indirect (p. p. invariable) — **I** : intransitif (p. p. invariable) — **P** : construction pronominale (auxiliaire *être*) — **impers.** : verbe impersonnel — **D** : verbe défectif — ***être*** : se conjugue avec l'auxiliaire *être* — ***être*** ou ***avoir*** : verbe se conjuguant avec l'un ou l'autre de ces auxiliaires, selon le cas (→ paragraphe 18)

101 qualifier ....T
101 qualifier (se) ....P
101 quantifier ....T
88 quarderonner ....T
88 quarrer ....T
90 quartager ....T
88 quarter ....T
88 québéciser ....T
88 quémander ....I, T
88 quereller ....T
88 quereller (se) ....P
110 quérir ....T, D
88 questionner ....T
88 questionner (se) ....P
88 quêter ....I, T
88 queuter I
88 quiller [afr.] ....T
88 quimper I
101 quintessencier ....T
88 quintupler ....I, T
89 quittancer ....T
88 quitter ....I, T
88 quitter (se) ....P
88 quotter I
88 rabâcher ....I, T
88 rabaisser ....T
88 rabaisser (se) ....P
88 rabanter ....T
146 rabattre ....I, T
146 rabattre (se) ....P
88 rabibocher ....T
88 rabibocher (se) ....P
88 rabioter ....I, T
88 rabistoquer [belg.] ....T
88 râbler ....T
106 rabonnir ....I, T
88 raboter....................T
88 raboudiner [québ.] ....T
88 raboudiner (se) [québ.] ....P
106 rabougrir ....I, T
106 rabougrir (se) ....P
88 rabouter ....T
88 rabrouer ....T
117 racabouillir [belg.] I
88 raccommoder ....T
88 raccommoder (se) ....P
88 raccompagner ....T
88 raccorder ....T
88 raccorder (se) ....P
106 raccourcir ....I, T
106 raccourcir (se) ....P
88 raccoutrer ....T
88 raccoutumer ....T
88 raccoutumer (se) ....P
88 raccrocher ....I, T
88 raccrocher (se) ....P
88 raccuser [belg.] I
88 raccuspoter [belg.] I
95 racheter ....T
95 racheter (se) ....P
88 raciner ....T
88 racketter ....T
88 racler ....T
88 racler (se) ....P
88 racoler ....T
88 raconter ....T
88 raconter (se) ....P
106 racornir ....T
106 racornir (se) ....P
88 racrapoter (se) [belg.] ....P
88 rader ....T
88 radicaliser ....T
88 radicaliser (se) ....P
101 radier ....T
88 radiner I
88 radiner (se) ....P
88 radiobaliser ....T
88 radiodiffuser ....T
101 radiographier ....T
88 radioguider ....T
88 radioscoper ....T
101 radiotélégraphier ....T
88 radoter ....I, T
88 radouber ....T
106 radoucir ....I, T
106 radoucir (se) ....P
88 rafaler [québ.] I
106 rafantir [belg.] I
106 raffermir ....T
106 raffermir (se) ....P
88 raffiner ....I, T
88 raffoler de ....Ti
88 raffûter/raffuter ....T
88 rafistoler ....T
88 rafler ....T
106 rafraîchir/rafraichir .....I, T
106 rafraîchir/rafraichir (se) ....P
106 ragaillardir ....T
90 rager I
88 ragoter I
88 ragoûter/ragouter ....T
88 ragrafer ....T
99 ragréer ....T
88 raguer I
106 raidir ....T
106 raidir (se) ....P
88 railler ....I, T
88 railler (se) ....P
88 rainer ....T
98 raineter ....T
88 rainurer ....T
152 raire ....I, D
88 raisonner de, sur..... I, T, Ti
88 raisonner (se) ....P
106 rajeunir ....I, T
106 rajeunir (se) ....P
88 rajouter ....T
88 rajuster ....T
88 rajuster (se) ....P
106 ralentir ....I, T
106 ralentir (se) ....P
88 râler I
88 ralinguer ....I, T
100 ralléger I
101 rallier ....I, T
101 rallier (se) ....P
90 rallonger ....I, T
90 rallonger (se) ....P
88 rallumer ....I, T
88 rallumer (se) ....P
90 ramager ....I, T
88 ramailler ....T
88 ramancher [québ.] ....T
88 ramander ....I, T
88 ramarrer ....T
88 ramasser ....T
88 ramasser (se) ....P
88 ramastiquer ....T
88 rambiner I
88 ramender ....T
91 ramener ....T
91 ramener (se) ....P
88 ramer ....I, T
98 rameter [belg.] I
88 rameuter ....T
88 rameuter (se) ....P
101 ramifier ....T
101 ramifier (se) ....P
106 ramollir ....T
106 ramollir (se) ....P
88 ramoner ....I, T
88 ramper I
88 rancarder ....T

N°	Verbe	Construction
88	rancarder (se)	P
106	rancir	I
106	rancir (se)	P
88	rançonner	T
88	randonner	I
90	ranger	T
90	ranger (se)	P
88	ranimer	T
88	ranimer (se)	P
88	raouster	T
88	rapailler [québ.]	T
88	rapapilloter	T
101	rapatrier	T
101	rapatrier (se)	P
88	râper	T
88	rapetasser	T
88	rapetisser	I, T
88	rapetisser (se)	P
89, 92	rapiécer	T
95	rapiéceter/rapièceter	T
88	rapiner	I
88	rapipoter [belg.]	I
106	raplatir	T
88	raplomber [québ.]	T
88	raplomber (se) [québ.]	P
106	rap(p)ointir	P
88	rappareiller	T
101	rapparier	T
94	rappeler	I, T
94	rappeler (se)	P
88	rapper	I
88	rappliquer	I
106	rappointir	T
88	rapporter	I, T
88	rapporter (se)	P
144	rapprendre	T
88	rapprocher	I, T
88	rapprocher (se)	P
101	rapproprier	T
88	rapprovisionner	T
88	rapprovisionner (se)	P
88	raquer	I, T
101	raréfier	T
101	raréfier (se)	P
88	raser	T
88	raser (se)	P
101	rassasier	T
101	rassasier (se)	P
88	rassembler	T
88	rassembler (se)	P
137	rass(e)oir part. passé *rassis, ise, ises*	I, T
137	rass(e)oir (se)	P
92	rasséréner	T
92	rasséréner (se)	P
106	rassir verbe rare : il s'emploie surtout à l'infinitif et au part. passé (*rassi, ie, is, ies*)	I
106	rassir (se)	P
137	rassoir/rasseoir	I, T
137	rassoir/rasseoir (se)	P
106	rassortir	T
106	rassortir (se)	P
88	rassurer	T
88	rassurer (se)	P
88	ratatiner	T
88	ratatiner (se)	P
88	ratatouiller	I
97	râteler	T
88	rater	I, T
88	rater (se)	P
88	ratiboiser	T
101	ratifier	T
88	ratiner	T
88	ratiociner	I
88	rationaliser	T
88	rationner	T
88	rationner (se)	P
88	ratisser	T
88	rattacher	T
88	rattacher (se)	P
88	rattraper	T
88	rattraper (se)	P
88	raturer	T
88	raugmenter	I, T
88	rauquer	I
90	ravager	T
88	ravaler	T
88	ravaler (se)	P
88	ravauder	I, T
88	ravigoter	T
106	ravilir	T
88	raviner	T
106	ravir	T
88	raviser (se)	P
88	ravitailler	T
88	ravitailler (se)	P
88	raviver	T
88	raviver (se)	P
	ravoir seulement à l'inf.	T, D
102	rayer	T
102	rayer (se)	P
88	rayonner	I, T
101	razzier	T
88	réabonner	T
88	réabonner (se)	P
88	réabsorber	T
88	réaccoutumer	T
88	réaccoutumer (se)	P
88	réactiver	T
88	réactualiser	T
88	réadapter	T
88	réadapter (se)	P
147	réadmettre	T
88	réaffirmer	T
88	réaffûter/réaffuter	T
106	réagir à	I, Ti
88	réajuster	T
88	réajuster (se)	P
92	réaléser	T
88	réaliser	T
88	réaliser (se)	P
90	réaménager	T
89	réamorcer	T
88	réanimer	T
155	réapparaître/réapparaitre *être* (ou *avoir*)	I
144	réapprendre	T
101	réapproprier (se)	P
88	réapprovisionner	T
88	réapprovisionner (se)	P
88	réargenter	T
88	réargenter (se)	P
88	réarmer	I, T
88	réarmer (se)	P
90	réarranger	T
88	réassigner	T
106	réassortir	T
106	réassortir (se)	P
88	réassurer	T
88	réassurer (se)	P

T : transitif direct (p. p. variable) — **Ti** : transitif indirect (p. p. invariable) — **I** : intransitif (p. p. invariable) — **P** : construction pronominale (auxiliaire *être*) — **impers.** : verbe impersonnel — **D** : verbe défectif — ***être*** : se conjugue avec l'auxiliaire *être* — ***être* ou *avoir*** : verbe se conjuguant avec l'un ou l'autre de ces auxiliaires, selon le cas (→ paragraphe 18)

Modèle	Verbe	Construction
88	rebaisser	I, T
88	rebander	T
88	rebaptiser	T
106	rebâtir	T
146	rebattre	T
88	rebecter	T
88	rebeller (se)	P
88	rebiffer (se)	P
88	rebiquer	I
106	reblanchir	T
88	reboiser	T
106	rebondir	I
98	rebonneter	T
88	reborder	T
88	reboucher	T
88	reboucher (se)	P
117	rebouillir	I
88	rebouiser	T
88	rebouter	T
88	reboutonner	T
88	reboutonner (se)	P
88	rebraguetter	T
88	rebraguetter (se)	P
88	rebroder	T
88	rebrousser	I, T
88	rebrousser (se)	P
88	rebuter	I, T
88	rebuter (se)	P
98	recacheter	T
88	recadrer	T
101	recalcifier	T
88	recaler	T
88	recapitaliser	T
88	récapituler	T
88	recarder	T
97	recarreler	T
88	recaser	T
88	recaser (se)	P
88	recauser	I
92	recéder	T
93	receler	I, T
92	recéler	I, T
88	recenser	T
88	recentrer	T
92	recéper	T
88	réceptionner	T
88	recercler	T
125	recevoir	I, T
125	recevoir (se)	P
106	rechampir	T
106	réchampir	T
90	rechanger	T
90	rechanger (se)	P
88	rechanter	T
88	rechaper	T
88	réchapper	I
90	recharger	T
88	rechasser	I, T
88	réchauffer	T
88	réchauffer (se)	P
88	rechausser	T
88	rechausser (se)	P
88	rechercher	T
88	rechigner à	I, Ti
88	rechristianiser	T
88	rechuter	I
88	récidiver	I
88	réciproquer belg.	I, T
88	réciter	T
88	réclamer	I, T
88	réclamer (se)	P
88	reclaper belg.	T
88	reclasser	T
88	récliner	I
163	reclore	T
163	reclore (se)	P
88	reclouer	T
165	reclure	T
165	reclure (se)	P
88	recoiffer	T
88	recoiffer (se)	P
88	récoler	T
88	recoller à	T, Ti
88	recoller (se)	P
88	recolorer	T
88	récolter	T
88	récolter (se)	P
88	recommander	T
88	recommander (se)	P
89	recommencer	I, T
155	recomparaître/recomparaitre	I
88	récompenser	T
88	récompenser (se)	P
88	recomposer	T
88	recomposer (se)	P
88	recompter	T
101	réconcilier	T
101	réconcilier (se)	P
88	recondamner	T
177	reconduire	T
88	réconforter	T
88	réconforter (se)	P
93	recongeler	T
155	reconnaître/reconnaitre	T
155	reconnaître/reconnaitre (se)	P
88	reconnecter	T
88	reconnecter (se)	P
110	reconquérir	T
92	reconsidérer	T
88	reconsolider	T
88	reconstituer	T
88	reconstituer (se)	P
177	reconstruire	T
88	recontacter	T
106	reconvertir	T
106	reconvertir (se)	P
101	recopier	T
88	recoquiller	T
88	recoquiller (se)	P
88	recorder	T
90	recorriger	T
88	recoucher	T
88	recoucher (se)	P
168	recoudre	T
168	recoudre (se)	P
88	recouper	T
88	recouper (se)	P
88	recouponner	T
88	recourber	T
88	recourber (se)	P
119	recourir à	T, Ti
88	recouvrer	T
113	recouvrir	T
113	recouvrir (se)	P
88	recracher	I, T
99	recréer	T
99	récréer	T
99	récréer (se)	P
106	recrépir	T
88	recreuser	T
101	récrier (se)	P
88	récriminer	I
175	récrire	T
88	recristalliser	T
88	recroiser	T
159	recroître/recroitre	I
88	recroller belg.	I
88	recroqueviller	T
88	recroqueviller (se)	P
88	recruter	I, T

88	recruter (se)	P
101	rectifier	T
114	recueillir	T
114	recueillir (se)	P
177	recuire	I, T
88	reculer	I, T
88	reculer (se)	P
88	reculotter	T
88	reculotter (se)	P
92	récupérer	T
88	récurer	T
88	récuser	T
88	récuser (se)	P
88	recycler	T
88	recycler (se)	P
88	redécouper	T
113	redécouvrir	T
153	redéfaire	T
106	redéfinir	T
88	redemander	T
88	redémarrer	I
106	redémolir	T
103	redéployer	T
143	redescendre	T, *avoir*
143	redescendre	I, *être* (ou *avoir*)
109	redevenir	I, *être*
129	redevoir	T
88	rediffuser	T
90	rédiger	I, T
88	rédimer	T
88	rédimer (se)	P
173	redire à	T, Ti
90	rediriger	T
88	rediscuter	T
88	redistribuer	T
88	redonder	I
88	redonner	I, T
88	redonner (se)	P
88	redorer	T
88	redoubler de	I, T, Ti
88	redouter	T
88	redresser	T
88	redresser (se)	P
177	réduire	T
177	réduire (se)	P
88	rééchelonner	T
175	réécrire	T
101	réédifier	T
88	rééditer	T
88	rééduquer	T
172	réélire	T
88	réembaucher	T
103	réemployer	T
88	réemprunter	T
88	réenchanter	T
90	réengager	T
90	réengager (se)	P
89	réensemencer	T
143	réentendre	T
88	rééquilibrer	T
99	réer	I
88	réescompter	T
102	réessayer	T
88	réévaluer	T
88	réexaminer	T
101	réexpédier	T
88	réexporter	T
88	refaçonner	T
153	refaire	T
153	refaire (se)	P
143	refendre	T
89	référencer	T
92	référer (en) à	Ti
92	référer (se) à	P
88	refermer	T
88	refermer (se)	P
88	refiler	T
106	réfléchir à, sur, dans	I, T, Ti
106	réfléchir (se)	P
92	refléter	T
92	refléter (se)	P
106	refleurir	I, T
88	refluer	I
88	refonder	T
143	refondre	I, T
90	reforger	T
88	reformer	T
88	reformer (se)	P
88	réformer	T
88	réformer (se)	P
88	reformuler	T
88	refouiller	T
88	refouler	I, T
88	refourguer	T
88	refourrer	T
145	refoutre	T
88	réfracter	T
92	refréner/réfréner	T
92	refréner /réfréner (se)	P
92	réfrigérer	T
106	refroidir	I, T
106	refroidir (se)	P
101	réfugier (se)	P
88	refuser	I, T
88	refuser (se)	P
88	réfuter	T
88	regagner	T
88	régaler	T
88	régaler (se)	P
88	regarder à	I, T, Ti
88	regarder (se)	P
106	regarnir	T
88	régater	I
88	regazonner	T
93	regeler	I, T
92	régénérer	T
92	régénérer (se)	P
88	régenter	I, T
88	regimber	I
88	regimber (se)	P
88	régionaliser	T
106	régir	T
88	réglementer/règlementer	T
92	régler	T
92	régler (se)	P
92	régner	I
88	regonfler	I, T
90	regorger	I
88	regratter	I, T
99	regréer	T
88	regreffer	T
88	régresser	I
88	regretter	T
88	regrimper	I, T
106	regrossir	I
88	regrouper	T
88	regrouper (se)	P
88	régulariser	T
88	réguler	T
88	réguler (se)	P
88	régurgiter	T
88	réhabiliter	T
88	réhabiliter (se)	P

N°	Verbe	Construction
88	renauder	I
88	rencaisser	T
88	rencarder	T
88	renchaîner/renchainer	T
106	renchérir	I, T
88	rencogner	T
88	rencogner (se)	P
88	rencontrer	T
88	rencontrer (se)	P
118	rendormir	T
118	rendormir (se)	P
88	rendosser	T
143	**rendre**	I, T
143	rendre (se)	P
101	renégocier	T
90	reneiger impers. : *il reneige*	I
88	renfaîter/renfaiter	T
88	renfermer	T
88	renfermer (se)	P
88	renfiler	T
88	renflammer	T
88	renfler	I, T
88	renfler (se)	P
88	renflouer	T
89	renfoncer	T
89	renforcer	T
89	renforcer (se)	P
106	renformir	T
88	renfrogner (se)	P
90	rengager	I, T
90	rengager (se)	P
88	rengainer	T
90	rengorger (se)	P
101	rengracier	I
88	rengraisser	I
91	rengrener	T
92	rengréner	T
101	renier	T
101	renier (se)	P
88	renifler	I, T
88	renommer	T
89	renoncer à	T, Ti
88	renouer	T
88	renouer (se)	P
97	renouveler	I, T
97	renouveler (se)	P
88	rénover	T
88	renquiller	T
88	renseigner	T
88	renseigner (se)	P
88	rentabiliser	T
88	rentamer	T
88	renter	T
88	rentoiler	T
152	rentraire	T, D
102	rentrayer	T
88	rentrer	T, *avoir*
88	rentrer	I, *être*
113	rentrouvrir	T
88	renvelopper	T
88	renvenimer	T
90	renverger	T
88	renverser	T
88	renverser (se)	P
88	renvider	T
101	renvier	I, T
105	renvoyer	T
105	renvoyer (se)	P
88	réoccuper	T
92	réopérer	T
88	réorchestrer	T
89	réordonnancer	T
88	réordonner	T
88	réorganiser	T
88	réorganiser (se)	P
88	réorienter	T
88	réorienter (se)	P
88	repairer	I
158	**repaître/repaitre**	T
158	repaître/repaitre (se)	P
143	répandre	T
143	répandre (se)	P
155	reparaître/ reparaitre	I, *avoir* (ou *être*)
88	réparer	T
88	reparler	I
88	reparler (se)	P
90	repartager	T
111	repartir *(partir à nouveau)*	I, *être*
111	repartir *(répondre)*	T, *avoir*
111	répartir *(répondre)*	T, *avoir*
106	répartir *(distribuer)*	T, *avoir*
106	répartir (se) *(se distribuer)*	P, *être*
88	repasser	T, *avoir*
88	repasser	I, *être* ou *avoir*
88	repasser (se)	P, *être*
88	repatiner	T
88	repaver	T
102	repayer	T
88	repêcher	T
88	repeigner	T
88	repeigner (se)	P
148	repeindre	T
143	rependre	T
88	repenser	I, T
111	repentir (se)	P
89	repercer	T
88	répercuter	T
88	répercuter (se)	P
143	reperdre	T
92	repérer	T
92	repérer (se)	P
101	répertorier	T
92	répéter	I, T
92	répéter (se)	P
88	repeupler	T
88	repeupler (se)	P
89	repincer	T
88	repiquer	I, T
89	replacer	T
89	replacer (se)	P
88	replanter	I, T
88	replanter (se)	P
88	replâtrer	T
132	repleuvoir	impers. : *il repleut*
101	replier	T
101	replier (se)	P
88	répliquer	I, T
88	répliquer (se)	P
88	replisser	T
90	replonger	I, T
90	replonger (se)	P
103	reployer	T
106	repolir	T
143	répondre à, de	I, T, Ti
143	répondre (se)	P
88	reporter	T
88	reporter (se)	P
88	reposer	I, T
88	reposer (se)	P
88	repositionner	T
88	repositionner (se)	P

T : transitif direct (p. p. variable) — **Ti** : transitif indirect (p. p. invariable) — **I** : intransitif (p. p. invariable) — **P** : construction pronominale (auxiliaire *être*) — **impers.** : verbe impersonnel — **D** : verbe défectif — ***être*** : se conjugue avec l'auxiliaire *être* — ***être*** ou ***avoir*** : verbe se conjuguant avec l'un ou l'autre de ces auxiliaires, selon le cas (→ paragraphe 18)

88 repousser .... I, T
88 repousser (se) .... P
144 reprendre .... I, T
144 reprendre (se) .... P
88 représenter .... I, T
88 représenter (se) .... P
88 réprimander .... T
88 réprimer .... T
88 repriser .... T
88 reprocher .... T
88 reprocher (se) .... P
177 reproduire .... T
177 reproduire (se) .... P
88 reprogrammer .... T
101 reprographier .... T
88 reprouver .... T
88 réprouver .... T
88 républicaniser .... T
101 répudier .... T
88 répugner à .... T, Ti
88 réputer .... T
101 requalifier .... T
101 requalifier (se) .... P
110 requérir .... T
88 requinquer .... T
88 requinquer (se) .... P
88 réquisitionner .... T
88 resaler .... T
106 resalir .... T
106 resalir (se) .... P
88 resaluer .... T
88 rescaper québ. .... T
88 rescinder .... T
88 réseauter .... T
91 resemer .... T
91 resemer (se) .... P
92 réséquer .... T
88 réserver .... T
88 réserver (se) .... P
88 résider I
88 résigner .... T
88 résigner (se) .... P
101 résilier .... T
88 résiner .... T
101 résinifier .... T
88 résister à .... Ti
88 resituer .... T
88 resituer (se) .... P
88 résonner I
88 résorber .... T
88 résorber (se) .... P

167 résoudre .... T
167 résoudre (se) .... P
88 respecter .... T
88 respecter (se) .... P
88 respirer .... I, T
106 resplendir I
88 responsabiliser .... T
88 resquiller .... I, T
88 ressaigner .... I, T
106 ressaisir .... T
106 ressaisir (se) .... P
88 ressasser .... T
88 ressauter .... I, T
102 ressayer .... T
88 ressembler à .... Ti
88 ressembler (se) .... P
p. p. invariable
97 ressemeler .... T
91 ressemer .... T
91 ressemer (se) .... P
111 ressentir .... T
111 ressentir (se) .... P
88 resserrer .... T
88 resserrer (se) .... P
121 resservir .... I, T
121 resservir (se) .... P
111 ressortir *(sortir à nouveau)* T, *avoir*
111 ressortir *(sortir à nouveau)* .. I, *être*
106 ressortir *(être du ressort de)* à .. Ti
avoir
88 ressouder .... T
88 ressouder (se) .... P
89 ressourcer .... T
89 ressourcer (se) .... P
109 ressouvenir (se) .... P
88 ressuer .... I, T
106 ressurgir I
88 ressusciter .... T, *avoir*
88 ressusciter .. I, *être* (ou *avoir*)
104 ressuyer .... T
104 ressuyer (se) .... P
88 restaurer .... T
88 restaurer (se) .... P
88 rester .... I, *être*
88 restituer .... T
148 restreindre .... T
148 restreindre (se) .... P
88 restructurer .... T
88 restyler .... T
88 résulter .... I, D
avoir (ou *être*), seulement aux
3es personnes, à l'infinitif
et au part. présent et passé

88 résumer .... T
88 résumer (se) .... P
106 resurgir I
106 rétablir .... T
106 rétablir (se) .... P
88 retailler .... T
88 rétamer .... T
88 rétamer (se) .... P
88 retaper .... T
88 retaper (se) .... P
88 retapisser .... T
88 retarder .... I, T
88 retâter à .... T, Ti
148 reteindre .... T
88 retéléphoner à .... Ti
143 retendre .... T
109 retenir .... I, T
109 retenir (se) .... P
88 retenter .... T
106 retentir I
89 retercer .... T
88 reterser .... T
88 réticuler .... T
88 retirer .... T
88 retirer (se) .... P
88 retisser .... T
88 retomber .... I, *être*
143 retondre .... T
88 retoquer .... T
143 retordre .... T
88 rétorquer .... T
88 retoucher à .... T, Ti
88 retourner .... T, *avoir*
88 retourner .... I, *être*
88 retourner (se) .... P, *être*
89 retracer .... T
88 rétracter .... T
88 rétracter (se) .... P
177 retraduire .... T
152 retraire .... T, D
88 retraiter .... T
88 retrancher .... T
88 retrancher (se) .... P
175 retranscrire .... T
147 retransmettre .... T
88 retravailler à .... I, T, Ti
88 retraverser .... T
106 rétrécir .... I, T

106 rétrécir (se) ... P
148 retreindre ... T
148 rétreindre ... T
88 retremper ... T
88 retremper (se) ... P
88 rétribuer ... T
106 rétroagir ... I
92 rétrocéder ... I, T
88 rétrograder ... I, T
88 retrousser ... T
88 retrousser (se) ... P
88 retrouver ... T
88 retrouver (se) ... P
88 retuber ... T
101 réunifier ... T
106 réunir ... T
106 réunir (se) ... P
106 réussir à ... I, T, Ti
88 réutiliser ... T
88 revacciner ... T
134 revaloir ... T
88 revaloriser ... T
88 revancher (se) ... P
88 rêvasser ... I
88 réveiller ... T
88 réveiller (se) ... P
88 réveillonner ... I
92 révéler ... T
92 révéler (se) ... P
88 revendiquer ... I, T
88 revendiquer (se) ... P
143 revendre ... T
143 revendre (se) ... P
109 revenir ... I, *être*
109 revenir (s'en) ... P, *être*
88 rêver à, de ... I, T, Ti
92 réverbérer ... T
92 réverbérer (se) ... P
106 reverdir ... I, T
92 révérer ... T
106 revernir ... T
88 reverser ... T
112 revêtir ... T
112 revêtir (se) ... P
88 revigorer ... T
88 revirer ... I
88 réviser ... I, T
88 revisiter ... T

88 revisser ... T
88 revitaliser ... T
101 revivifier ... T
171 revivre ... I, T
126 revoir ... T
126 revoir (se) ... P
88 revoler ... I, T
88 révolter ... T
88 révolter (se) ... P
88 révolutionner ... T
88 révolvériser ... T
88 révoquer ... T
88 revoter ... I, T
135 revouloir ... T
88 révulser ... T
88 révulser (se) ... P
88 rewriter ... T
88 rhabiller ... T
88 rhabiller (se) ... P
88 rhumer ... T
88 ribler ... T
88 ribouler ... I
88 ricaner ... I
88 ricocher ... I
88 rider ... T
88 rider (se) ... P
88 ridiculiser ... T
88 ridiculiser (se) ... P
88 riffauder ... I, T
88 rifler ... T
101 rigidifier ... T
88 rigoler ... I
88 rimailler ... I
88 rimer ... I, T
89 rincer ... T
89 rincer (se) ... P
88 ringarder ... T
88 ripailler ... I
88 ripatonner ... I
88 riper ... I, T
88 ripoliner ... T
88 riposter à ... I, T, Ti
174 rire de ... I, Ti
174 rire (se) de ... P
p. p. invariable
88 risquer ... T
88 risquer (se) ... P
88 rissoler ... I, T

88 ristourner ... T
88 ritualiser ... T
88 rivaliser ... I
88 river ... T
98 riveter ... T
88 rober ... T
88 robotiser ... T
88 rocher ... I
88 rocquer ... I
88 rôdailler ... I
88 roder ... T
88 rôder ... I
88 rogner ... I, T
88 rognonner ... I
106 roidir ... T
106 roidir (se) ... P
89 romancer ... T
88 romaniser ... I, T
88 romaniser (se) ... P
145 rompre ... I, T
145 rompre (se) ... P
88 ronchonner ... I
88 ronéoter ... T
88 ronéotyper ... T
106 rondir ... T
88 ronflaguer ... I
88 ronfler ... I
90 ronger ... T
90 ronger (se) ... P
88 ronronner ... I
88 ronsardiser ... I
88 roquer ... I
88 roser ... T
106 rosir ... I, T
88 rosser ... T
88 roter ... I
106 rôtir ... I, T
106 rôtir (se) ... P
88 roucouler ... I, T
88 rouer ... T
88 roufler belg. ... I, T
103 rougeoyer ... I
106 rougir ... I, T
88 rougnotter ... I
88 rouiller ... I, T
88 rouiller (se) ... P
106 rouir ... I, T
88 rouler ... I, T

T : transitif direct (p. p. variable) — **Ti** : transitif indirect (p. p. invariable) — **I** : intransitif (p. p. invariable) — **P** : construction pronominale (auxiliaire *être*) — **impers.** : verbe impersonnel — **D** : verbe défectif — ***être*** : se conjugue avec l'auxiliaire *être* — ***être*** ou ***avoir*** : verbe se conjuguant avec l'un ou l'autre de ces auxiliaires, selon le cas (→ paragraphe 18)

88	rouler (se)	P
88	roulot(t)er	T
88	roupiller	I
88	rouscailler	I
92	rouspéter	I
97	rousseler québ.	I, T
106	roussir	I, T
106	roustir	T
88	router	T
113	rouvrir	I, T
113	rouvrir (se)	P
88	rubaner	T
101	rubéfier	T
88	rucher	T
88	rudenter	T
103	rudoyer	T
88	ruer	I
88	ruer (se)	P
106	rugir	I, T
88	ruiler	T
88	ruiner	T
88	ruiner (se)	P
97	ruisseler	I
88	ruminer	I, T
88	rupiner	I
88	ruser	I
101	russifier	T
88	rustiquer	T
88	rûter/ruter belg.	I
88	rutiler	I
88	rythmer	T

S

88	sabler	I, T
88	sablonner	T
88	saborder	T
88	saborder (se)	P
88	saboter	I, T
88	sabouler	T
88	sabouler (se)	P
88	sabrer	I, T
88	sacagner	T
88	saccader	T
90	saccager	T
101	sacc(h)arifier	T
88	sacquer	T
88	sacraliser	T
88	sacrer	I, T
101	sacrifier	T
101	sacrifier (se)	P
88	safraner	T
88	saietter	T
88	saigner	I, T
88	saigner (se)	P
115	saillir (sortir, s'élancer)	I, D
106	saillir (jaillir avec force)	I, D
106	saillir (s'accoupler)	T, D
106	saisir	T
106	saisir (se) de	P
88	saisonner	I
101	salarier	T
88	saler	T
101	salifier	T
88	saligoter	T
106	salir	T
106	salir (se)	P
88	saliver	I
88	salonguer afr.	I
88	saloper	T
88	salpêtrer	T
88	saluer	T
88	saluer (se)	P
101	sanctifier	T
88	sanctionner	T
88	sanctuariser	T
88	sandwicher	T
88	sangler	T
88	sangler (se)	P
88	sangloter	I
88	santer afr.	I
88	santonner	T
88	s(a)ouler	T
88	s(a)ouler (se)	P
88	saper	T
88	saper (se)	P
101	saponifier	T
88	saquer	T
88	sarcler	T
88	sarter	T
88	sasser	T
88	sataner	T
88	sataniser	T
88	satelliser	T
88	satelliser (se)	P
88	satiner	T
88	satiriser	T
153	satisfaire à	T, Ti
153	satisfaire (se)	P
88	satonner	T
88	saturer	I, T
89	saucer	T
88	saucissonner	I, T
88	saumurer	T
88	sauner	I
88	saupoudrer	T
88	saurer	T
106	saurir	T
97	sauteler	I
88	sauter	I, T
88	sautiller	I
88	sauvegarder	T
88	sauver	I, T
88	sauver (se)	P
88	savater	T
128	savoir	I, T
128	savoir (se)	P
88	savonner	T
88	savonner (se)	P
88	savourer	T
88	scalper	T
88	scandaliser	I, T
88	scandaliser (se)	P
88	scander	T
88	scanner	T
88	scannériser	T
101	scarifier	T
88	sceller	T
88	scénariser	T
88	schématiser	I, T
88	schlinguer	I
88	schlitter	T
88	schmecter	I
88	schnouffer (se)	P
88	schnouper	T
88	schpiler	I
101	scier	I, T
88	scinder	T
88	scinder (se)	P
88	scintiller	I
88	sciotter	T
88	scissionner	I
88	scléroser	T
88	scléroser (se)	P
88	scolariser	T
101	scorifier	T
88	scotcher	T
88	scrafer	T
88	scratcher	I, T
88	scribouiller	T
88	scruter	T
88	sculpter	I, T
92	sécher	I, T
92	sécher (se)	P

88	seconder	T
88	secouer	T
88	secouer (se)	P
119	secourir	T
92	secréter	T
92	sécréter	T
88	sectionner	T
88	sectionner (se)	P
88	sectoriser	T
88	séculariser	T
88	sécuriser	T
88	sédentariser	T
88	sédentariser (se)	P
88	sédimenter	T
177	séduire	I, T
88	segmenter	T
88	segmenter (se)	P
92	ségréguer	T
88	séjourner	I
88	séjourner (se) afr.	P
88	sélecter	T
88	sélectionner	T
88	seller	T
88	sembler	I
91	semer	I, T
89	semoncer	T
88	sénégaliser afr.	T
88	sensibiliser	T
88	sensibiliser (se)	P
111	sentir	I, T
111	sentir (se)	P
136	s(e)oir	I, D
	pas de passé simple ni de subjonctif imparfait ; ne s'utilise qu'au part. présent et passé, à l'impératif, à l'infinitif et aux 3es personnes des temps simples	
88	séparer	T
88	séparer (se)	P
88	septupler	I, T
89	séquencer	T
88	séquestrer	T
89	sérancer	T
106	serfouir	T
88	sérialiser	T
101	sérier	T
88	seriner	T
88	seringuer	T
88	sermonner	T
88	serpenter	I
88	serrer	I, T
88	serrer (se)	P
106	sertir	T
88	serviotter	T
121	servir à	I, T, Ti
121	servir (se)	P
106	sévir	I
91	sevrer	T
88	sextupler	I, T
88	sexualiser	T
88	shampooiner	T
88	shampouiner	T
88	shooter	I, T
88	shunter	T
92	sidérer	T
100	siéger	I
88	siester afr.	I
88	siffler	I, T
88	siffloter	I, T
88	sigler	T
88	signaler	T
88	signaler (se)	P
88	signaliser	T
88	signer	I, T
88	signer (se)	P
101	signifier	T
88	silhouetter	T
88	silhouetter (se)	P
88	silicatiser (se)	P
88	siliconer	T
88	sillonner	T
88	similiser	T
101	simplifier	I, T
101	simplifier (se)	P
88	simuler	T
90	singer	T
88	singulariser	T
88	singulariser (se)	P
88	siniser	T
88	siniser (se)	P
88	siphonner	T
88	siroter	T
88	situer	T
88	situer (se)	P
101	skier	I
88	slalomer	I
88	slaviser	T
89	slicer	T
88	smasher	I
88	smiller	T
88	smurfer	I
88	sniffer	T
88	snober	T
88	socialiser	T
88	socratiser	I
88	sodomiser	T
88	soigner	I, T
88	soigner (se)	P
136	soir/seoir	I, D
88	soirer belg.	I
88	solariser	T
88	solder	T
88	solder (se)	P
88	solenniser	T
101	solfier	T
88	solidariser	T
88	solidariser (se)	P
101	solidifier	T
101	solidifier (se)	P
88	solifluer	I
88	soliloquer	I
88	solliciter	T
88	solmiser	T
88	solubiliser	T
88	solutionner	T
88	somatiser	I, T
88	sombrer	I
88	sommeiller	I
88	sommer	T
88	somnoler	I
88	sonder	T
90	songer à	I, Ti
88	sonnailler	I
88	sonner de	I, T, Ti
88	sonoriser	T
88	sonrer belg.	I
88	sophistiquer	T
88	sophistiquer (se)	P
98	soqueter belg.	I
111	sortir	T, *avoir*
111	sortir	I, *être*
111	sortir (se)	P, *être*

T : transitif direct (p. p. variable) — **Ti** : transitif indirect (p. p. invariable) — **I** : intransitif (p. p. invariable) — **P** : construction pronominale (auxiliaire *être*) — **impers.** : verbe impersonnel — **D** : verbe défectif — ***être*** : se conjugue avec l'auxiliaire *être* — ***être* ou *avoir*** : verbe se conjuguant avec l'un ou l'autre de ces auxiliaires, selon le cas (→ paragraphe 18)

106 sortir (terme juridique) T, D, *avoir* seulement aux 3es pers. (*il sortissait…*)
146 soubattre … T
88 soubresauter … I
98 soucheter … T
91 souchever … T
101 soucier … T
101 soucier (se) … P
88 souder … T
88 souder (se) … P
103 soudoyer … T
88 souffler … I, T
98 souffleter … T
113 souffrir … I, T
113 souffrir (se) … P
88 soufrer … T
88 souhaiter … T
88 souiller … T
90 soulager … T
90 soulager (se) … P
88 soûler/souler … T
88 soûler/souler (se) … P
91 soulever … T
91 soulever (se) … P
88 souligner … T
147 soumettre … T
147 soumettre (se) … P
88 soumissionner … I, T
88 soupçonner … T
88 souper … I
91 soupeser … T
88 soupirer … I, T
88 souquer … I, T
88 sourciller … I
88 sourdiner … T
143 sourdre … I, D seulement à l'infinitif et aux 3es pers. de l'indicatif
174 sourire à … I, Ti
174 sourire (se) … P, p. p. invariable
88 sous-alimenter … T
175 souscrire à … I, T, Ti
103 sous-employer … T
143 sous-entendre … T
88 sous-estimer … T
88 sous-évaluer … T
88 sous-exploiter … T
88 sous-exposer … T
106 sous-investir … I
88 sous-louer … T
102 sous-payer … T
92 sous-rémunérer … T
143 sous-tendre … T
88 sous-titrer … T
152 soustraire … T, D
152 soustraire (se) … P, D
88 sous-traiter … I, T
88 sous-utiliser … T
88 sous-virer … I
88 soutacher … T
109 soutenir … T
109 soutenir (se) … P
88 soutirer … T
109 souvenir … *être*, impers.: *il m'en souvient, il lui est souvenu que...*
109 souvenir (se) … P
88 soviétiser … T
101 spathifier … T
88 spatialiser … T
88 spatialiser (se) … P
88 spécialiser … T
88 spécialiser (se) … P
101 spécifier … T
88 spéculer … I
88 speeder … I, T
92 sphacéler … T
88 spiritualiser … T
88 spitter … T
88 splitter … T
101 spolier … T
88 sponsoriser … T
88 sporuler … I
88 sprinter … I
88 squatter … T
88 squeezer … T
88 stabiliser … T
88 stabiliser (se) … P
88 staffer … T
88 stagner … I
88 staliniser … T
88 standardiser … T
88 stariser … T
88 stater belg. … T
88 stationner … I, T
88 statuer sur … T, Ti
101 statufier … T
101 sténographier … T
88 sténotyper … T
88 stéréotyper … T
92 stérer … T
88 stériliser … T
88 stigmatiser … T
88 stimuler … T
88 stimuler (se) … P
101 stipendier … T
88 stipuler … T
88 stocker … T
88 stopper … I, T
88 stranguler … T
101 stratifier … T
88 stresser … I, T
88 stresser (se) … P
88 striduler … I, T
101 strier … T
88 stripper … T
88 striquer … T
88 structurer … T
88 structurer (se) … P
153 stupéfaire … T, D seulement à la 3e pers. du sing. de l'ind. présent et aux temps composés ; part. passé : *stupéfait, te, ts, tes*
101 stupéfier … T
88 stuquer … T
88 styler … T
88 styliser … T
92 subdéléguer … T
88 subdiviser … T
88 subdiviser (se) … P
106 subir … I, T
88 subjuguer … T
88 sublimer … I, T
90 submerger … T
88 subodorer … T
88 subordonner … T
88 subordonner (se) … P
88 suborner … T
90 subroger … T
101 subsidier belg. … T
88 subsister … I
88 substantiver … T
88 substituer … T
88 substituer (se) … P
88 subsumer … T
88 subtiliser … I, T
88 subtiliser (se) … P
109 subvenir à … Ti
88 subventionner … T

106 subvertir .... T
92 succéder à .... Ti
92 succéder (se) .... P
p. p. invariable
88 succomber à .... I, Ti
89 sucer .... I, T
89 sucer (se) .... P
88 suçoter .... T
88 sucrer .... I, T
88 sucrer (se) .... P
88 suer .... I, T
176 suffire à .... I, Ti
176 suffire (se) .... P
p. p. invariable
88 suffixer .... T
88 suffoquer .... I, T
92 suggérer .... I, T
88 suggestionner .... T
88 suicider (se) .... P
88 suif(f)er .... T
88 suinter .... I, T
170 suivre .... I, T
170 suivre (se) .... P
97 sukkeler belg. I
88 sulfater .... T
88 sulfiter .... T
88 sulfoner .... T
88 sulfurer .... T
106 superfinir .... T
88 superposer .... T
88 superposer (se) .... P
88 superviser .... T
88 supplanter .... T
88 supplanter (se) .... P
99 suppléer à .... T, Ti
88 supplémenter .... T
101 supplicier .... T
101 supplier .... T
88 supporter .... T
88 supporter (se) .... P
88 supposer .... T
88 supprimer .... T
88 supprimer (se) .... P
88 suppurer I
88 supputer .... T
88 surabonder I
88 surajouter .... T
88 surajouter (se) .... P
88 suralimenter .... T
88 suralimenter (se) .... P
88 suraller I
88 surarmer .... T
88 surbaisser .... T
88 surboucher .... T
88 surbroder .... T
90 surcharger .... T
88 surchauffer .... T
88 surclasser .... T
88 surcoller belg. I
88 surcomprimer .... T
88 surcontrer .... T
88 surcoter .... T
88 surcouper I
88 surcreuser .... T
88 surdorer .... T
101 surédifier .... T
91 surélever .... T
106 surenchérir I
88 surentraîner/
surentrainer .... T
88 suréquiper .... T
88 surestimer .... T
88 surestimer (se) .... P
88 surévaluer .... T
88 surexciter .... T
88 surexploiter .... T
88 surexposer .... T
89 surfacer .... I, T
88 surfacturer .... T
153 surfaire .... T, D
surtout à l'infinitif et au sing. du présent de l'ind., au part. passé et aux temps composés
88 surfer I
88 surfiler .... T
106 surfleurir .... T
88 surfrapper .... T
93 surgeler .... T
88 surgeonner I
106 surgir .... I, *avoir* (ou *être*)
89 surglacer .... T
88 surgreffer .... T
88 surhausser .... T
88 surimposer .... T
88 surimposer (se) .... P
88 suriner .... T
92 surinterpréter .... T
106 surinvestir I
106 surir I
88 surjaler I
96 surjeter .... T
101 surlier .... T
88 surligner .... T
88 surmédicaliser .... T
91 surmener .... T
91 surmener (se) .... P
88 surmonter .... T
88 surmonter (se) .... P
88 surmouler .... T
90 surnager I
88 surnommer .... T
88 suroxyder .... T
88 surpasser .... T
88 surpasser (se) .... P
102 surpayer .... T
88 surpeupler .... T
88 surpiquer .... T
88 surplomber .... I, T
144 surprendre .... T
144 surprendre (se) .... P
177 surproduire .... T
100 surprotéger .... T
88 sursaturer .... T
88 sursauter I
91 sursemer .... T
139 surs(e)oir à .... T, Ti
88 sursouffler .... T
88 surtailler .... T
88 surtaxer .... T
143 surtondre .... T
88 survaloriser .... T
88 surveiller .... T
88 surveiller (se) .... P
109 survenir .... I, *être*
112 survêtir .... T
88 survirer .... T
171 survivre à .... I, T, Ti
171 survivre (se) .... P
p. p. invariable
88 survoler .... T
88 survolter .... T
88 susciter .... T
88 suspecter .... T
88 suspecter (se) .... P

T : transitif direct (p. p. variable) — **Ti** : transitif indirect (p. p. invariable) — **I** : intransitif (p. p. invariable) — **P** : construction pronominale (auxiliaire *être*) — **impers.** : verbe impersonnel — **D** : verbe défectif — ***être*** : se conjugue avec l'auxiliaire *être* — ***être*** ou ***avoir*** : verbe se conjuguant avec l'un ou l'autre de ces auxiliaires, selon le cas (→ paragraphe 18)

143 suspendre T
143 suspendre (se) P
88 sustenter T
88 sustenter (se) P
88 susurrer I, T
88 suturer T
88 swinguer I
88 syllaber T
88 symboliser T
88 symétriser I, T
88 sympathiser I
88 synchroniser T
88 syncoper I, T
88 syncristalliser I
88 syndicaliser T
88 syndiquer T
88 syndiquer (se) P
88 synthétiser I, T
88 syntoniser T
88 systématiser I, T
88 systématiser (se) P

t

88 tabasser T
88 tabasser (se) P
88 tabler sur Ti
88 tabletter québ. T
88 tabouiser T
88 tabuler I, T
88 tacher I, T
88 tacher (se) P
88 tâcher de T, Ti
98 tacheter T
88 taguer I, T
88 taillader T
88 tailler I, T
88 tailler (se) P
154 taire T
154 taire (se) P
88 taler T
88 taller I
88 talocher T
88 talonner I, T
88 talquer T
88 tambouler afr. I
88 tambouriner I, T
88 tamiser I, T
88 tamponner T
88 tamponner (se) P
89 tancer T
88 tanguer I
88 tan(n)iser T
88 tanner T
90 tapager I
88 taper I, T
88 taper (se) P
88 tapiner I
106 tapir (se) P
88 tapisser T
88 taponner T
88 tapoter I, T
88 taquer T
88 taquiner T
88 taquiner (se) P
88 tarabiscoter T
88 tarabuster T
88 tarauder T
88 tarder à I, Ti
88 tarer T
88 targuer (se) P
88 tarifer T
106 tarir I, T
106 tarir (se) P
88 tarter T
88 tartiner I, T
106 tartir I
88 tasser I, T
88 tasser (se) P
88 tataouiner québ. I
88 tâter de, y T, Ti
88 tâter (se) P
88 tatillonner I
88 tâtonner I
88 tatouer T
88 tauper T
97 taveler T
97 taveler (se) P
88 taveller T
88 taxer T
88 tayloriser T
88 tchadiser afr. T
88 tchatcher I
88 techniciser T
88 techniser T
88 technocratiser T
88 technocratiser (se) P
88 tecker afr. I
88 teiller T
148 teindre T
148 teindre (se) P
88 teinter T
88 teinter (se) P
90 télécharger T
88 télécommander T
101 télécopier T
88 télédiffuser T
101 télégraphier I, T
88 téléguider T
92 télémétrer I, T
88 téléphoner à I, T, Ti
88 téléphoner (se) P
88 téléporter T
88 téléporter (se) P
88 télescoper T
88 téléscoper (se) P
147 télétransmettre T
88 téléviser T
88 télexer T
88 témoigner à, de T, Ti
92 tempérer T
92 tempérer (se) P
88 tempêter I
88 temporiser I, T
88 tenailler T
143 tendre à, vers T, Ti
143 tendre (se) P
109 tenir à, de I, T, Ti
109 tenir (se) P
88 tenonner T
88 ténoriser I
88 tenter T
89 tercer T
88 tergiverser I
88 terminer T
88 terminer (se) P
106 ternir I, T
106 ternir (se) P
88 terrasser I, T
88 terreauter T
88 terrer I, T
88 terrer (se) P
101 terrifier T
106 terrir I
88 terroriser T
88 terser T
98 teseter afr. T
88 tester I, T
88 tétaniser T
88 tétaniser (se) P
92 téter I, T
88 têter afr. T
88 textualiser T
88 texturer T

88	texturiser	T
88	théâtraliser	I, T
88	thématiser	T
88	théoriser	I, T
88	thésauriser	I, T
88	tictaquer	I
106	tiédir	I, T
89	tiercer	T
88	tigrer	T
88	tiller	T
88	tilter	I
88	timbrer	T
88	tinter	I, T, Ti
88	tintinnabuler	I
88	tiquer	I
88	tirailler	I, T
88	tire(-)bouchonner	I, T
88	tire(-)bouchonner (se)	P
88	tirer à, sur	I, T, Ti
88	tirer (se)	P
88	tisaner	T
88	tiser	T
88	tisonner	I, T
88	tisser	T
	ti(s)tre p. p. *tissu, ue, us, ues* et temps composés	T, D
88	titiller	I, T
88	titrer	T
88	tituber	I
88	titulariser	T
88	toaster	I, T
88	togoliser afr.	T
88	toiler	T
88	toiletter	T
88	toiletter (se) afr.	P
88	toiser	T
88	toiser (se)	P
92	tolérer	T
92	tolérer (se)	P
88	tomber (rare)	T, *avoir*
88	tomber	I, *être*
88	tomer	T
143	tondre	T
101	tonifier	T
88	tonitruer	I
88	tonner	I
88	tonsurer	T
88	tontiner	T
88	toper	I
88	topicaliser	T
88	toquer	I
88	toquer (se)	P
88	torcher	T
88	torcher (se)	P
88	torchonner	T
143	tordre	T
143	tordre (se)	P
99	toréer	I
88	toronner	T
88	torpiller	T
101	torréfier	T
88	torsader	T
88	tortiller	I, T
88	tortiller (se)	P
88	tortorer	T
88	torturer	T
88	torturer (se)	P
88	tosser	I
88	totaliser	T
88	toubabiser afr.	T
88	toucher à	T, Ti
88	toucher (se)	P
88	touer	T
88	touer (se)	P
88	touiller	T
88	toupiller	I, T
88	toupiner	I
88	tourber	I
88	tourbillonner	I
88	tourillonner	I
88	tourmenter	T
88	tourmenter (se)	P
88	tournailler	I
88	tournasser	T
88	tournebouler	T
88	tourner	I, T
88	tourner (se)	P
88	tournicoter	I
88	tourniller	I
88	tourniquer	I
103	tournoyer	I
88	toussailler	I
88	tousser	I
88	toussoter	I
88	touter afr.	I
88	trabouler	I
88	tracaner	I, T
88	tracasser	T
88	tracasser (se)	P
89	tracer	I, T
88	tracter	T
177	traduire	T
177	traduire (se)	P
88	traficoter	I
88	trafiquer de	T, Ti
106	trahir	T
106	trahir (se)	P
88	traînailler/trainailler	I
88	traînasser/trainasser	I, T
88	traîner/trainer	I, T
88	traîner/trainer (se)	P
152	traire pas de passé simple ni de subj. imparfait	T, D
88	traiter de	T, Ti
88	traiter (se)	P
88	tramer	T
88	tramer (se)	P
88	tranchefiler	T
88	trancher	I, T
88	tranquilliser	T
88	tranquilliser (se)	P
88	transbahuter	T
88	transborder	T
88	transcender	T
88	transcender (se)	P
88	transcoder	T
175	transcrire	T
92	transférer	T
88	transfigurer	T
88	transfiler	T
88	transformer	T
88	transformer (se)	P
88	transfuser	T
88	transgresser	T
88	transhumer	I, T
90	transiger	I
106	transir	I, T
88	transistoriser	T
88	transiter	I, T
88	translater	T
92	translittérer	T
147	transmettre	T

T : transitif direct (p. p. variable) — **Ti** : transitif indirect (p. p. invariable) — **I** : intransitif (p. p. invariable) — **P** : construction pronominale (auxiliaire *être*) — **impers.** : verbe impersonnel — **D** : verbe défectif — ***être*** : se conjugue avec l'auxiliaire *être* — ***être* ou *avoir*** : verbe se conjuguant avec l'un ou l'autre de ces auxiliaires, selon le cas (→ paragraphe 18)

147 transmettre (se) ... P
88 transmigrer ... I
88 transmu(t)er ... T
88 transmu(t)er (se) ... P
155 transparaître/ transparaitre ... I
89 transpercer ... T
88 transpirer ... I, T
88 transplanter ... T
88 transplanter (se) ... P
88 transporter ... T
88 transporter (se) ... P
88 transposer ... T
101 transsubstantier ... T
88 transsuder ... I, T
88 transvaser ... T
88 transvider ... T
88 traquer ... T
88 traumatiser ... T
88 travailler à, sur ... I, T, Ti
88 travailler (se) ... P
88 travailloter ... I
88 traverser ... T
106 travestir ... T
106 travestir (se) ... P
88 trébucher ... I, T
88 tréfiler ... T
143 tréfondre ... I
90 treillager ... T
88 treillisser ... T
88 trémater ... T
88 trembler ... I
88 trembloter ... I
88 trémousser (se) ... P
88 tremper ... I, T
88 tremper (se) ... P
88 trémuler ... I, T
88 trépaner ... T
88 trépasser ... I, *être* ou *avoir*
88 trépider ... I
88 trépigner ... I, T
115 tressaillir ... I
88 tressauter ... I
88 tresser ... T
88 treuiller ... T
88 trévirer ... T
88 trianguler ... T
88 triballer ... T
88 tricher ... I
88 tricocher ... I
88 tricoter ... I, T
101 trier ... T
88 trifouiller ... I, T
88 triller ... I, T
88 trimarder ... I, T
88 trimbal(l)er ... T
88 trimbal(l)er (se) ... P
88 trimer ... I
88 tringler ... T
88 trinquer ... I
88 triompher de ... I, Ti
88 tripatouiller ... T
88 tripler ... I, T
88 tripoter ... I, T
88 triquer ... T
92 triséquer ... T
88 trisser ... I, T
88 trisser (se) ... P
88 triturer ... T
88 troler [afr.] ... T
88 tromper ... T
88 tromper (se) ... P
98 trompeter ... I, T
92 trompéter ... I, T
88 trompetter ... I, T
88 tronçonner ... T
88 trôner ... I
88 tronquer ... T
88 tropicaliser ... T
88 troquer ... T
88 trotter ... I
88 trotter (se) ... P
88 trottiner ... I
88 troubler ... T
88 troubler (se) ... P
88 trouer ... T
88 trouer (se) ... P
88 trouilloter ... I
88 troussequiner ... T
88 trousser ... T
88 trousser (se) ... P
88 trouver ... T
88 trouver (se) ... P
88 truander ... I, T
88 trucider ... T
88 truffer ... T
88 truquer ... I, T
88 trusquiner ... T
88 truster ... T
88 tuber ... T
88 tuberculiner ... T
88 tuberculiniser ... T
88 tuberculiser ... T
88 tuder ... T
88 tuer ... I, T
88 tuer (se) ... P
88 tuiler ... T
101 tuméfier ... T
101 tuméfier (se) ... P
88 turbiner ... I, T
88 turlupiner ... T
88 turluter [québ.] ... I, T
97 tûteler/tuteler [belg.] ... T
88 tûter/tuter [belg.] ... I, T
88 tuteurer ... T
88 tutorer ... T
103 tutoyer ... T
103 tutoyer (se) ... P
88 tututer ... I
88 tuyauter ... I, T
88 twister ... I
88 tympaniser ... T
88 typer ... T
88 typiser ... T
101 typographier ... T
88 tyranniser ... T

u

92 ulcérer ... T
92 ulcérer (s') ... P
88 (*h)ululer ... I
101 unifier ... T
101 unifier (s') ... P
88 uniformiser ... T
106 unir ... T
106 unir (s') ... P
88 universaliser ... T
88 universaliser (s') ... P
88 urbaniser ... T
88 urbaniser (s') ... P
90 urger ... I, D
seulement à la 3e personne
88 uriner ... I, T
88 user de ... T, Ti
88 user (s') ... P
88 usiner ... T
88 usurper ... I, T
88 utiliser ... T

v

88 vacciner ... T
88 vaciller ... I
88 vacuoliser ... T

N°	Verbe	Construction
88	vadrouiller	I
88	vagabonder	I
106	vagir	I
88	vaguer	I, T
151	vaincre	I, T
151	vaincre (se)	P
88	vaironner	I
88	valdinguer	I
98	valeter	I
88	valider	T
88	valiser	I, T
88	vallonner (se)	P
134	valoir	I, T
134	valoir (se)	P
88	valoriser	T
88	valoriser (se)	P
88	valouser	T
88	valser	I, T
88	vamper	T
88	vampiriser	T
88	vandaliser	T
88	vanner	T
88	vanter	T
88	vanter (se)	P
88	vaporiser	T
88	vaquer à	I, Ti
88	varapper	I
101	varier	I, T
88	varloper	T
88	vaseliner	T
88	vaser	impers.: *il vase*
88	vasouiller	I
88	vassaliser	T
88	vaticiner	I
88	vautrer (se)	P
92	végéter	I
88	véhiculer	T
88	véhiculer (se)	P
88	veiller à	I, T, Ti
88	veiner	T
88	vélariser	T
88	vêler	I
88	velouter	T
88	velouter (se)	P
90	vendanger	I, T
143	vendre	I, T
143	vendre (se)	P
92	vénérer	T
90	venger	T
90	venger (se)	P
109	venir	I, *être*
109	venir (s'en)	P
88	venter	impers.: *il vente*
88	ventiler	T
88	ventouser	T
88	verbaliser	I, T
90	verbiager	I
106	verdir	I, T
103	verdoyer	I
88	verduniser	T
90	verger belg.	I
98	vergeter	T
89	verglacer	impers.: *il verglace*
101	vérifier	T
101	vérifier (se)	P
88	verjuter	T
88	vermiculer	I
88	vermiller	I
88	vermillonner	I, T
88	vermouler (se)	P
106	vernir	T
88	vernisser	T
88	verrouiller	T
88	verrouiller (se)	P
88	verser	I, T
88	verser (se)	P
101	versifier	I, T
88	vesser	I
88	vétiller	I
112	vêtir	T
112	vêtir (se)	P
88	vexer	T
88	vexer (se)	P
88	viabiliser	T
88	viander	I
88	viander (se)	P
88	vibrer	I, T
88	vibrionner	I
101	vicier	I, T
88	victimiser	T
90	vidanger	T
88	vider	T
88	vider (se)	P
88	vidimer	T
106	vieillir	I, T
106	vieillir (se)	P
88	vieller	I
88	vigiler afr.	T
98	vigneter	T
88	vilipender	T
88	villégiaturer	I
88	vinaigrer	T
88	viner	T
101	vinifier	T
89	violacer	T
89	violacer (se)	P
88	violenter	T
88	violer	T
98	violeter	T
88	violoner	I, T
106	vioquir	I
88	virer à	I, T, Ti
88	virevolter	I
88	virguler	T
88	viriliser	T
88	viroler	T
88	viser à	I, T, Ti
88	visionner	T
88	visiter	T
88	visser	T
88	visser (se)	P
88	visualiser	T
88	vitrer	T
101	vitrifier	T
88	vitrioler	T
92	vitupérer	I, T
101	vivifier	T
88	vivoter	I
171	vivre	I, T
88	vocaliser	I, T
92	vociférer	I, T
88	voguer	I
88	voiler	I, T
88	voiler (se)	P
126	voir à	I, T, Ti
126	voir (se)	P
88	voisiner	I
88	voiturer	T
88	volatiliser	T
88	volatiliser (se)	P
88	volcaniser	T
88	voler	I, T
88	voler (se)	P

T: transitif direct (p. p. variable) — **Ti**: transitif indirect (p. p. invariable) — **I**: intransitif (p. p. invariable) — **P**: construction pronominale (auxiliaire *être*) — **impers.**: verbe impersonnel — **D**: verbe défectif — ***être***: se conjugue avec l'auxiliaire *être* — ***être*** ou ***avoir***: verbe se conjuguant avec l'un ou l'autre de ces auxiliaires, selon le cas (→ paragraphe 18)

98 voleter I
90 voliger .... T
102 volleyer I
88 volter I
90 voltiger I
106 vomir .... I, T
88 voter .... I, T
88 vouer .... T
88 vouer (se) .... P
135 vouloir de .... I, T, Ti
135 vouloir (en) à .... Ti
135 vouloir (se) .... P
135 vouloir (s'en) .... P
p. p. invariable
103 vous(s)oyer .... T
103 vous(s)oyer (se) .... P
88 voûter/vouter .... T
88 voûter/vouter (se) .... P
103 vouvoyer .... T
103 vouvoyer (se) .... P
90 voyager I
88 vriller .... I, T
106 vrombir I
88 vulcaniser .... T
88 vulganiser [afr.] .... T
88 vulgariser .... T

w, x, y, z

88 warranter .... T
88 week(-)ender [afr.] I
88 wolofiser [afr.] .... T
88 yailler [afr.] .... T
88 yodiser .... T
88 yoper [afr.] .... T
88 yoyoter I
88 zaïrianiser [afr.] .... T
88 zapper .... I, T
92 zébrer .... T
88 zerver .... T
88 zester .... T
102 zézayer I
88 ziber .... T
88 zieuter .... T
88 zigonner [québ.] .... I, T
88 zigouiller .... T
88 ziguer .... T
88 zigzaguer I
88 zinguer .... T
88 zinzinuler I
88 zipper .... T
88 zoner .... I, T
88 zoner (se) .... P
88 zonzonner I
88 zoomer sur .... T, Ti
88 zouaver [afr.] .... T
88 zouker I
88 zozoter I
88 zûner/zuner [belg.] I
88 zwanzer [belg.] I
88 zyeuter .... T